Een volmaakt gebroken hart

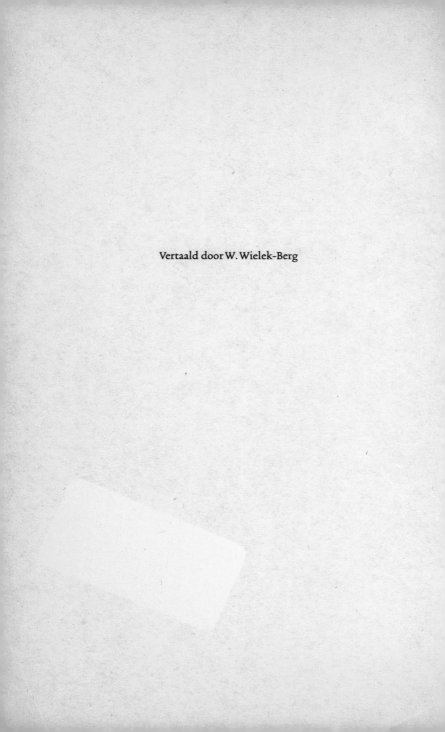

Vertaald door W. Wielek-Berg

Katie Singer

Een volmaakt gebroken hart

&

2001 Ooievaar Amsterdam

Dit is een roman. Elke overeenkomst met levende of overleden personen berust op toeval.

De auteur is dankbaar voor de toestemming het volgende op te nemen: definities uit *The American Heritage Dictionary* van Houghton-Mifflin; gedichten uit 'Love is a Rose' van Neil Young/Warner Bros; en een aangepaste versie van Orvin Marcellus Blandings 'Questions for My Father' (voor het eerst gepubliceerd in *Knowing the Light Will Come*, de *Mosaic* anthologie van verhalen en foto's van studenten van South Boston High, 1987).

Veel dank is verschuldigd aan *Lilith* en de *Jewish Women's Literary Annual/1997*, waarin gedeelten van dit werk verschenen; en aan de Western States Arts Federation en de Ludwig Vogelstein Foundation en vele personen wier financiële bijdragen dit werk mogelijk maakten.

Eerste druk 2000
Tweede druk 2001

Oorspronkelijke titel *The Wholeness of a Broken Heart*
© 1999 Katie Singer
© 2000 Nederlandse vertaling Uitgeverij Bert Bakker en W. Wielek-Berg
Omslagontwerp Erik Prinsen, Venlo
Foto omslag Gertrude Käsebier *Blessed Art Thou Among Women*
ISBN 90 5713 563 9

Uitgeverij Ooievaar is onderdeel van Uitgeverij Prometheus

Met dank

aan Sallie Bingham en Bob Levin
wier passie en geloof
mij steunden tijdens het schrijven

aan Rebecca Green
mijn geliefde zuster

en ter nagedachtenis aan Esther Usdin en Mary Krasovitz
en voor de gesprekken die nog steeds voortduren.

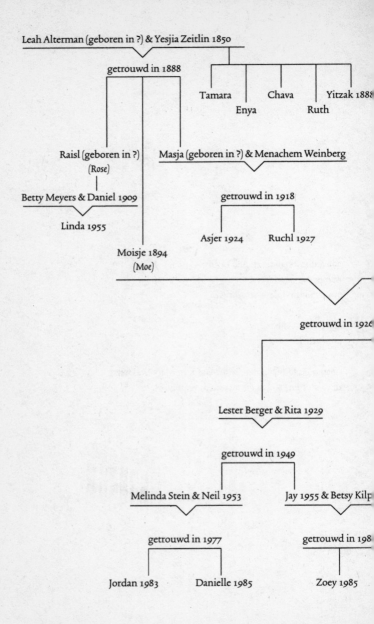

Leah Alterman (geboren in ?) & Yesjia Zeitlin 1850

getrouwd in 1888

Tamara   Chava   Yitzak 1888
    Enya   Ruth

Raisl (geboren in ?)   Masja (geboren in ?) & Menachem Weinberg
(Rose)

Betty Meyers & Daniel 1909   getrouwd in 1918

Linda 1955   Asjer 1924   Ruchl 1927

Moisje 1894
(Moe)

getrouwd in 1926

Lester Berger & Rita 1929

getrouwd in 1949

Melinda Stein & Neil 1953   Jay 1955 & Betsy Kilp

getrouwd in 1977   getrouwd in 198

Jordan 1983   Danielle 1985   Zoey 1985

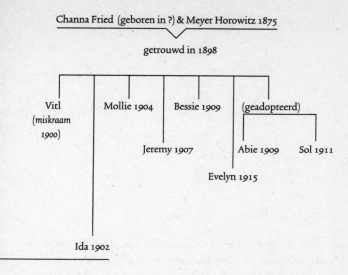

Channa Fried (geboren in ?) & Meyer Horowitz 1875

getrouwd in 1898

Vitl
(*miskraam
1900*)

Mollie 1904

Bessie 1909

(geadopteerd)

Jeremy 1907

Abie 1909   Sol 1911

Evelyn 1915

Ida 1902

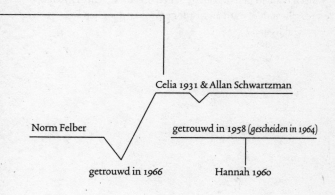

Celia 1931 & Allan Schwartzman

Norm Felber

getrouwd in 1958 (*gescheiden in 1964*)

getrouwd in 1966

Hannah 1960

Aantekening van de schrijfster

Mammelosjn – jiddisch – de moedertaal van Oost-Europese joden, is ontstaan uit een combinatie van Duitse, Hebreeuwse en Slavische talen. En gedurende een millennium hebben zij die jiddisch spraken woorden en uitdrukkingen overgenomen uit de taal van het land waar zij woonden – Letland, Litouwen, Polen, Hongarije. Jiddisch is altijd geschreven in het Hebreeuwse schrift. (*Ladino*, de taal van de Sefardische joden, werd en wordt gesproken door hen wier wortels in Spanje of Portugal liggen.)

Rabbi Zusja leerde:

God zei tot Abraham: 'Ga uit uw land en verlaat uw verwanten en uws vaders huis naar het land dat Ik u wijzen zal.' God zegt tot de mens: 'Ga allereerst uit je land, dat betekent uit de schemer die je over jezelf hebt afgeroepen. Dan uit je geboorteplaats. Dat betekent, uit de schemer die je moeder over je afriep. En daarna uit het huis van je vader. Dat betekent uit de schemer die je vader over je afriep. Pas dan zul je in staat zijn te gaan naar het land dat ik je wijzen zal.'

MARTIN BUBER
Verhalen van het chassidisme: De Vroege Meesters

Es ist netto a gantsere zach wi a tsebrochene herts.
Er is niets zo volmaakt als een gebroken hart.
JIDDISCH SPREEKWOORD

1

Hannah

geboren in 1960

in New York City

Midden in de nacht, midden in de winter, het noordoosten van Ohio.

De hoge bomen die het grootste deel van Shaker Heights omzomen en begrenzen hullen zich als spoken of engelen in ochtendgewaden van sneeuw. De iepen en eiken en esdoorns buigen zich dreigend over de huizen van baksteen en aluminium, die drie of vier of zelfs acht slaapkamers hebben. Ze staan ook rond de flats van de weduwen en alleenstaande moeders. Mijn familie woont aan de oostkant, het verst van Cleveland. Jonge acacia's staan langs onze straat met stokken in de grond om ze recht te laten groeien.

Ik lig wakker in het donker. Mijn huid, tien jaar oud, voelt als het dunne laagje ijs op het Shakermeer vlak bij ons huis. Ik ga mijn kamer uit en loop naar die van mijn moeder. Ik til haar dekbed op, de zware toegang tot haar bed. Zonder woorden neemt ze me op.

Ik glij met mijn koude lichaam tegen haar warme. Ik nestel mijn rug tegen haar borsten; ik stop mijn voeten tussen haar dijen. Ik verstrengel onze vingers en leg haar warme hand op mijn borst. In de wieg van haar lichaam verdwijnen mijn rillingen, en ik voel me weer warm genoeg om adem te halen.

Mijn moeders lichaam ruikt als de kleur olijfgroen. Als vochtige modder. Als sinaasappelschillen die beginnen te schimmelen in onze vuilnisbak. Hoe komt ze aan die vreemde geur? Steeds opnieuw trekt haar geur mij naar haar terug.

Ik slaap de hele nacht, terwijl ik weet dat ik zal smelten in mama's hitte. 's Morgens is mijn nachthemd doordrenkt van ons zweet.

'Kleed je gauw aan, schat,' fluistert mama. 'Ik wil niet dat je te laat op school komt.'

's Morgens komt mijn moeder niet naar beneden voor de koffie klaar is en de krant op de keukentafel ligt. Ze loopt langs onze bank in de salon, met dunne fluwelen strepen groen, beige en oranje-bruin. Hij staat naar de voordeur gekeerd – niet naar onze twee olijfgroene stoelen aan de andere kant van de kamer, die tegenover onze eetkamer staan. Haar kleine secretaire, met laatjes vol privé-papieren, staat vlak naast de deur, zonder stoel.

Het kamertje waar we eten is klein en ligt tussen de salon die we haast nooit gebruiken en de huiskamer. Hier, in de huiskamer, controleert mama haar planten voor ze terugloopt door de eetkamer naar de keuken. Brede drempels, zonder deuren, vormen de overgang tussen de kamers.

In de keuken roostert mama een snee brood en smeert er roomkaas en bosbessenjam op. Ze schenkt koffie in een blauwe Deense beker en gaat zitten: terwijl ze de beursnoteringen leest drinkt ze haar koffie en eet haar toast. Als ze dat gedaan heeft schenkt ze haar beker weer vol en steekt een sigaret op. Stilletjes schep ik de havermout die ik voor mezelf heb klaargemaakt in een schaaltje en kijk hoe ze eerst de bridgecolumn leest en dan de voorpagina. Ik probeer niet over haar schouder mee te lezen.

Na twee koppen koffie laat mama de eerste pagina's van de krant liggen op de tafel, die gemaakt is van dik hakblokhout. Ik neem de krant en de havermout mee naar onze eetkamer. Daar staat een ronde tafel van kersenhout, die uitgetrokken kan worden zodat er acht mensen aan kunnen eten en er zijn bijpassende stoelen. Op deze tafel vouwt mama onze was. De kroonluchter is van koper, met handgemaakte lampenkapjes. De muren zijn gebroken wit. Hier en daar hangt een stilleven van bloemen of een strandschilderij dat vroeger van mijn grootouders is geweest. Het kleed op de grond van de eetkamer is, net als dat op de trap naar onze tweede verdieping, van mooie, dikke wol, roestkleurig. Mama zegt dat het hele huis er warmer door lijkt en ze is er trots op dat de mannen die het kwamen leggen haar complimenteerden met haar buitengewoon goede smaak.

Ik nestel me naast de radiator in de eetkamer om vlug de krant te lezen en te eten in de warmte. Papa zal algauw beneden komen, aangekleed voor zijn werk en hij zal de krant willen lezen bij zijn koffie. Mama neemt een potlood, een pakje sigaretten en de kruiswoordpuzzel mee naar de badkamer, waar altijd lucifers liggen naast de zeep. Ze laat het koude water lopen terwijl ze op de wc zit in een witte, gevoerde ochtendjas, met de rok opgetrokken rond de bril en vult het kruiswoordraadsel in. Ze tikt haar as in de wasbak, het stromende water neemt die mee.

Totdat ze uit de badkamer komt zeggen we geen woord.

Ik ben Celia's enig kind, geboren in Manhattan, in 1960. Ze noemde me Hannah, naar de moeder van haar moeder, Channa Fried Horowitz, die een paar jaar voor ik werd geboren stierf. Mama heeft het niet vaak over Channa (de 'ch' wordt als 'gh' uitgesproken), zo noemde ze haar grootmoeder; maar als ze het wel doet dan merk ik dat ze dol op elkaar waren. Dan glimlacht mama en haar ogen stralen. Een kind noemen naar iemand die gestorven is, is een joodse traditie. Maar mama deed het écht ter herinnering aan haar grootmoeder.

Kort na mijn vierde verjaardag scheidde Celia van Allan Schwartzman – mijn vader – en ging met mij terug naar Cleveland waar ze was opgegroeid en waar haar ouders nog steeds woonden. Allan is sociaal werker. Hij wilde niet scheiden, maar mijn moeder weigerde om de kwestie met hem te bespreken. Ze wilde een snelle scheiding en ze dwong hem naar Mexico te gaan om die te krijgen.

Toen ik zes jaar was trouwde ze met Norm Felber, een apotheker. Hij zegt niet veel. Ik noem hem papa, omdat mijn moeder dat prettig vindt. Toen ik tien jaar was adopteerde hij me en werd ik Hannah Felber. Dat vonden hij en mama fijn, want voor hij met mama trouwde kreeg hij de bof. Dus Norm kan behalve mij geen kinderen krijgen. Allan, die me sinds de scheiding tweemaal per jaar kwam opzoeken, hield op met bellen, zelfs op mijn verjaardag. Dat is goed, want mama en hij konden nooit met elkaar opschieten. Mijn vriendin Karen vindt het vreemd dat ik gewoon opgehouden ben met denken aan mijn echte vader. Maar mama is voor mij genoeg. En ik hou van de rust in huis die we hebben met Norm.

We leiden een vrij normaal leven, denk ik, hoewel ik weet dat mijn moeder niet het type is om in Shaker Heights te wonen. Onze groenten komen vaak van de winkel van Stouffer in Solon, waar mama grote hoeveelheden bevroren bloemkool en broccoli au gratin koopt; maar wel bakt ze bijna elke dag een ander dessert – brownies, rugulach, chocoladetaart met slagroom. Ze laat de vuile borden in de gootsteen staan; schone was ligt dagen lang in een verkreukelde hoop op de eetkamertafel. Een of twee keer per jaar, als ze wanhopig is over haar eigen huishouden, neemt ze een vrouw in dienst om wekelijks de vloeren te boenen en de kleren te strijken die uit de bak in de kast in onze hal puilen.

Samen zitten ze dan in de late middag, voor de bus van de hulp komt, met zijn tweeën aan de keukentafel te piekeren over hun godsbegrip. Onder de tafel stopt mama haar handen in de zakken van haar spijkerbroek. Ze zegt zacht dat ze ongelovig is. Terwijl de vrouw in stilte voorzichtig haar antwoord overdenkt staart mama in haar ogen.

De vrouwen hebben een donkere huid, donker als een schaduw in een grot. Ik denk niet dat hun kinderen de zwarte kinderen zijn met wie ik naar school ga maar ik weet het niet zeker. De woorden borrelen traag op, alsof hun lichamen diepe bronnen zijn. Ik luister in de andere kamer, blij dat mijn moeder eventjes een vriendin heeft. Mama houdt maar zelden van andere volwassenen, omdat ze niet geïnteresseerd zijn in filosofische problemen. Maar bij deze vrouwen voelt ze zich, geloof ik, thuis.

Maar na twee of drie donderdagen met Martha of Retta of Jean trekt mama haar lippen naar binnen, stulpt ze daarna naar buiten en zegt: 'Ik heb geen zin om iemand te betalen om mijn vuile werk op te knappen.' Ze zegt tegen al die vrouwen dat zij ze niet meer nodig heeft. Hoewel ik teleurgesteld ben dat ze die gesprekken niet voortzet, bewonder ik haar, omdat ze haar eigen troep accepteert, omdat ze erin wil leven.

Mijn moeder gaat vaak met het openbaar vervoer en houdt meer van patience en het wieden van het gazon dan van tv kijken. Ze draagt geen lipstick en ze gaat nooit naar een schoonheidssalon. Ze heeft dik, golvend haar, een beetje grijs. Ze is trots op die kleur, die kreeg ze kort nadat ik geboren ben, vroeger was haar haar donkerbruin. Ze knipt het zelf in een stijl die ik alleen maar 'kort' kan noemen. Elke dag eet ze tussen de maaltijden door twee repen chocola en toch draagt ze nog maat veertig.

Tweemaal per jaar, op hun verjaardag, bellen mijn moeder en haar zuster Rita elkaar. Tante Rita woont op Long Island, haar huis is veel groter dan het onze. Ze heeft twee zonen, allebei ouder dan ik. 'O, ze zijn onmogelijk,' zegt mama in de telefoon die op een van de ingebouwde boekenplanken in onze huiskamer staat. Ik weet dat ze het over mijn grootouders heeft. 'Onmogelijk,' herhaalt ze tegen tante Rita. Ik zit maar een paar meter van haar vandaan op de Stickley bedbank, pas opnieuw bekleed met een mosterdkleurige ruit, die past bij het bruine ruige kleed in de huiskamer, en ik heb mijn huiswerk op schoot. Ik wou dat ik wist waarom oma en opa zo lastig zijn.

's Zondags rijdt papa ons naar het huis van mijn grootouders, anderhalve kilometer verder. Mama heeft op haar schoot de financiële rubriek van de *Cleveland Plain Dealer* en de *New York Times*, die eerder die ochtend bij onze voordeur zijn afgeleverd. Opa wil ze hebben voor de beursnoteringen.

'Celia,' zegt mijn grootvader – niet meer dan dat – als we binnenkomen. Soms zit zijn zuster, tante Rose, in een oorfauteuil als we komen, ongeveer een meter van de deur. Ze is geboren in Rusland, net als opa – toen ze daar woonde heette ze Raisl. Nu woont ze boven een speelgoedwinkel in Taylor Road, dicht bij het huis waar mama opgroeide.

Mama knikt altijd tegen Rose als we binnenkomen en ik doe dat ook. Ik heb haar nooit een woord horen zeggen. Haar gezicht is verkreukeld, als verdroogd fruit.

Mama legt de kranten op het tafeltje in de hal, dat opa langgeleden in Europa heeft gekocht en dat echt goud op zijn poten heeft. Die tafel trekt rommel aan, onder andere een gebruikte handdoek naast de kranten die mama heeft neergelegd, hoewel er ook veel mooie dingen op staan: Hebreeuwse gebeden-boeken tussen marmeren boekensteunen in de vorm van beren; een metalen lamp met een fluitspeler aan de voet en metalen franje aan de kap; een ko-ningsblauwe terrine in de vorm van een olifant, vol schelpen, allemaal zo groot dat je twee handen nodig hebt om ze te pakken. Veel dingen zijn antiek en met de hand gemaakt, maar je ziet ze nauwelijks omdat het huis zo donker is.

Mama volgt opa's brede, trage lichaam naar de logeerkamer. Door de geslo-ten deur probeer ik op te vangen wat ze zeggen, wat ze verbergen voor de rest van ons. Ik hoor het jiddische accent van mijn grootvader, de hardheid ver-zacht door ouderdom en de scherpte in mijn moeders stem die uit haar gebo-gen rug komt. Ik denk dat deze gesprekken over geld gaan. Ik geloof niet dat mama opa graag mag, maar als hij haar om haar mening vraagt voelt ze een zekere bevrediging.

Papa loopt langs de eetkamer naar de tv in de huiskamer, hij wil het einde van een wedstrijd zien. Ik blijf achter met mijn grootmoeder, Ida, tot haar zuster Mollie komt met een taxi. Mollie is de ongetrouwde zuster van mijn grootmoeder. Ze geeft oma een zak met peren of grapefruits als ze binnenkomt – betaling voor Ida's eten en het gezelschap. Tante Mollie is net gepensioneerd: ze was de secretaresse van een rechter in de binnenstad. Ze draagt een gebreid mantelpak voor ons zondagse eten; ze verft haar haar om het bruin te houden. Oma's haar is wit, haar jurk gewoon blauw – en meestal ook tijdens het eten bedekt door een oud schort. De broek en het eens witte overhemd dat opa draagt zijn oud en smoezelig. De familie Felber komt in spijkerbroek.

'Mijn buurvrouw, dat aardige meisje dat net haar verpleegstersopleiding heeft afgemaakt,' begint tante Mollie, 'nou, haar verloofde heeft het uitge-maakt.'

'O ja?' zegt oma, die graag meer wil horen.

'Ja,' zegt tante Mollie. 'Nancy is helemaal overstuur. Er zijn dagen dat ze van schaamte niet naar buiten durft.'

Tante Rose zit zwijgend in de huiskamer, Mollie staat in de nis bij de keu-ken en vertelt haar zuster de laatste nieuwtjes. Ik breng het eten dat oma heeft klaargemaakt naar de eetkamer – koolsoep of kippensoep met *kreplech*, gebra-den vlees of gevulde pepers, aardappel*kugel*, appelmoes. Omdat we allemaal onze eigen smaak hebben, kookt ze vaak tweemaal dezelfde gerechten op een verschillende manier. De keuken is donker, zelfs met het plafondlicht aan. De ramen kijken uit op de bakstenen muur van de buren; de vloer is blauwgrijs. Omdat ze zo weinig kastruimte heeft bewaart oma haar gebruikte boodschap-pentassen in een stapel op de grond. Daar staat ook een lege doos stofzuigerzakken en een grote schaal om deeg en pasta te maken.

Oma geeft me een schaal met aardappelkoekjes. 'Es ist netto a gantsere zach wi a tsebrochene herts,' zegt ze.

'Dat zal wel,' zegt Mollie.

Ik betrap mijn tante erop dat ze besmuikt naar de aardappelkoekjes kijkt, de randen zijn bruin en knapperig. Ik kijk op naar oma, dan naar tante Mollie. Ze zijn allebei zo groot als bomen en ze dragen ook nog hoge hakken. 'Wat betekent dat?' vraag ik. 'Es ist netto a gantsere...??'

'Mmm,' zegt oma, piekerend over de juiste vertaling terwijl ze de koolsla proeft die ze de hele dag heeft laten marineren. 'Ongeveer zo: er is niets zo open als de kloof in een gebroken hart.'

Ik trek een aardappelkoekje in tweeën, geef de helft aan tante Mollie en eet de andere helft zelf op. 'Dat is mooi,' zeg ik.

Tante Mollie staart naar haar aardappelkoekje. 'Ik zou zeggen: er is niets zo volmaakt als een gebroken hart.'

Oma trekt even haar schouders op en geeft me een schaal appelmoes om op tafel te zetten.

'Mama – jouw naamgenoot Channa – zei dat heel vaak,' zegt tante Mollie.

'Mmm,' zegt oma. 'Zij had een groot hart.'

'Ja,' zegt tante Mollie en ze knikt in mijn richting. Zij noch oma zal het rechtstreeks zeggen maar ze bedoelen dat ik bof omdat ik naar Channa ben genoemd – en dat ze blij zijn dat ik de naam van hun moeder heb. 'Ze had een groot hart voor iederéén. Voor onze buurvrouw, mevrouw Fels, die nauwelijks Engels sprak; voor de postbode, voor onze onderwijzers – voor iedereen. En iedereen hield van haar.'

'Wil dat zeggen dat ze een gebroken hart had?' vraag ik en ik voel me bijzonder klein bij die twee grote dames.

'Wat is dát nou voor een vraag?' snauwt tante Mollie.

Oma gromt. 'Zeg dat we aan tafel kunnen,' zegt ze.

Opa en Norm zitten aan het hoofdeind en het achtereind van de plompe mahoniehouten tafel, die deze avond één uitgeklapt blad heeft. Tante Rose zit naast Norm. Er is een mahoniehouten kist voor oma's tafelkleden en goed zilveren bestek en de stoelen zijn ook groot en plomp. Oma en tante Mollie gaan zitten op de stoelen die het dichtst bij de keuken staan; mama en ik zitten aan de andere kant. De ruggen van onze stoelen staan tegen de kist aan, we hebben geen bewegingsruimte.

We zeggen dat het eten lekker is. Tante Mollie vraagt naar de boeken die ik op school lees en of we gehoord hebben dat er binnenkort een televisieprogramma over Emily Dickinson komt. 'Meer sla,' zegt opa, het is de eerste keer dat hij zijn mond opendoet. 'Eh,' zegt Norm, 'mag ik het vlees?'

Na het eten ruimt oma zelf de tafel af, als ik tenminste niet aanbied om het te doen. Mijn moeder heeft geen zin in afruimen en tante Mollie zet nooit een voet in de keuken van haar zuster. Tante Rose is versteend en zwijgzaam als altijd. 'Vooruit, Hannah,' zegt mijn moeder, terwijl ze nog een notenbroodje pakt en nauwelijks opkijkt van het financiële nieuws in de Times dat ze voor de tweede maal leest. Mama vindt het eten van haar moeder lekker, hoewel oma's geklaag dat we haar nooit mee uitnemen – om boodschappen te doen of naar de bioscoop – haar irriteert. Ze vindt dat oma niet veel positiefs te zeggen heeft.

'Vooruit,' zegt ze opnieuw, terwijl ik de kruimels op mijn bord oppik, 'help die oude Ida eens een handje.'

Als ik opsta en naar oma's aanrecht loop voel ik de warmte van mijn nieuwe ceintuur met de bronzen gesp en mijn roodgeruite bloes, mijn twee vlechten blijven keurig op mijn sleutelbeenderen hangen. Naar mama trek ik mijn 'hartstikke bedankt'-gezicht, en ik rol met mijn ogen.

Het huis van mijn grootouders is ongeveer net zo ingedeeld als het onze, alleen hebben zij beneden twee slaapkamers en hun huiskamer en keuken zijn kleiner. Op een avond als ik bij hen logeer omdat mijn ouders naar de bioscoop zijn loop ik van de huiskamer door de eetkamer op zoek naar een tussendoortje. Ik maak oma's ijskast open op zoek naar ham.

Mama bewaart onze ham in het vleesvak, ze vindt die lekker met roereieren of op roggebrood met mayonaise en een plakje koude tomaat. Ik zoek overal maar ik vind niets in oma's ijskast wat in vetvrij papier zit – alleen kugel en tong in vuurvaste schotels met een bord erop. Ten slotte ga ik terug naar de huiskamer waar oma zit te wachten met ons scrabblespelletje. Ik zit in opa's oranje stoel, in de diepe kuil in het midden. Opa is al minstens een uur naar bed.

Zijn bijzettafeltje naast zijn stoel staat vol: een botermes onder de opgedroogde jam, twee borden met kruimels van toast, een koffiekop en een dubbelgevouwen krant. Op de vensterbank staan oma's viooltjes keurig in de rij.

'U hebt geen ham,' zeg ik.

'Natuurlijk niet.'

Ik trek de ene kant van mijn mond op naar mijn oog.

'Ham komt van een varken, Hannah. Het is niet kosjer.'

'Wat is kosjer?' vraag ik.

'Weet je niet wat kósjer is?' Ze kijkt bezorgd.

'Oma, ik ben nog maar tien,' zeg ik. 'Ik kan toch niet alles weten?'

Oma zucht, een zucht die past bij de oude rommel in de kamer. 'Er zijn joodse spijswetten,' zegt ze. 'Die houden je gezond. Ik hou me er niet strikt aan. Maar ik meng geen melk en vlees. En ik heb geen várkensvlees in huis.'

Als ik de volgende morgen met mama naar huis rijd zeg ik dat we geen ham meer mogen eten omdat we joden zijn. Ze krult haar lippen in een glimlach: ze is dol op me, zelfs als ik dingen wil waar zij niet van houdt. 'Oké,' zegt ze. 'Dan koop ik wel gerookte zalm.'

Maar een paar weken later gaat ze weer over op ham. 'Gerookte zalm is een luxe die we ons niet altijd kunnen veroorloven,' zegt ze. Haar stem is autoritair, tegen mama kan ik niet op. Zij stelt de huisregels vast. Maar ik besluit geen varkensvlees meer te eten.

Mijn beste vriendin heet Karen Caplan. We gaan allebei naar de moderne dansclub van onze school. Iedereen kan lid worden, onze gymnastieklerares, mevrouw Hirsch, geeft de lessen na schooltijd. We maken onze eigen dansen en voeren ze tweemaal per jaar op, in het gymlokaal. De meeste leden zijn zwart en mevrouw Hirsch is blij dat er variatie is in onze programma's: Karen en ik maken graag een choreografie op 'Switched-on Bach', de zwarte meisjes hebben liever Aretha Franklin. Na de repetitie vergelijken we het vet in de koekjes van hun moeders met de boter in de onze en Karen en ik vinden het fantastisch dat ze al vriendjes hebben. Ze loopt vaak naar huis met de andere dansers omdat ze allemaal in een gemengde buurt van de stad wonen; ik ga alleen naar een buurt die hoofdzakelijk blank is.

Karen en ik zijn allebei klein en we hebben kort bruin haar, maar het hare is steil en het mijne krult. Haar neus heeft een bult in het midden, die van mij is klein en gewoon. We hebben allebei kleine borsten. Karen heeft een broer die ouder is dan wij, hij studeert al; haar vader geeft colleges in filosofie aan de Cleveland State University. Ik mag haar moeder graag, ze maakt toetjes voor een traiteur en soms geeft ze me een cake of een pastei mee naar huis. Mevrouw Caplan heeft een accent omdat ze in Frankrijk is opgegroeid. Als we bij haar thuis zijn spreken we soms allemaal Frans, dan kan ik oefenen wat ik op school geleerd heb. Karen zei op een gegeven ogenblik: 'Mijn moeder heeft het nauwelijks overleefd.' Ik wist op de een of andere manier dat ze het over de holocaust had.

Op de Hebreeuwse lessen op zaterdagmorgen (waar ik heen ben gegaan toen oma me verteld had over de spijswetten en toen tante Mollie me het dagboek van Anne Frank had gegeven – ook al gaat Karen er niet heen en zegt mama dat ze nooit naar de synagoge zal gaan omdat ze alleen maar geïnteresseerd zijn in geld) – leren we het Hebreeuwse alfabet en de betekenis van de joodse feestdagen. We zien ook films die door de nazi's gemaakt zijn. Adolf Hitler filmde de kamers die hij had laten vullen met joods haar en juwelen. Hij filmde de mensen die in de rij voor de gaskamers stonden, naakt, ze dachten dat ze onder de douche gingen. *Is een van die mensen familie van ons?* Moeilijk te zeggen als mensen naakt zijn en hun haar is afgeschoren, als ze allemaal op elkaar lijken. We zien hun lijken, met beenderen als verdorde berkentakken, ze worden met bulldozers in de graven geschoven die door andere joden gegraven zijn.

Na de films, de hele zaal is vol met kinderen, gaat een leraar voor ons staan en zegt dingen die ik niet kan verstaan. We zijn te aangedaan om te praten. We zijn waarschijnlijk met tweehonderd in de zaal, die nog steeds schemerig is verlicht. *Ik denk dat ik een beetje lijk op Anne Frank en zij had ook een dagboek.* Als we teruggaan naar de klas vraagt Jenny Fein of ik naar het feest ga dat Ken Glickman die avond geeft. Ik heb gehoord dat er stickies gerookt worden op Glickmans feesten en dat zit me niet lekker; ik heb gehoord dat David Jacobson en Ken vrienden zijn – en daarom wil ik eigenlijk wel gaan. 'Ik moet vanavond babysitten,' zeg ik tegen Jenny, 'bij de kinderen die ik het aardigst vind.'

Als ik met de carpool thuis ben gebracht zeg ik tegen mama dat we die films weer hebben gezien.

'Mmm,' zegt ze, 'dat is erg.'

Ik kan de macaroni met kaas die ze heeft gemaakt nauwelijks door mijn keel krijgen.

'Trek het je niet zo aan, schat,' zegt ze. Ze steekt een sigaret op en vraagt of ik zin heb om na het eten naar La Place te gaan, een nieuwe winkelgalerij in Beachwood.

Ik zeg: 'Goed,' maar ik denk aan Karens moeder, mevrouw Caplan. Ik heb gekeken of ze een tatoeage op haar arm had, net als de joden in de film, maar ze draagt altijd lange mouwen. En mevrouw Caplan is een beetje mollig, niet broodmager zoals de mensen die we achter het prikkeldraad in de concentratiekampen zagen. Ik vraag me af wat er met haar in de oorlog is gebeurd. Ik betwijfel of zelfs Karen dat weet.

Ik denk dat onze moeders best vriendinnen zouden kunnen zijn. Mevrouw Caplan praat graag over actuele dingen, ze heeft een goede smaak wat stoffen betreft en ze is altijd op een koopje uit. Hun huis lijkt op het onze maar is schoner. En Karen en haar moeder maken altijd ruzie, terwijl mijn moeder en ik heel goed met elkaar kunnen opschieten.

In La Place neemt mama broeken en truien van dunne katoen en wol mee naar de paskamer die vol spiegels hangt en gaat zitten op een van de beklede stoelen in de kamer met de dikke tapijten. Terwijl ik me uitkleed en de nieuwe kleren over mijn hoofd en mijn nieuwe borsten trek, met mijn ogen in het donker, bekijkt mama me.

'Fantastisch,' zegt ze resoluut als ik de broekspijpen oprol, die altijd te lang zijn. 'Dat moet je nemen.' Of: 'Trek uit, schat. Dat is niets voor jou.' Ze bekijkt me met de blik waarmee paartjes op huwelijksreis naar de Niagara watervallen kijken. Ik hou van die blik; ik baad erin.

Als ik naar de brugklas ga reserveert mijn moeder haar vrijdagavonden voor bridge met Henrietta Leeder. Een paar jaar voor zij en mama gingen bridgen waren Henrietta's kinderen op een droge, winderige herfstmiddag in University Heights, een buitenwijk vlak bij Shaker, bezig bladeren op te vegen in hun voortuin. Plotseling vatten de bladeren vlam: in een spontane chaos, zonder waarschuwing, laaide het vuur op. De twee jongsten, een jongen en een meisje van acht en tien, waren omgeven door vlammen. Ze stierven door rookvergiftiging. De brandweermannen snikten met Henrietta en de rest van de familie mee daar in die voortuin. Een sliertje rook hing in de lucht. De bomen waren onaangetast.

'De goden kunnen wreed zijn,' zegt mama als ze het verhaal vertelt.

Ze is ontroerd door Henrietta's leven, ze is blij dat ze bevriend met haar is. Het leven van iemand wier kinderen zo toevallig stierven heeft diepte en betekenis; en toen Henrietta haar leven weer opnam was ze blij dat ze haar een gewoon avondje kaarten kon bieden.

Als mijn moeder thuiskomt van haar bridgeavond zegt ze: 'Ze maakt zich zo fantastisch op.' Gewoonlijk wordt make-up ordinair en ijdel gevonden. Maar bij Henrietta bewondert mama het.

Op een avond na het bridgen met haar vriendin trekt mijn moeder haar regenjas uit en hangt die netjes over een stoel voor ze me begroet. Ik lig in de huiskamer op de gestreepte bank, ik voel me volwassen in de bruine twinset die mama in de jaren vijftig droeg, als studente. Ik lees *Gejaagd door de wind*. Papa ligt al in bed. Mama zegt: 'Hallo,' en ze schraapt haar keel. Ik leg mijn boek weg en richt mijn aandacht op haar.

'Ik wil dat je weet waarom ik geen foto's van je neerzet zoals andere ouders,' zegt ze met een plechtige stem. 'Het is omdat dat soort beelden alleen goed is als je je de doden wilt herinneren.'

Een rilling loopt over mijn rug maar ik laat het niet blijken. Mijn lichaam is erg beweeglijk, ik zit zelfs vaak te wiebelen, maar ik kan ook heel stil zitten. Dat doe ik nu, met mama. Ik weet niet of ik het wel met haar eens ben. Maar ik knik, even plechtig als zij.

Alsof ik haar heb tegengesproken zegt mama: 'Ik wil geen foto's op de schoorsteenmantel als ik mensen kan zien of met ze kan praten door de telefoon.'

Ik knik weer, langzamer. Ik begrijp de diepte van haar gevoelens, hoewel ik het idee vreemd vind.

Een halfuur later, net als ik het licht uitdoe, verschijnt mama op de drempel van mijn slaapkamer. 'En als ik sterf,' zegt ze, haar stem zweeft door de duisternis mijn kamer binnen, 'moet je zo ver mogelijk weggaan – hoe ik dan ook mag bidden en smeken.'

'Goed,' zeg ik, op een toon zo dicht bij een belofte als ik maar kan opbrengen.

Dan gaat mama weg, naar haar eigen kamer. 'En,' zegt ze, ze heeft kennelijk nog iets bedacht, 'je moet niet op mijn begrafenis komen.'

'Goed,' zeg ik weer en ik denk dat het wel lang zal duren voor ik in slaap val. Het komt niet bij me op om haar te vragen wat ze bedoelt.

's Middags, wanneer ik thuiskom uit school, ga ik naar mama's kamer waar ze een dutje heeft gedaan en klim aan papa's kant op het bed. Dat bed is, net als het grootste deel van ons meubilair, een Stickley en er ligt een lappendeken van de Amish op. Het is een hemelbed met bijpassende mahoniehouten nachtkastjes – een voor mama en een voor papa. Er staat een zwart-wit-tv op een plastic plankje, nog uit de tijd dat Norm vrijgezel was. Tussen de tv en mama's kast liggen gewoonlijk een paar stapels vuile kleren of andere dingen die mama moet opruimen. Ik vraag me soms af waarom ze zo slordig is; of die troep ons beschermt tegen iemand die een schoon huis op zijn kop wil zetten.

Ik neem iets eetbaars mee dat we kunnen delen, bijvoorbeeld chocoladekoekjes en melk. Mama heeft een voorgevormde bh aan en een witte onderbroek die tot over haar navel komt. Haar geur is, zoals altijd, bijna bedwelmend. Hij schijnt van diep onder de lakens te komen.

Ik vertel haar dat ik in de bibliotheek heb ontdekt dat Mark Twain niet de echte naam van de schrijver is. En ook andere schrijvers hebben voor hun boeken een pseudoniem gebruikt. 'Wil je nog altijd schrijver worden?' vraagt mama.

'Ja,' zeg ik en ik knik omdat zij mijn diepste wens heeft erkend, ik voel dat mijn gezicht oplicht. 'Schrijvers kunnen de wereld veranderen. Toen president Lincoln Harriet Beecher Stowe ontmoette zei hij voor de grap dat zij de burgeroorlog had ontketend met haar boek De negerhut van oom Tom. Maar eigenlijk was het geen grap.'

Mama bijt in haar koekje, haar ogen twinkelen. Ik weet dat ze trots op me is. 'Als ik mijn verhalen publiceer,' zeg ik, 'dan doe ik dat onder de naam Hannah Fried.' Fried was de naam van overgrootmoeder Channa voor ze trouwde.

'Hoe ken jij Channa's meisjesnaam?' vraagt mama terwijl ze een kruimel opspoort die onder het dekbed in haar schoot is gevallen.

'Dat heeft oma me verteld.'

Ze knikt, voor mij een teken om verder te praten. Ik vertel haar over de ruzie die Karen met haar moeder had voor ze naar school ging: in een stapel vuil goed vond mevrouw Caplan een broekje van Karen bevlekt met menstruatiebloed en toen begon ze haar uit te schelden in het jiddisch. Karen weet dat haar moeder van haar houdt, maar ze kan soms heel gemeen zijn.

Terwijl ik mijn verhalen vertel rookt mama achterovergeleund haar sigaret, net rechtop genoeg om een oogje te houden op de lengte van de askegel. 'Ach ja,' zegt ze, 'voor sommige mensen is het moederschap niet zo gemakkelijk.'

We weten natuurlijk allebei, dat het dat voor haar wel is.

Op een gegeven ogenblik móet mijn moeder het huis uit. 'Uit dat verdomde bed,' zegt ze. Als ik veertien ben gaat ze werken als onderwijzeres, als invalster op de lagere school van Cleveland. Als ze op een dag later dan ik thuiskomt, zichtbaar uitgeput, vraagt ze of ik een glas sinaasappelsap voor haar wil persen. Ze loopt naar de huiskamer. Ik zie dat de rits van haar jurk van achteren openstaat. 'Mama,' zeg ik, 'je jurk...'

'Ik weet het,' zegt ze. 'Daar maak ik me nu echt niet druk over. Breng me het sap nou maar, schat. Ik ga op de bank liggen.'

'Wat is er gebeurd?' vraag ik als ik haar het sap breng en tegenover haar ga zitten, op de bank.

'Ik heb net zeven uur doorgebracht met achtentwintig kinderen die allemaal genoeg energie hebben om de wereld op zijn kop te zetten. Ik kwam binnen vlak voor de bel ging en het was al een chaos in de klas. Ik kon alleen maar voor hen gaan staan fluisteren: "Kunnen jullie me horen?" tot ze rustig werden.'

Ik stel me haar leerlingen voor, twee jaar jonger dan ik, die niet weten wat ze aan moeten met het vriendelijke gedrag van mijn moeder, die schrikken van haar gefluister. Ik kan me voorstellen dat ze in de war zijn. Ik stel me voor dat ze die dag meer bij de les waren dan ze in lange tijd waren geweest.

Mama neemt nog een slok sinaasappelsap, sluit haar ogen en leunt achterover op de bank, terwijl haar rits nog steeds openstaat. Ik weet dat ze nu alleen wil zijn.

Ik ga terug naar de keuken en verzin wat we zullen eten. Ik roer gehakte knoflook en gedroogde oregano door gehakt en maak ballen. Ik zet aardappels in de oven om te poffen. Ik maak een krop broccoli schoon en doe water in de stoompan. Als papa komt kan ik in een kwartier het eten klaar hebben.

Eens in de paar weken, 's avonds laat als onze ouders al slapen, maken Karen en ik samen ons huiswerk, ieder aan onze eigen keukentafel. We hebben onze telefoons harder gezet, ze liggen van de haak, zodat we elkaars hulpkreten kunnen horen. 's Zondagsmiddags studeren we soms bij haar of bij mij thuis.

'Rookt je moeder wiet?' vraagt Karen. Ze onderbreekt mijn concentratie, ik ben een stuk van Lillian Hellman aan het lezen.

'Ik geloof het niet,' zeg ik. We zijn vijftien, we zitten tegenover elkaar aan de keukentafel, we doen Engelse literatuur. Mama is naar boven gegaan voor een dutje. Ze heeft nooit iets gezegd maar ik geloof niet dat ze zich op haar gemak voelt bij Karen. Als Kim Johnson komt staat mama bij de deur van mijn slaapkamer trots te kijken naar onze choreografie van een korte pas de deux. Als we een lang weekend hebben stelt ze me vaak voor om Jane Fitzgerald te vragen voor een patiencemarathon met zijn drieën op maandagmiddag. Dan bakt mama brownies met walnoten en eten we ijs. Ze houdt op met roken terwijl ze heel vlug haar kaarten inspecteert en kaarten opnoemt die Jane of ik moeten spelen. Jane en ik kruipen weg in onze stoelen, we zijn ons ritme kwijt en zij wint, elke keer en zegt: 'Dat is het probleem, meiden. Ik ben te goed voor jullie.'

Karen dringt aan: 'Ze zuigt zo aan haar sigaretten, het is net of ze wiet rookt.'

'Nee,' zeg ik en ik voel de pijn van een nieuwe puist op mijn wang, ik ben er zeker van dat mama geen wiet rookt. 'Geen sprake van.'

'Sinds wanneer loenst ze dan?'

'Dat weet ik niet,' zeg ik, 'ik zie niets vreemds aan haar ogen.'

Maar ik schrik van Karens vragen, omdat ik nooit iets vreemds aan mijn moeder heb opgemerkt. Ik kan me niet voorstellen dat ze wiet rookt omdat ik dat nooit heb gedaan.

Nu vraag ik me af of Karen het weleens geprobeerd heeft en ik let meer op mama. Als ze inhaleert ademt ze de rook naar binnen door haar geopende lippen en trekt die dan door een kanaal naar haar buik. Dan komt vanuit diep in haar lichaam de rook weer terug, om uiteindelijk met brutale gratie uitgeblazen te worden. Dan verspreidt de wolk zich door de kamer in lang uitgerekte slierten die me vreemd genoeg aan seks doen denken.

Ik bekijk de kleren in haar kast: een paar ribfluwelen broeken, een paar t-shirts, sportschoenen. Een eenvoudige denim jurk van Oscar de la Renta, een broekpak van grijs tweed van Yves St.-Laurent, een groene blazer van Calvin Klein. Dat zijn de kleren die ze draagt naar de meubelzaak waar ze nu als boekhoudster werkt. In een plastic tas met een ritssluiting zit een zwarte jurk zonder rug en pumps met een smal hielbandje. Wanneer draagt ze die jurk? Als zij en papa uitgaan – een paar keer per jaar – gaan ze naar de bioscoop, in spijker-broek.

Ik kijk wat mama draagt. Ik kijk wat ze niet draagt. Ik pas in haar Calvin Kleinblazer als ik er een slobbertrui onder aantrek. Ik mag hem van haar dra-gen en ze geeft me ook haar lievelingshalsketting – twee rijen feilloos geslepen turkooizen, die ze gekocht heeft op een veiling. Terwijl ik me aankleed vraag ik me af of de blazer niet te groot lijkt; ik ben bang dat de halsketting te ouwe-lijk is.

Maar dan kom ik beneden en mama zegt: 'Je ziet er fantastisch uit.'

Midden in de winter kruipen we op zondagmiddag onder de dekens van ma-ma's bed. Ze ligt daar in haar slipje, rookt Pall Malls en fantaseert over mijn avonturen in de zomer. 'Ik weet het,' zegt ze met een resolute stem, nadat ze een paar minuten nadenkend heeft gezwegen. 'Je gaat naar Europa als uitwis-selingsstudent. In Frankrijk of Zwitserland kun je je Frans oefenen.'

'Wauw,' zeg ik en ik denk aan de foto's die ik van de Alpen heb gezien en ik vraag me af of het eten daar echt zo goed is als mijn Franse leraren zeggen.

'Als jij vijfhonderd dollar zelf betaalt van je babysitten,' zegt mama, 'dan pas ik de rest bij.'

'Afgesproken,' zeg ik en ik grijns omdat ze zo in me gelooft en me zo ver wil laten reizen, alleen.

Vlak voor ik wegga zegt mama dat ik haar moet schrijven. 'Minstens twee-maal per week,' zegt ze, terwijl ze een blad met boterkoekjes uit de oven trekt.

'O, mama.' Ik houd mijn hoofd schuin, ik voel me volwassen met mijn nieu-we korte kapsel, mijn krullen liggen om mijn hoofd als een zachte schaal.

'Minstens tweemaal per week,' herhaalt ze en ze legt de hete koekjes op een schotel, bestrooit ze met poedersuiker en schenkt zichzelf nog een kop koffie in.

Dicht bij Lausanne ligt een klein Zwitsers dorp waar Frans wordt gesproken en daar woon ik bij een gezin, dat konijnen fokt en slacht. Sommige eten ze zelf op, de andere verkopen ze. Ze hebben twee kleine jongens. Vanbuiten is het huis net een ansichtkaart, met roodblauwe markiezen. Het staat hoog te-gen de bergwand op, midden tussen de bomen. Vanbinnen is het huis klein en donker. De familie slaapt in de twee slaapkamers boven en ik heb mijn eigen kamer achter in het huis. Als ik bij de voordeur sta, kan ik het dorp beneden zien liggen. Een trolleybus rijdt driemaal per dag heen en weer.

Ik denk dat die mensen mij in huis hebben genomen omdat ze een babysit-ter nodig hadden voor hun zoons. Ik voel me daar niet lekker bij, maar ik stem erin toe om elke morgen met de jongens te gaan wandelen, langs het pad naar de weide waar de weg eindigt. Ik neem brood en kaas mee als picknick en ik lees ze een verhaaltje voor, in het Frans. 's Middags neem ik de trolleybus naar het dorp.

Op een dag loop ik een klein horlogewinkeltje midden in het dorp binnen, alleen maar om te kijken. De vrouw achter de toonbank zegt 'bonjour' met een accent dat me bekend voorkomt, niet Zwitsers. Ze zegt dat ze me heeft zien schrijven op de bank voor haar winkel. 'Amerikaans?' vraagt ze.

'Oui,' zeg ik.

De vrouw glimlacht warm, haalt haar armen onder de toonbank vandaan en kruist ze over haar grote borsten. Op een van haar armen zit een tatoeage. Nadat ik er een paar tellen naar gestaard heb sla ik mijn ogen op naar haar treurige gezicht. 'Juive?' vraagt ze. 'Joods?'

Ik knik, ik vind het fijn dat ik herkend ben, zo ver van huis. 'Tova,' zegt ze en ze legt haar hand op haar hart en schenkt me een brede glimlach. Ze ziet er precies uit als de vrouwen achter de toonbank van Lax & Mandels kosjere bakkerij in Taylor Road in Cleveland Heights.

'Hannah,' zeg ik en ik glimlach ook, ik voel dat mijn ogen oplichten.

'Ach!' zegt ze. 'Gut, gut!' Ze komt achter de toonbank vandaan en vouwt haar ronde, korte lichaam om mijn kleine lijfje.

'Kom terug,' zegt ze. 'Dan krijg je een kosjere salami van me.'

Ik vraag me af of ik mama of Karen moet schrijven over mijn nieuwe vriendin, maar ik denk niet dat ze het zullen begrijpen: Tova eet kosjer en werkt niet op zaterdag en dat is zo vroom dat mama haar niet serieus zal nemen. Op een dag lunch ik met haar en haar man, en daarna gaan we naar de sjoel. Het gebouw is heel eenvoudig, het lijkt op geen enkele synagoge die ik in Cleveland heb gezien. Houten stoelen die niet bij elkaar passen staan in rijen opgesteld en worden door een gordijn gescheiden. Tova vertelt me dat de ene kant voor de mannen is, de andere voor de vrouwen. De muren zijn zachtgeel. De ark met de thora is van donker mahoniehout.

Zonlicht komt door de ramen naar binnen, we zetten ze open om frisse lucht te krijgen. Dan gaan Tova en Ruben en ik zitten. We zitten daar alleen maar rustig, vredig, bijna een halfuur lang.

Als ik terugkom van mijn reis, blijkt dat mijn moeder steeds meer aandacht aan ons gazon besteedt als ze thuis is van haar werk. Ze zit in het gras in haar oudste spijkerbroek en een bruinwit t-shirt met verticale strepen. Ze trekt het onkruid uit. Ze pakt het met haar rechterhand en neemt het dan in haar linkervuist tot ze een grote bos heeft. Die gaat in een bruinpapieren zak. Als de zak vol is, gooit ze het onkruid in een grote plastic zak in onze garage. Op de zak staat HOUD SHAKER HEIGHTS SCHOON.

Haar ritme fascineert me. Ze ziet er zo tevreden uit, hoewel ze nauwelijks beweegt. 's Avonds en in de weekends kijk ik uit het raam naast mijn bed waarop ik in mijn dagboek zit te schrijven of een boek zit te lezen, bijvoorbeeld *East of Eden*. Ik kan haar van daaruit zien. Ik weet dat ik haar niet moet storen, dat ik moet wachten tot ze het huis weer binnengaat en we kunnen praten.

Dan begint de school en het weer wordt zo koud dat mama niet meer buiten kan werken; ze komt weer binnen. Mama kijkt naar mij, haar ogen stralen van puur, ongestoord geluk als de bewonderaarster van een zonsondergang of een mooi schilderij. Als ze ontdekt dat ik na middernacht nog zit te schrijven omdat het licht van mijn kamer haar uit de slaap houdt komt ze naar mijn deur, glimlacht goedkeurend, doet hem dicht en verdwijnt.

Ik menstrueer nu, een geheimzinnig gebeuren, zo pijnlijk dat ik naar bed moet. Elke maand als ik zo lijd zegt mama: 'Gewoon stil blijven liggen. Als je je tegen de pijn verzet, dan wordt het alleen maar erger.' Ze brengt me een elektrische deken. Later, als ze ziet dat er bloed zit op de bank waarvan ik net ben opgestaan zegt ze zacht: 'Hannah,' richt haar blik op de vlek en stelt voor om het kussen gewoon om te keren.

Soms zitten mama en ik rustig op de bank in de huiskamer. Met dunne naalden breit ze spreien van fijn, ongekleurd katoen dat ze uit Frankrijk laat komen. Ze maakt honderden ruitjes van tien centimeter in het vierkant, allemaal met mooie bobbels en rimpels, in elk daarvan zit vijf tot zes uur werk. Als ze aan elkaar zijn genaaid vormen ze een fascinerend patroon. Als ik pijn heb in de stoel van de tandarts denk ik aan het breiwerk van mijn moeder en voel me getroost.

Papa is vaak boven, misschien in het bad of voor de tv, terwijl wij beneden zitten. Ik heb mijn dagboek in mijn schoot, rol de pen langzaam door mijn vingers en luister naar het getik van haar naalden. Ik kan niet schrijven als mama zo dicht bij me zit, maar soms krabbel ik wat.

Als mijn moeder vraagt of ze mijn dagboek mag lezen aarzel ik. In dat dagboek schrijf ik over dingen waar we niet over praten – dat Norm mij irriteert omdat hij altijd maar voor de tv hangt, mijn ideeën voor korte verhalen en dat Karen nu al twee maanden lang de andere kant opkijkt als we elkaar in de hal tegenkomen. Ik weet dat het geen zin heeft om haar te bellen – die vreemde muur tussen ons lijkt te heet om aan te raken. Het is begonnen vlak nadat ik terug was uit Zwitserland, nadat Karen me vertelde dat ze haar moeder wilde vragen of het niet goed zou zijn als ze naar een psychiater gingen. Ik weet niet wat dat met mij te maken heeft, maar ik ben bang dat we nooit meer vrienden zullen zijn. We zitten nu op de middelbare school en we hebben allebei dansles, maar we dansen nooit samen.

De gedachte dat mama over die dingen zal lezen maakt me bang, maar het geeft me ook een kick. Even denk ik dat ik mijn dagboek liever voor mezelf wil houden. Maar dan legt mama haar breiwerk neer en zegt: 'Vooruit, Hannah. Geef hier.'

Ze zit maar een armlengte van me af. Ik geef haar het dagboek, ga naar de bank in de salon en wacht zenuwachtig op haar commentaar.

'Ik zal maar net doen alsof ik dat gedeelte waarin je schrijft dat je popelt om naar de universiteit te gaan niet heb gelezen,' zegt ze, koket glimlachend als ze het me teruggeeft, 'omdat je wilt weten wat voor leven je zult hebben zonder mij.'

Ik bloos. Ik was vergeten dat ik dat geschreven had.

'En god,' zegt ze, met rollende ogen, 'wat ben jij introvert.'

Nu ik zo dicht bij haar zit weet ik niet hoe ik haar moet vragen waarom dat een probleem is en wat eraan te doen valt.

Een paar maanden later, als Karen en ik samen alleen zijn in de meisjeskleedkamer om te douchen na een dansrepetitie komt de spanning die is opgebouwd door het feit dat we niet met elkaar spraken vrij zodra het water stroomt. We zepen elkaars rug in en krijsen. 'Wat is hier aan de hand?' vraagt mevrouw Morrison.

'We zijn gewoon gelukkig,' zeg ik. 'Het is lang geleden dat we samen lol hebben gemaakt.'

En hoewel mama denkt dat introvert zijn een probleem is, kan ik toch plezier maken met mijn vriendin.

Op een februaridag in mijn laatste jaar, als heel Cleveland bedekt is met ijs, brengen mama en ik boodschappen naar oma en opa. Als het weer slecht is wil mijn opa niet rijden en oma heeft het nooit geleerd. Mama stuurt onze Nova naar het eind van hun lange oprit, dan brengen we de zakken door de achterdeur naar binnen. Mama gaat zitten en eet een stuk warme appeltaart, dat ze van oma heeft gekregen.

Ik ben nu zeventien, en ik wil graag rijden. 'Geef me de sleuteltjes,' zeg ik, 'dan keer ik de wagen alvast, zodat hij in de goede richting staat als we weggaan.'

Ik zet de voorbank naar voren. Voorzichtig rijd ik vooruit en achteruit op het stuk cement naast de oprit dat bedoeld is om auto's te keren. Eerder op de dag heeft opa een jongen de sneeuw laten wegruimen. Als ik aan het manoeuvreren ben, slipt de wagen in een hoge berg sneeuw.

Mama en oma horen hoe de banden van de wagen zich dieper in het ijs boren. Oma opent haar achterdeur, vlak bij onze hulpeloze wagen, en stapt naar buiten om te zien wat ik gedaan heb.

'Mijn god,' kreunt ze. 'Opa heeft *acht dollar* betaald om de oprit sneeuwvrij te maken! Over *tien minuten* komt hij terug van zijn middagwandeling!'

Ik klim uit de wagen met mijn mond onder mijn sjaal om de zenuwachtige glimlach te verbergen die ik niet kan onderdrukken. Ik loop naar de garage om opa's roestige schop te halen.

Mama kijkt over oma's schouder terwijl ze een stuk taart naar haar mond brengt. 'Ik kan er vandaag niet tegen,' roept mama tegen me. 'Niet met opa. Vandaag niet.' Ze vult haar mond met vochtige appels en walnoten terwijl mijn grootmoeder weer naar binnen gaat.

'Celia,' hoor ik grootmoeder zeggen, terwijl ze zich vooroverbuigt en haar voet in een plastic zak schuift voor ze haar laars aantrekt, 'trek je jas aan. We moeten Hannah helpen.'

'Vandaag niet,' zegt mama vanaf haar platform bij de achterdeur. 'Bekijken jullie het maar.' Ze kijkt hoe ik de schop naar de wagen breng. Ze likt haar vork schoon en schenkt me een glimlach zo breed als de oprit.

Ik grijns terug. Ondanks oma's woede over het dilemma waar we in zitten ben ik blij met mama's glimlach. Ik kan niet ophouden met grijnzen – zelfs als ik, misschien voor de eerste keer, zie *dat mama naar me kijkt met loensende ogen.*

In 1978 ga ik weg uit Cleveland naar de universiteit van Michigan in Ann Arbor. Ik ga literatuur en geschiedenis studeren, mijn lievelingsvakken; maar als ik in de collegezaal zit beleef ik niet de aandacht voor en overdracht van ideeën waar ik naar snak. De avond voor een examen in Amerikaanse geschiedenis bestudeer ik de *Encyclopedia Britannica Junior* want ik heb geen enkel boek op mijn lijst gelezen. Als blijkt dat ik een acht + heb gehaald voor dat examen schrijf ik aan mijn moeder: 'Als mijn geschiedenisprofessor denkt dat ik genoeg weet door het lezen van een encyclopedie voor kinderen, dan kan mijn geschiedenisprofessor de pot op. Mijn plan is nu om elk semester zo veel colleges te volgen als maar mogelijk is en zo gauw mogelijk mijn kandidaats te halen. Intussen vind ik het heerlijk om boeken te lezen en in mijn dagboek te schrijven.'

Als ik thuis ben in Shaker Heights voor Thanksgiving zitten mama en ik rustig op de bank te praten terwijl zij breit. Papa is vroeg naar bed gegaan. Ik vertel haar dat ik van plan ben van het studentenhuis te verhuizen naar een eigen eenkamerflat. Ik hou niet van dat studentenhuis; ik voel me daar als een sardientje in blik. 'Lijkt me uitstekend, schat,' zegt ze, tikkend met haar naalden. Ze vraagt zich waarschijnlijk af wat voor flat ik zal vinden.

We gaan voor het Thanksgivingsdiner naar opa en oma met Mollie en tante Bessie, hun zuster, die op het punt staat voor overwintering naar Florida te gaan. Als we weer thuis zijn lopen mama en ik naar de huiskamer om verder te praten en om af te spreken naar welke winkels we de volgende dag zullen gaan.

Karen is naar Ohio State University gegaan om dans te studeren. We bellen elkaar om de paar weken en de laatste keer hebben we afgesproken dat we elkaar zaterdag zullen ontmoeten. Maar ze belt donderdagavond, vlak na het eten bij oma. 'Kun je komen,' fluistert ze, 'nu?'

'Zo gauw ik kan,' zeg ik. Ik leg de telefoon neer en vraag me af of ik haar zal kunnen helpen.

Mama kijkt me aan door de bril die ze sinds kort draagt. 'Nú?' zegt ze.

'Het is Karen,' zeg ik. 'Ze zit in moeilijkheden. Ik heb gezegd dat ik zal komen.' Ik pak mijn jas en zoek in mama's tas naar de autosleutels.

'Ze wil altijd jouw aandacht,' zegt mama, 'als ik jou was zou ik niet gaan.'

'Mama,' zeg ik, geschrokken van haar reactie, 'ze is mijn vriendin – ik wil naar haar toe.'

'O,' zegt ze. 'Maar zorg dat je om elf uur thuis bent. Anders ben je morgen moe en dan is er niets aan.'

'Goed,' zeg ik en ik pak het notenbroodje dat oma voor mij in folie heeft gepakt voor onderweg, en ik vraag me af waarom mama Karen niet mag.

Ik stop aan het eind van de oprit van de Caplans, bij de garage, zodat ik door de achterdeur naar binnen kan. Karen staat me op te wachten, zelfs al voor ik geklopt heb. Haar gezicht ziet er somber en oud uit. 'Trek je laarzen uit,' fluistert ze, 'anders schrikt mijn moeder.' Ik doe het en volg haar dan stilletjes naar boven, naar haar kamer. Ik hang mijn jas over de leuning van haar bureaustoel. We zitten met gekruiste benen, tegenover elkaar, op haar tweepersoonsbed.

'Ik ben bang,' zegt ze. Haar gezicht, meestal geanimeerd en expressief, is nu strak, als van een etalagepop zonder glimlach.

Ik knik. Ik kijk haar recht aan. Karen heeft die zomer haar neus laten opereren. Nu ik haar voor het eerst helemaal genezen zie, vraag ik me af waarom ze minder mooi is met een gladde, kleine neus.

'Ik kan niet tegen seks,' zegt ze. 'Ik kan niet tegen het studentenhuis. Ik kan er niet tegen dat ik bij mijn moeder weg ben. Ik vind mijn danslessen niet leuk.'

'Je kunt niet tegen seks,' herhaal ik, ik wil begrijpen wat ze zegt, ik wil háár begrijpen. 'Je kunt niet tegen het studentenhuis. Je kunt er niet tegen dat je bij je moeder weg bent.'

Karen knikt. Ze is in een trance die ik graag wil doorbreken. We horen mevrouw Caplan beneden stofzuigen, maar ik geloof niet dat dat Karen evenzeer stoort als het mij doet. Haar vader werkt in zijn studeerkamer. Haar broer woont nu in Berkeley, Californië, hij komt deze vakantie niet thuis.

'Je bent bang,' zeg ik.

'Ik voel niets meer sinds ik studeer,' zegt ze. 'Ik mis alleen mevrouw Hirsch.'

Ik knik, langzaam. Mevrouw Hirsch was de eerste die, op de lagere school, tegen Karen zei dat ze kon dansen. Een week na onze laatste les werd er eierstokkanker bij haar geconstateerd. Ze stierf in oktober, een maand nadat we naar de middelbare school gingen. Ze was vierendertig.

De meeste mensen zeiden niet veel over haar dood. Dat het verschrikkelijk was; verder viel er niets te zeggen. Wij, haar leerlingen vonden onze eigen manier om te rouwen. Karen en ik gingen stil in Thornton Park zitten om haar te herdenken, dan renden we de lange helling af waar 's winters werd gesleed. We renden in een tempo dat we niet konden beheersen; de kracht van de wind sloeg de glimlach weer op onze wangen.

Karens ogen zijn nu hard, als dik blauw glas dat niet kan breken. Haar lippen vormen een dunne, rechte lijn.

'Je bent bang,' zeg ik, 'dat je misschien met haar mee wilt gaan.'

Ze blijft me aanstaren. Ze knikt niet eens. Maar ik weet dat het antwoord ja is. De novemberlucht voelt ijl aan. De boom die boven Karens slaapkamerraam uitrijst is kaal, er ligt zelfs geen sneeuw op. We blijven stil zitten in deze gruwel, zolang als ik het kan verdragen. Ik herinner me een warmere dag op ditzelfde bed toen Karens ogen een spin vonden en daarop bleven rusten terwijl we praatten. Ze nam hem in haar handen, bracht me naar de deur die ik moest openen en liet het beest naar buiten.

Ik hoor mijzelf vragen waar ze haar blocnotes bewaart.

'In de onderste la,' zegt Karen toonloos.

'Laten we een lijst maken,' zeg ik, 'van dingen die je kunt doen op de universiteit.' *In therapie gaan,* schrijf ik, *iets choreograferen ook al voer je het maar voor een paar mensen op. Een dagboek bijhouden.* 'En eens per week,' zeg ik, terwijl ik diep in mijn hart weet dat het een erg flodderige lijst is, 'moeten we elkaar bellen of schrijven.'

Als ik haar het blaadje geef zegt Karen dat ze zich beter voelt. Ze wordt huilerig en veegt haar ogen af. 'Mis jij je moeder als je weg bent?' vraagt ze. Ik weet dat ze zich afvraagt of zij de enige is die zich zo vreemd voelt.

'O ja,' zeg ik. 'En dat studentenhuis vind ik ook erg. Het is daar te lawaaierig om te schrijven. En ik vind het niet leuk om iemand op mijn kamer te hebben. Ik heb net besloten om te verhuizen en alleen te gaan wonen. Ik wil voor mezelf koken en privacy hebben om te schrijven – in alle rust.'

'O god, Hannah, jij bent zo volwassen. Ik voel me zo'n sukkel.'

Als ik door de koude Cleveland-avond terugrijd naar het huis van mijn moeder, ruikt de auto naar benzine. Ik rol het raampje naar beneden, de kille lucht waait naar binnen maar ik prefereer deze kou boven de smerige lucht. *Als ik mijn eigen flat heb hoop ik dat de eenzaamheid mij rust zal geven.*

In Ann Arbor vind ik een zolderkamer in een oud Victoriaans huis. In de weekends werk ik als serveerster in The Coffee Cup. Ik houd van het lezen in de bundels poëzie die ik vind in de Shaman Drum, een boekwinkel op de tweede verdieping in State Street en van het schrijven over mensen die ik op mijn werk ontmoet. Eens per week maak ik een uitgebreid diner voor mijn vriendin Julie Kaufman, een drop-out die graag filosofie leest. Ik begin met een ander dagboek, dat mijn moeder nooit zal lezen:

Het is nu avond, de zon is allang onder. Ik zit op het tweezitsbankje in mijn eigen kamer. Door de ramen kijk ik de kamer aan de overkant binnen. Mensen van mijn leeftijd zitten op het balkon, spelen muziek en roken wiet.

Ik ben negentien jaar. In mijn raam kijk ik naar de weerspiegeling van de Paul Kleeposter aan de muur tegenover me. Ik zie mezelf ook. Ik draag een grijs shirt met de mouwen bijna tot mijn ellebogen opgestroopt en een spijkerbroek. Ik heb een klein dansersIichaam en ik kan in een bal opgerold zitten met de blocnote tegen mijn knieën. Ik heb korte, donkere krullen. Mijn ogen staan droevig. Mijn mond is klein en zou weleens boos kunnen zijn. Mijn gezicht is rond en jong. Ik maak geen deel uit van die groep op het balkon. Dat wil ik ook niet.

Het is al heel wat maanden geleden dat Karen me vertelde hoe ambivalent ze tegenover het leven staat, dat ze misschien zelfs suïcidaal is.

Gisteren kreeg ik een fantastische brief van haar – ze schrijft dat ze zich weer de oude voelt. Ze vindt haar lessen nu leuker, maar ze heeft het nog steeds moeilijk met haar moeder. Misschien ben ik gewoon verwend omdat ik al die jaren Celia Felber als maatje heb gehad. Ik ben nog steeds maagd.

Er is een jongen die bij Borders, de boekwinkel, werkt. Hij heet Hal Riley en hij praat met mij over 'de business'. Ik geloof niet dat hij joods is. Doet dat er wat toe? Hij praat een beetje stoer, maar ik denk dat hij eigenlijk een softie is. Hij heeft bruin haar, bijna rood, steil tot over zijn schouders. Ik zou eigenlijk wel willen dat hij me vroeg of ik meeging naar een film.

Misschien is het tijd om mijn emancipatie als vrouw eens te testen?

Ik stuur mama elke week lange brieven en minstens tweemaal per maand schrijft ze me terug.

Lieve Hannah,

Ik denk nog altijd aan je bezoek vorige maand, de uitbundigheid waarmee je terugkwam na je middag bij opa en oma, toen je oude familiefoto's had bekeken. Ikzelf geef natuurlijk geen donder om verhalen over mijn voorgeslacht – maar ik ben zo trots op je belangstelling en ook trots op mezelf – dat jij een ervaring kunt hebben die niets met mij te maken heeft en dat ik daar plezier in heb, dat ik het goede ervan zie. Ik voel dit zelfs terwijl ik weet dat je geen idee hebt hoe onmogelijk Moe en Ida zijn als ouders. Vader kan nu bijna niet meer lopen. Het verbijstert me om te zien dat deze man die mijn hele leven lang een soort natuurkracht is geweest nu zo langzaam en voorzichtig loopt. Ik vind niet dat hij alleen gelaten kan worden.

Moeder is, kort en goed, een echt kreng geworden. Gisteren belde ze me op om me te vertellen dat vader haar waarschijnlijk niet naar de tandarts kon brengen. Ik wist dat ze wilde dat ik haar hielp, maar ik heb verdomme maar tien vakantiedagen per jaar. Ik had er niet bepaald zin in om een halve dag van die vakantie haar boodschappen te doen.

'Neem een taxi,' zei ik.

Ik had haar net zo goed een slet kunnen noemen, als zulke onpersoonlijke hulp voorstellen. We hingen kwaad op. Ik kon niet slapen.

En verdomme, ik nam vanmiddag vrij, ging naar haar huis en haalde haar op. Ze was verbaasd dat ze me zag, maar dat was dan ook alles. Ik zit nu met een afschuwelijk gevoel dat ik tekort ben gedaan, dat ik nog steeds, uren later, van me af probeer te schudden. Moraal van het verhaal: volwassenheid is datgene aanvaarden wat je niet kunt veranderen en toch proberen jezelf te veranderen (om beter te worden of omwille van een groeiproces). Ik ben er nog niet uit. Moet erover nadenken.

Maar jouw vitaliteit, mijn liefje, bereikt me wel degelijk en het maakt je een mens, zo fantastisch, dat ik nooit gedacht had daarvan de moeder te kunnen zijn.

Vorige week kwam ik mevrouw Unger in de supermarkt tegen. Ik kan je niet vertellen hoeveel plezier het me deed toen ik zag hoe geschokt ze was toen ik haar vertelde dat je alleen woont en dat je beste vriendin een drop-out is – en dat ik zo trots op je ben.

Ik ben echt heel erg trots. En het kan me geen donder schelen dat niemand het begrijpt.

Ik hou van je,
mama

Eens in de paar maanden ga ik naar Cleveland voor een lang weekend om met mama te praten en te winkelen. Ik ga ook op bezoek bij oma en opa, om de foto's te bekijken uit de onderste la van het dressoir in de huiskamer. Oma zit aan de keukentafel een klein stukje *kuchen* te eten en een kruiswoordpuzzel op te lossen terwijl opa me de namen noemt van de mensen op de verblekende portretten. Mama en tante Rita toen ze nog kinderen waren; oma en opa op hun grimmige trouwfoto; een echtpaar met een jongetje, chic gekleed in de mode van de jaren dertig. 'Wie zijn dat?' vraag ik.

'Dat is Masja,' zegt hij kort, 'mijn zuster.'

'Ik dacht dat tante Rose je zuster was. Waarom heb ik nooit iets gehoord over Masja?' vraag ik.

'Ze is verdwenen in de oorlog.'

'Hoe weet je dat?' vraag ik en ik sla haar naam en haar geschiedenis in mijn geheugen op.

'Wai hebben nooit meer iets van Masja gehoord. En ook niet van Menachem.'

'Is dat haar man?' vraag ik, wijzend op de man naast Masja.

'Ja, en hun zoon, Asjer. Ze kregen nog een klain maisje na de jongen.'

'Waarom kwamen ze niet hier met jou, of toen je tante Rose hebt gehaald?' Tante Rose stierf toen ik elf was.

'Wilden ze niet.'

'Ik heb nog nooit van Masja gehoord,' herhaal ik. 'Hoe kan dat?'

'Wat valt er te zeggen?' zegt opa. Zijn stem klinkt dof. Hij is nu 86, nog steeds een brede, gespierde man om rekening mee te houden. Maar zijn stoppels, zijn traagheid en de bruingele vlekken vlak onder de boord van zijn oude hemd maken hem kwetsbaar. Terwijl ik daar zit met de foto's voor me uitgespreid als een spel kaarten vraag ik me af hoeveel ongezegd is gebleven.

Opa schuifelt weer naar de keuken. 'Ik moet pruimensap hebben, Ida.'

'O!' Ik hoor hoe ze opstaat uit haar stoel, een bord in de gootsteen zet en naar de tv loopt. 'Jij met je pruimensap! Pak het zelf!'

Opa keert terug naar onze foto's, hij lijkt wel een stenen pilaar. Ik kijk op van mijn plaats op de vloer, zie zijn donkere ogen. We glimlachen geen van beiden. Hij loopt weer naar de Queen Anne stoel naast het dressoir, gaat zitten en beantwoordt verstrooid mijn laatste vragen.

Net als we de foto's opgestapeld hebben komt mama om me mee te nemen naar huis. Ze zegt hallo, en ik sta op om weg te gaan. Opa knikt als begroeting. Ik hou onze stapel zorgvuldig uitgezochte foto's in mijn hand – een schat die ik voor altijd wil bewaren, zelfs al stop ik ze weer in het dressoir. 'Ik hou van je, opa!' zeg ik.

'Ja?' zegt hij. Terwijl mama nonchalant langs ons heen loopt om te kijken wat voor gebak oma heeft, lichten opa's ogen op. 'Ach!' zegt hij en hij omhelst me met de kracht van een atleet van mijn leeftijd. 'Daar ben ik blai om!'

Midden augustus 1980, precies een week na mijn bezoek aan opa, belt mama me vroeg in de morgen op. 'Oma heeft opa gevonden op de vloer van de badkamer toen ze opstond,' zegt mama. Haar stem klinkt alsof ze dronken is, alsof het haar een kick geeft dat ze dit nieuws kan overbrengen. 'Ze kon hem niet wakker krijgen. Hij is dood.'

'O mama,' jammer ik. Ik krimp ineen in mijn nachthemd. Ik wilde dat iemand me vast kon houden.

'Ja,' zegt mama. 'Het is erg. En er moet veel gedaan worden. Wanneer kun je hier zijn?'

'Ehh,' zeg ik, 'dat weet ik niet. Ik bel je terug als ik weet wanneer de bus gaat. Ik zal proberen voor het eten thuis te zijn.'

Op de begrafenis zegt mama tegen de rabbi (die nieuw is in de synagoge van mijn grootouders) dat hij maar met mij moet praten als hij iets over Moe wil weten. 'Ze is veel met hem opgetrokken, ze bekeken samen foto's,' zegt mama. Ik zie hoe trots ze op me is; ik zie de stijve kromming van haar rug.

Oma beweegt zich met rustige tred, ze knikt plechtig naar haar vrienden en buren. Ze zal het nooit opgeven, denk ik, ondanks al haar teleurstellingen. Terwijl mama en ik die avond sandwiches aan het maken zijn van een schaal met vleeswaren en gerookte vis realiseer ik me dat de mensen die op de begrafenis waren allemaal vrienden van óma waren. 'Had opa geen vrienden?' vraag ik. 'Of zakenrelaties?'

'Nee,' zegt ze plechtig. 'Opa vond altijd wel een reden om mensen af te stoten, vooral mensen van wie hij hield.'

'Waarom?' vraag ik. *Mij heeft hij nooit afgestoten.*

Mama haalt haar schouders op. 'Ik weet het niet,' zegt ze. Zonder te gaan zitten bijt ze in haar sandwich.

'Hoor eens,' zegt mama, van onderwerp veranderend. 'Ida kan nu niet alleen zijn. Ik kan niet zeggen dat ik tante Rita verwijt dat ze al is teruggegaan naar Great Neck en ik kan ook niet zeggen dat ik er niet nijdig over ben. Maar daar gaat het nu niet om. Wat denk jij van een week met oude Ida?'

Ik weet dat ze het alleen vraagt omdat zij het niet wil, maar toch voel ik me vereerd door haar uitnodiging. Ik voel dat mama mijn volwassenheid heeft geaccepteerd. Bovendien kan The Coffee Cup best een weekje zonder mij en de colleges beginnen pas over tien dagen.

Het is elf uur als oma eindelijk neerploft in haar stoel in de tv-kamer. 'Ik voel me zo vreemd,' zegt ze.

'Hoe dan?' vraag ik.

'Ik weet het niet,' zegt ze. 'Misschien alsof ik gewicht heb verloren.' We zitten daar maar, we zetten de tv niet aan en praten niet veel. Bij de buren gaan de lichten uit. 'Het zal wel erg donker zijn 's nachts,' zegt oma.

'Ben je moe?' vraag ik.

'Of ik naar bed wil, bedoel je? Nee.'

'Ik kan je een massage geven,' zeg ik. Ik heb over *De kunst van de massage* gelezen in de boekwinkel en ik zou de bewegingen weleens willen proberen.

'Nee,' zegt ze, kortaf. 'Ik neem een heet bad.'

'Oké,' zeg ik, zowel teleurgesteld als opgelucht dat ze mijn voorstel afwijst. 'Ik ga naar bed.'

'Goed,' zegt oma zuchtend, 'dan zie ik je morgenochtend wel.'

Ik slaap in de logeerkamer. Een paar keer komen mama en Norm bij ons eten, meestal maak ik het klaar. De dames van oma's kaartclub komen een paar keer en de rabbi brengt ons een bezoek. Meestal zijn we met zijn tweetjes in de stilte van opa's afwezigheid.

Op een morgen als ik in de la met de oude foto's zit te neuzen, zie ik een versleten leren map. Ik neem hem in mijn handen en open hem langzaam, misschien zitten er dingen in die ik niet mag weten, maar met elke trage seconde die voorbijgaat wordt het me duidelijker dat ik wil weten wat erin zit.

Opa's naturalisatiepapieren vallen eruit. Ik zie het telegram dat uit Rusland kwam op de dag dat hij en oma trouwden en een paar krantenknipsels over de tijd en het geld dat hij spendeerde aan zionistische organisaties. Maar de meeste papieren staan vol gedichten, die opa zelf heeft geschreven of overgeschreven. De papieren ruiken muf en vertonen tekenen van ouderdom. Ik wil ze hebben.

Oma is in de huiskamer, ze verplant een Kaaps viooltje dat uit zijn kleine potje is gebarsten. 'Mag ik die papieren hebben?' vraag ik, bang dat ze nee zal zeggen.

'Wat wil je ermee doen?'

'Dat weet ik niet,' zeg ik, 'ik weet alleen dat ik ze wil hebben.'

Oma haalt haar schouders op. 'Waarom niet?' zegt ze.

Later rijden mama en ik naar de winkel in tweedehands kleren om opa's enige goede pak weg te geven. Ik vertel haar over de papieren die ik heb gevonden en dat oma heeft gezegd dat ik ze mag houden. 'Ik weet niet of ik wel wil dat jij ze hebt,' zegt ze streng.

'Waarom niet? Er zitten alleen maar knipsels en gedichten in die map die hij

heeft overgeschreven. Moet je luisteren,' zeg ik en ik pak de map uit mijn rugzak. 'Je kunt hem uitschelden tot er niets anders dan goede gedachten in je
over zijn,' lees ik en:

Strange am I and wild and new.
Oh, can your loving have me free,
when out of the dark I come to you.

'Dat heet "The Unborn",' zeg ik.

'Hij had een gevoelige kant,' zegt mama zuchtend. 'En hij was ook een
schoft, Hannah,' zegt ze, terwijl ze gas geeft om door oranje licht te rijden.

'Vergeet dat niet.'

Ik ga terug naar college en The Coffee Cup en naar mijn dagboek. Midden
januari 1981 word ik vroeg wakker met een droom zo vreemd dat hij me bij-
blijft en ik hem opschrijf.

Mama sterft en leeft verder als een geest. Ik ga naar oma's kast om een in memoriam voor
mama te schrijven en maak mezelf vrij.

Als ik de droom vertel aan mijn nieuwe vriendin Julie, zegt ze dat het lijkt alsof
ik gezegend ben door een engel, omdat de droom me zegt waar ik heen moet
gaan als ik hulp nodig heb.

'Help,' zeg ik, zonder geluid, alsof ik nog steeds gewikkeld ben in de sluier
van de droom. 'Want nu ben ik niet vrij.'

Een maand na mijn droom ga ik weer naar huis, naar Cleveland. Als ik word
afgezet in onze oprit kijkt mama om de voordeur. Als we een staart zouden
hebben, hadden we gekwispeld. We kijken elkaar stralend aan terwijl we naar
de keuken lopen, dan omhelzen we elkaar.

'O mam, je raadt het nooit!' zeg ik. Ik knuffel haar langer dan ik gewoonlijk
doe en ik voel haar gebruikelijke terughoudendheid, maar ik zet door.

'Marie Delaney, de schrijfster die *The Ann Arbor Weekly* redigeert, wil een gedicht publiceren dat ik over Channa heb geschreven!'

Mama kijkt ontdaan. 'Channa? Mijn grootmoeder? Wanneer heb jij een
gedicht geschreven over Channa?'

'O, een tijdje geleden,' zeg ik. 'Oma heeft me een foto van haar gegeven in
de week nadat opa was gestorven.' Ik neem nauwelijks de tijd om adem te
halen voor ik haar het andere goede nieuws vertel – 'En gisteren heeft Marie,

die weleens in The Coffee Cup komt, aangeboden me te helpen bij het schrijven!' Mijn geluk stroomt uit mijn oren, uit mijn huid.

Mama schudt langzaam haar hoofd, ze glimlacht gereserveerd, een glimlach die niet op de mijne lijkt. 'Van dat soort dingen heb ik geen verstand, liefje.' Ze pakt haar Pall Malls.

Ik haal mijn schouders op terwijl mama tegen het aanrecht leunt om op te steken. Norm komt de keuken binnen, hij heeft tv gekeken. Een grote firma heeft kortgeleden zijn apotheek overgenomen en hij heeft twee maanden niet gewerkt, maar hij is net weer begonnen.

'Hallo, papa,' zeg ik.

'Hallo, meid.' Hij glimlacht flauwtjes en gaat naar de ijskast om ijs te halen.

'Ik hoor dat je geen huisvrouw meer bent,' zeg ik.

Mama maakt een vreemd geluid – een gekreun dat iemand op de wc zou kunnen maken.

'Nee,' zegt Norm, 'niet meer.'

'Mama?' zeg ik. 'Is er iets?' Gewoonlijk beginnen mijn moeder en ik op dit ogenblik – als papa teruggaat naar de tv – een gesprek aan de keukentafel dat minstens tot middernacht duurt. Maar nu duikt mama, zonder te antwoorden op mijn vraag, weg in haar slobberige, grijze vest en gaat naar boven.

Er is iets mis. Hulpeloos volg ik haar met mijn ogen de keuken uit. Er hangt iets in de lucht. Mijn hart krimpt ineen en verkrampt: staat het stil? Mijn nek verstijft.

'Papa?' zeg ik en ik loop de huiskamer binnen, ik weet zeker dat het komt omdat ik hem een huisvrouw heb genoemd. 'Heb ik iets verkeerds gezegd? Heb ik je beledigd?'

'Welnee,' zegt hij. 'Ik wás toch een huisvrouw.' Hij pakt een nieuwe afstandsbediening en richt hem op de tv tot hij een zender vindt die hem bevalt. Ik blijf op de drempel staan, helemaal uit mijn doen. Ik ben verward, maar ook klaarwakker. 'Misschien verwachtte ze dat je journaliste zou worden met een echte baan,' zegt Norm. 'Geen dichteres.' Zijn ogen blijven op het scherm gericht.

Ik ga naar mama's kamer. Ik word ernaar toe getrokken, hoewel mijn lichaam zo zwaar is als een meubelstuk. Door een kier in de deur van de slaapkamer zie ik een rode gloed, de punt van haar sigaret. Ze heeft de gordijnen dichtgetrokken. Ik kan nauwelijks de omtrekken zien van wat nog steeds mijn vertrouwelingen zijn: mama's lange, mahoniehouten toilettafel, het hemelbed, de blauwe ochtendjas die gewikkeld is om haar lichaam dat tegen de kussens leunt.

'Mama?'

Ze inhaleert diep.

'Mag ik binnenkomen?'

'Huisvrouw,' mompelt ze. 'Hoe durf je.' Haar stem is laag en hees. Haar slaapkamer is vreemd genoeg schoon. Er liggen geen stapels op de toilettafel of ernaast en de tv is nieuw. Op het nachtkastje naast haar staan alleen een lamp, een telefoon en een schone asbak. Ze heeft het pakje sigaretten en de lucifers in haar handen.

Ik blijf vlak bij de deur staan, bang om de kamer binnen te gaan, te bang om op mijn plaats naast haar te gaan zitten. Ik ben uit de gratie en ik weet het.

'Mama,' zeg ik smekend, 'ik heb papa gevraagd of ik hem beledigd heb. Hij zei: "Ik wás toch een huisvrouw?" Ik geloof niet dat hij zich gekwetst voelt.'

'O.' Ze praat op een toon alsof ze de ondervrager is van een oorlogsmisdadiger, niets wat ik zeg zal ze geloven. Ze staart naar de lege tv. Ze draait zich niet naar me toe als ze tegen me praat. 'Ik respecteer jou niet langer,' zegt ze. 'Daarom respecteer ik mezelf niet meer.'

Ze blaast een lange wolk rook uit en drukt haar sigaret uit. Het is nu helemaal donker.

De volgende morgen blijf ik zolang mogelijk in bed. Ik ruik haar koffie en sigaret, dan hoor ik hoe de wc wordt doorgetrokken. Zwaar van angst en slaapgebrek trek ik een flanellen hemd over mijn nachthemd en knoop het dicht. Ik trek het elastiek van mijn broek aan. Ze is niet in de keuken, dat lucht me eventjes op. Terwijl ik staande naast het fornuis de theeketel vul met vers water, zie ik hoe plat en stijf mijn lichaam is.

Mama ligt in een slappe blauwe hoop op de bank in de huiskamer. Ik sta op de drempel, met mijn twee handen om een warme beker. Mama's ogen hebben een harde glans. Haar mond hangt open.

'Mama?' Ze ziet eruit alsof ze in trance is.

'Wat?' Ze draait haar hoofd langzaam een klein beetje om en kijkt me dreigend aan.

'Gisteravond...' Ik stotter.

'Ophouden,' zegt ze. Ze spreekt langzaam, monotoon, voortgedreven door haar wil of door vermoeidheid of door allebei. 'Je moet weg. Pak je spullen.'

'Wat?' vraag ik. Mijn stem attendeert me op mijn zwakheid en mijn kracht. 'Wat bedoel je?'

'Ik bedoel dat je mijn huis uit moet. Vandaag zou het beste zijn. En als het niet vandaag is, dan morgen.'

'Maar mama,' zeg ik en ik zet mijn beker op de boekenplank vlak bij de deur, klaar om een redelijke discussie te beginnen.

'Er valt niets te bespreken,' zegt ze. Haar lippen trillen en ze brengt haar handen naar haar gezicht om haar tranen te verbergen.

Enkele ogenblikken lang kijk ik alleen maar naar haar. *Wat moet ik nu doen?* klaagt de een of andere stem in mijn binnenste. *Ze heeft een zenuwinstorting.*

Pak je koffer, fluistert een andere stem. *Bel een taxi om je naar de bushalte te brengen. Ga naar huis – naar Ann Arbor.*

's Avonds sta ik op de donkere drempel van onze voordeur te wachten op de taxi die onze oprit zal inrijden en me weg zal brengen. Mama ligt boven in bed, haar deur is dicht. Papa heeft kant-en-klare 'boeuf Stroganoff' in een schaal gedaan, hij ziet dat ik klaarsta om weg te gaan. 'Pas goed op jezelf, meid,' zegt hij. Hij neemt zijn eten mee naar de huiskamer en zet de tv aan: deze breuk is zijn zaak niet.

Ik rits mijn gevoerde jack dicht om me voor te bereiden op de kou buiten; ik zet de handvatten van mijn koffer recht zodat ik ze makkelijk kan vastpakken als de taxi er is.

Ik werp een blik in de straat, helemaal donker, kijk dan naar onze huiskamer alsof dat de verdoving kan doorbreken die ik begin te voelen, en me weer tot leven kan wekken.

Mijn ogen blijven rusten op het bureautje van mijn moeder. Ik ga ernaar toe, trek de onderste la open. Op het ogenblik dat koplampen oplichten door het raam aan de voorkant van ons huis zie ik de manilla envelop waarin foto's zitten van mama en haar grootmoeders – Leah en Channa. Ik haal de envelop uit de la en stop hem in mijn tas. Ik trek mijn handschoenen aan, pak mijn koffer en ga naar de oprit.

2

Omstreeks 1869 ✸ 1930

Leah

geboren omstreeks 1869

in Dvinsk, Letland

A groise gidila hot mir getrofn. Er is iets belangrijks met mij gebeurd. *Ich bin geborn geworn.* Ik ben geboren.

In Dvinsk ben ik geboren, ik heet Leah Alterman, dochter van Wulf. We wonen vijfendertig werst van Riga. De tsaar bezit ons land, hij zegt wat we erop mogen houden en wat niet. Van vier geiten en een paar kippen heb je een hoop ellende. De mannen van de tsaar komen wanneer ze willen, ze spuwen op onze geleerden, ze nemen ons vrouwen mee naar de velden en gaan op ons liggen, ze maken ons smerig als beesten, als zijzelf.

Kinderen geven een klein beetje vreugde, zeker. Maar na veertien winters heb ik veel van hen zien sterven voor ze naar school gingen. Meisjes verliezen we soms voor ze op de kleinere kinderen kunnen passen. De winters zijn koud, erg koud. We hebben maar één kachel en twee bedden voor alle kinderen, we zijn met zijn achten, en een kleine strozak. Omdat ik het enige meisje ben dat is blijven leven krijg ik de strozak. Het is moeilijk om het enige meisje te zijn. Sommige nachten zijn zo koud dat ik de geit meeneem naar mijn strozak om warm te blijven.

Mijn lieve vader, mijn *tatte*, werkt in de leerlooierij. Daar krijgt hij wat roebels voor. Mijn broers gaan natuurlijk met hem mee. 's Zomers verkopen we eieren van onze kippen op de markt. In het najaar verkopen we de appels die over zijn. Tatte houdt van mijn *tsimmes*, mijn stoofpot, zelfs zonder rozijnen. Op sjabbes neemt hij mijn broers mee naar de sjoel om de thora te studeren met Reb ha-Cohen.

Mamme en ik wassen het beddengoed en de kleren, we brengen het met het wasbord naar het meer. In de winter wassen we in een wak in het ijs. Soms veranderen op de terugweg de broeken van mijn broers in ijs. Het is een hele werst – bijna anderhalve kilometer. Als we thuiskomen geven we de geiten hooi en kookt mamme. Ik hang de was te drogen aan de lijn naast het fornuis.

Dag en nacht halen we water uit de put achter ons huis. Je moet heel wat emmers halen om te koken en de pannen af te wassen voor acht mensen. *Wei is mir* op de dagen dat we een bad nemen. Jullie willen niet horen wat ik daarover te zeggen heb.

Mijn moeder is een *sjtilinke*, stilletjes. Dat wil zeggen dat ze niet veel klaagt. Want wat moet je anders doen dan klagen? Ze werkt alle dagen. Ze eet een beetje, ze slaapt een beetje, dan gaat ze weer aan het werk. Ze houdt natuurlijk sjabbes. Nadat ze de kaarsen heeft gezegend fluistert ze al onze namen, dan weet God wie we zijn. Dan heeft ze een rustdag.

Ik vind ons een knappe familie. We hebben donkere ogen, donkere krullen en stevige botten. Als je achter de ogen kijkt kun je zien dat mijn tatte en mijn broers slim zijn, goed met de boeken. Ik ben klein van gestalte. Maar ik heb stevige spieren van al het water dat ik moet aanslepen – als een ezel. En als onze nieuwe geit haar jong niet wil laten drinken ben ik degene die haar elke morgen moet melken en het jong moet laten drinken uit de schaal.

Ik ben, zoals ik al heb gezegd, het enige meisje dat is blijven leven. Het kind voor mij, Golda, werd maar twee jaar. Het meisje na mijn broer Awram, Sora, overleefde een barre, barre winter en stierf in het voorjaar. Ze werd ongeveer tien, en ze was de grootste lachebek van heel Dvinsk.

Dus ben ik een zegen voor mamme, ook al ben ik maar een meisje. Ik help haar.

Als ik bijna een oude vrijster ben, negentien jaar, zegt een buurmeisje, een nichtje van Jenta Malke, dat een man een oogje op me heeft. Terwijl ik kook en was en met water sleep heb ik een paar dagen kleine vogeltjes in mijn borst. Als dromen. Ik verlang naar een man met ogen die zeggen dat ik mooi ben. Een man die boeken koopt van de jiddische venter en ze met me leest als de zon onder is bij kaarslicht. Dat wil ik.

Dan vertelt mijn vader me dat we over veertien dagen bruiloft zullen vieren.

'Wie is het?' vraag ik.

'Wie is het? Een man,' zegt hij. 'Een goede man, een wijze geleerde. Je zult wel zien.'

Mamme is stil, stil. Ik denk: voor haar is dit niet gemakkelijk. Ze denkt dat ze het werk nu alleen zal moeten doen. 'Mamme,' zeg ik, 'ik woon toch vlakbij? We kunnen toch nog steeds samen naar het meer gaan? En het duurt nog wel even voor ik kinderen krijg. Dus ik kan je op de markt ook blijven helpen.'

'We zullen wel zien,' zegt ze. Tatte is de kamer uitgegaan.

De avond voor de bruiloft zijn mamme en ik alleen thuis, we bakken de challe. Mamme is zwaar, treurig als het deeg als je het plat slaat. We vlechten allebei een groot brood en leggen het in de oven om te bakken. Zij zit nu waar tatte gewoonlijk zit, in onze enige leunstoel. Dus ga ik ook zitten. Ik denk: misschien wil ze me zegenen. Ik weet dat praten voor haar niet gemakkelijk is. Dus wacht ik. Mijn hart is als een bloem, wijdopen. Ik verwacht iets aangenaams te horen, iets moois.

Maar dan drukt ze haar vuist tegen haar mond. 'Leah, Leah,' zegt ze, kleine tranen lopen over haar wangen. 'Je vader heeft een huwelijk met Jesjia Zeitlin voor je geregeld. De geleerde.'

Ik ken de naam niet. Mamme blijft me aankijken, ze zwijgt. Haar ogen zijn donker als een ijzeren braadpan met een dun laagje olie. Op dat ogenblik ruik ik de challe, het geeft iets zoets aan de lucht.

'Jesjia Zeitlin...' zeg ik. Nu ik zijn naam uitspreek herken ik die. 'JESJIA ZEITLIN?! Jesjia Zeitlin heeft vijf kinderen! Hij is een weduwnaar, zijn vrouw is nog maar twee maanden dood!'

Mamme knikt. 'De oudste is Tamara, van jouw leeftijd. Je kent haar toch? Zij zal je helpen.'

Mijn handen en ook mijn hart ballen zich samen tot zenuwachtige vuisten. Ik wil mamme uit tattes stoel duwen. Ik schaam me om het te zeggen, maar misschien begrijpen jullie het. Ik heb tenslotte maar vrouwenhersens: ik wil haar eruit duwen en zelf in die stoel met armleuningen gaan zitten. Zodat ik, als ik nog twintig jaar leef, tenminste dit kleine beetje voldoening zal hebben in mijn herinneringen.

Jesjia is niet mijn droomprins. Ik denk dat hij dat weet, want hij zegt vaak dank je wel. Verder heeft hij tegen mij niet veel te zeggen. Hij leeft nog zeven jaar na ons huwelijk, zo lang dat zijn jongste kinderen mij als hun moeder gaan beschouwen. Zo lang dat hij mij achterlaat met drie kinderen van mezelf, afgezien van het kind dat sterft voor het geboren wordt. Zo lang dat hij ervoor zorgt dat ik van de geitenmelk kaas maak en die op de markt verkoop, net als zijn eerste vrouw.

Mosje is mijn jongen. Raisl is mijn eerste, dan Masja na Mosje. Toen Mosje nog maar heel klein was, vier jaar, zelfs pas drie, kwam hij me al helpen zonder het te vragen. Bij veel jongens, vooral van die leeftijd, heb je meer last dan lust van die hulp. Maar Mosje helpt echt. Hij haalt de houtblokken van buiten en stapelt ze netjes naast het fornuis op. Op de markt roept hij: 'Kaas van geitenmelk! Mijn moeder heeft het gemaakt! Als je wat koopt krijg je een snee van haar challe, dus koop!' Als Mosje er is hebben we veel plezier. En we verkopen alles.

Op de dag dat Mosje zeven wordt, is Jesjia nog maar twee winters dood. Jitzak, de enige zoon van zijn eerste vrouw, kan al een beetje horlogemaken. Niet alle horloges, maar sommige. Van wie weet waarvandaan brengt Jitzak me walnoten, een kwart liter zure room en appels – schatten. 'Voor kuchen,' zegt hij. 'Voor Mosjes verjaardag.'

Maar Mosje zegt: 'Nee, breng het naar de markt, mamme. We noemen het iets speciaals, verkoop het in Tamara's kraam. Dan krijgen we een goeie prijs.' Jesjia's dochter Tamara trouwde algauw nadat ik in haar vaders huis kwam wonen. En ze werd ook algauw zwanger. Zij en haar man hebben nu een handeltje in stoffen die ze speciaal uit Riga laat komen.

'Wat een gotspe voor een jongen van nog geen negen winters,' zegt Chava, Jesjia's oudste dochter die nog niet getrouwd is. 'Waar haalt hij het vandaan? Stuur hem weg. Naar Amerika.'

Mosje heeft het bakblik al op tafel gezet en de zak meel. Natuurlijk hoort hij wat zijn broer en zuster over hem zeggen. Hij zet zijn handen op zijn heupen, draait zich om en zegt: 'Ik wil niet nog een harde winter. Ik heb liever volgende winter een kip dan vandaag kuchen. Dus laten we gaan bakken. Voor de markt.'

We lachen allemaal. Behalve Mosje, mijn *taskele*. Ik trek hem naar me toe om hem te knuffelen. Ik ben vast niet de enige die die jongen bewondert. Maar waar komt die ambitie vandaan? Niet van de rebbe, denk ik en niet van zijn vader. Niet van mij.

Op zekere dag, kort na zijn bar mitswa zegt mijn zoon tegen me: 'Mamme, we moeten er een kamer bijbouwen. Dan maken we een herberg voor reizigers. Morgen ga ik naar de houtzagerij om planken te halen. Ik kan een mooie kamer maken. Jakov Levinson zegt dat ik zijn wagen mag lenen om mijn aankopen van de houtzagerij te halen.'

Hij vertelt me dat vlak voor zonsondergang op Erev Sjabbes, het begin van de sabbat. Hij vertelt me dat onze huisbaas, meneer Iljitsj, het goed vindt dat hij het doet – en dat hij de volgende maand de huur zal verhogen. Ik leg het kleed op de tafel dat mijn ouders me hebben gegeven toen ik trouwde en ik zit met een probleem. 'Dat lijkt me wel goed,' zeg ik, terwijl ik me al zorgen maak over de huur, 'maar het is sjabbes, Mosje.'

'Ja,' zegt hij. 'Ja' betekent bij hem niet veel. Ik zet de zilveren kandelaars op tafel die Jesjia's eerste vrouw van haar ouders gekregen heeft toen ze met hem trouwde. Meestal begin ik, als ik zover gekomen ben, de sjabbes te voelen. De ingeweven bloemen in het witte tafelkleed, de glans van het zilver – ik hoef er maar naar te kijken en ik voel me een koningin. Een koningin die een dag mag rusten. Als ik mijn handen ophef om de kaarsen te zegenen denk ik altijd bij mezelf: ik hoef een hele dag lang geen vin te verroeren.

Dat plan van Mosje vind ik mesjokke. Hij kijkt me aan met ogen waarin alleen maar dat plan leeft. Hij trekt een stuk van Raisls verse challe, sopt het in de pot met borsjtsj en stopt het in zijn mond. Chava en haar zuster zijn nu getrouwd, ze hebben hun eigen huisje. Raisl en Masja zijn weg, ze brengen een stukje geitenkaas naar mijn moeder, voor sjabbes. Ik denk dat Raisl een malle droom in haar hoofd heeft, ze wil graag trouwen met Menachem Weinberg, onze jonge dokter in Dvinsk. Masja is te jong voor dromen.

Ik ga zitten. 'Ik ben verbaasd, Mosje,' zeg ik. Ik voel me niet zoals ik me voelde op de avond toen ik hoorde dat ik met Jesjia zou trouwen. Nee, die avond ontstak de schok een vuur van boosheid in me. Ik gebruik dat vuur nog steeds – om in beweging te blijven. Om te koken en te wassen en wakker te blijven als de kinderen 's nachts ziek zijn. Maar deze schok treft me als koud water uit een emmer. Fluisterend zeg ik weer: 'Het is sjabbes.'

Mosjes stem heeft spieren als een paard. 'Niet voor de mannen van de houtzagerij die de planken voor een nieuwe kamer verkopen,' zegt hij.

'Ik zei niet voor die mannen. Dat zijn gojim! Voor jou is het sjabbes. Voor mij.'

'Ik heb Jakov Levinson al betaald om zijn wagen te lenen,' zegt hij. En hij neemt weer wat uit mijn pot borsjtsj.

Ik zit daar maar. Hij eet altijd zo en het kan me niet schelen. Maar nu kan het me wel schelen. Maar wat kan ik eraan doen? Voor Mosje is de zaak rond. Voor mij is het bijna sjabbes.

Wei is mir. Hij zal de roebels die mijn broer hem op zijn bar mitswa heeft gegeven gebruiken om zijn planken te kopen in de houtzagerij. Kun je dat voorstellen? Een jongen geld geven als het de tijd is dat hij wordt geroepen om de thora te lezen? Als Jesjia het wist zou hij zich omdraaien in zijn graf. De man die wordt geroepen dient geld te geven aan de sjoel! Ik zeg niets als Chaim, mijn broer, hem die roebels geeft. Wat kan ik zeggen? Ik zou wel iets kunnen zeggen. Misschien is het mijn grootste zonde dat ik mijn mond heb gehouden. Maar wat weet ik er ook van?

Wat ik wel weet is dat Mosje heeft bedacht dat geld te gebruiken voor een kamer om te verhuren. Omdat er sommige avonden, nu er treinen door Dvinsk rijden, mensen zijn die hier uitstappen op weg naar Amerika. Mosje weet dat ze op het station vragen waar ze iets kunnen eten en hun moede hoofden te slapen kunnen leggen. Ik zie de harde knoop in Mosjes maag elke keer als hij de trein hoort fluiten. Want voor hem betekent dat dat hij een roebel heeft verloren.

Mijn jongen is nog maar dertien winters oud en heeft een hart dat gelukkig is wanneer hij zijn zakken met roebels vult. Ja, roebels zijn fijn. Maar ik heb er geen goed gevoel over, al kunnen we wat extra geld natuurlijk best gebruiken.

Ik sta op om mijn sjabbes jurk aan te trekken. 'Het zijn jouw roebels, Mosje,' zeg ik. 'Wat je met die roebels doet is je eigen zaak.'

Ja, ja, misschien klinkt dat wel verstandig. Alsof ik mijn zoon toesta zijn eigen baas te zijn. Maar voor mij is er iets losgegaan – als schoenveters die ik zo stijf heb dichtgetrokken dat ik dacht dat ze het de hele dag wel zouden houden, maar die zo slap blijken als deegslierten.

Als de kinderen naar bed zijn ontdek ik iets vreemds: een van de sjabbes kaarsen is halverwege opgebrand, de pit is in de was getrokken. Ik denk: de *sjechina*, de Goddelijke Aanwezigheid, heeft ons huis vroeg verlaten. Ik maak me ongerust, dat kan ik jullie wel vertellen. Het is iets waarmee ik zal moeten leven.

Emes is nor bai Got; un bai mir a bis. De waarheid is bij God. En een klein beetje bij mij.

De volgende dag, als Mosje zijn planken heeft en sterke mannen zoekt die hem kunnen helpen zijn kamer te bouwen, stop ik mijn zorgen in een grote *tsjolent* voor hem en bak ook nog een appeltaart. Maar Mosje is zo opgewonden nu zijn droom, met nieuwe planken en spijkers, bewaarheid wordt, dat hij zelfs de geuren niet ruikt die uit de taart komen en de lieve glimlach op Raisls gezicht niet ziet. Ze heeft het gebak zelf gevlochten en uit de oven gehaald op het moment dat het precies goed was. Maar Mosje wil die avond niet eten. 'Mamme,' zegt hij, terwijl hij een stuk challe neemt uit de mand die Masja hem voorhoudt. 'Raisl,' zegt hij, 'Masja.' En weg is hij om meer hulp te vinden voor de zon ondergaat.

Op dat ogenblik ben ik blij dat ik mijn dochters bij me in de keuken heb. Ik denk dat ze weten wat ik voel zelfs al praten we niet – dat die jongen die waarschijnlijk de lieveling is van ons alle drie nu geen oren heeft voor zijn moeder.

Als een klein, vrolijk legertje komen de volgende morgen vier jongens bij ons binnen. Mosje gaat naar de keuken om de appeltaart voor ze te halen die hij de vorige avond van de opwinding niet heeft gegeten. Hij vraagt me zelfs niet of we wel genoeg voor ze hebben! Natuurlijk, zou ik gezegd hebben, natuurlijk. Maar hij vraagt het niet eens!

A jung mit bainer is hij, mijn zoon, een krachtpatser. Ik hoorde het een van de jongens van Steinberg zeggen, nadat Mosje ze allemaal heeft verteld wat ze moeten doen en hij is nog jonger dan de zoon van Steinberg.

Raisl en ik zijn in de keuken als Mosje de taart komt halen. Als hij weg is maken we een grote schaal met gehakte lever en een andere met koolsla. We spreken amper een woord. We snijden het brood dat eigenlijk voldoende moest zijn tot de sjabbes en doen er gehakte lever op. Ik hoor mezelf mompelen: 'Ik ben er bang van.'

Ik zie hoe Mosjes gotspe ons allemaal in beweging heeft gezet – de jongens die hem helpen, Raisl en Masja en mij, zo snel staan die planken op hun plaats. *Redelach dreitsach*, denk ik, het rad – de wereld – draait vanzelf, maar Mosje laat het met zijn zakje roebels harder draaien. Daar ben ik bang van.

Soekot, de feestdag van de oogst, is al geweest. Ik loop naar de markt door bitter koude lucht. 'Blij je te zien,' zegt Riwke Plotkin als ik bij haar kraam kom, 'met die sjaal zie je er altijd leuk uit.'

Riwke heeft een rond lichaam met zachte welvingen – kleine kuiltjes en dalen die de zorgen opnemen en vasthouden. Onze moeders hadden ons in dezelfde periode in hun buik. Ze heeft me ook geholpen bij de geboorte van mijn kinderen. Van Riwke koop ik geitenmelk als ik niet genoeg heb om kaas te maken.

'Dank je wel,' zeg ik. Ik weet dat ze van die sjaal houdt, hij heeft de kleur van bloed. Mijn moeder heeft hem gemaakt toen ik van huis wegging om met Jesjia te trouwen – hij ruste in vrede. Ik heb nooit geweten hoe ze die gekregen heeft, stof zo warm en zacht. Ik heb het gevoel dat Riwke iets op haar hart heeft. Ik zeg niet veel terug.

'En *mazzel tov*,' zegt ze, 'dat Jesjia's dochters nu allemaal getrouwd zijn.'

'Ja,' zeg ik, 'ik heb nu alleen nog Mosje en Jitzak en mijn eigen meisjes.'

'Mijn jongens zijn plannen aan het maken,' zegt ze. Ze houdt haar ogen neergeslagen terwijl ze melk in mijn fles schenkt. Ze beweegt zich langzaam.

'Wat?' zeg ik, als een idioot die niets begrijpt. Maar ze heeft het natuurlijk over iets wat ik niet wil horen.

'Leah, we moeten erover praten,' zegt Riwke, 'de militairen van de tsaar. Iedere joodse jongen moet in zijn leger dienen.'

Ik kijk Leah met lege ogen aan want ik weet dat ik moet ophouden te doen alsof ik mijn zoon niet zal verliezen. Weer zegt ze, maar nu langzamer: 'Iedere joodse jongen moet in zijn leger dienen. Vijfentwintig jaar lang. De tsaar laat alle jongens dopen en laat ze dan werken als slaven.'

Mijn kaak steekt uit alsof hij schreeuwend weg wil rennen – maar hij zit vast aan de rest van mijn gezicht. Dan vind ik woorden. '*Got meiner wu bistu?* God – waar ben je? *Wu bistu?*'

Riwke houdt op met wat ze doet, ze toont me haar vochtige ogen, haar angst, dan kijkt ze vlug naar de grond. Riwke. Ze is minstens drie winters eerder dan ik getrouwd. Ze heeft vijf zonen. Ik tel altijd ook het meisje mee dat doodgeboren is, het meisje van wie de rebbe zei dat ze geen naam en geen begrafenis kreeg omdat ze geen dertig dagen leefde. Ik hielp haar bij die bevalling. En er kwam een woede over mij tegen Reb ha-Cohen toen hij aankwam met zijn malle wet, een woede die ik op Riwke overbracht. Maar nu ziet ze er zo kwetsbaar uit als een kip met haar nek op het hakblok. Ze is de winters doorgekomen en de dagen dat er alleen aardappels te eten waren. Ze heeft een man die soms drinkt op feestdagen, niet alleen op Poerim. Maar nu brandt haar kaarsje laag.

'Mijn man wil niet weg,' fluistert ze. 'Hij wil niet weg bij zijn moeder. Dat betekent dat ik over een paar weken mijn oudste zonen voor het laatst zal zien. Ze gaan naar Amerika of Palestina, zonder ons. En ze hebben het ook over een land dat Zuid-Afrika heet.' Ze houdt haar armen voor haar borsten alsof het slapende kindertjes zijn.

'Misschien zullen onze zoons in een ander land de vrijheid leren kennen, Riwke. Waar we altijd van dromen.'

'Ja, misschien,' zegt ze. 'Maar nu spuug ik op die vrijheid. Nu denk ik alleen maar dat ik door die tsaar de meisjes nooit zal zien die de moeders van mijn kleinkinderen zullen worden – misschien zal ik niet eens hun namen kennen.'

'Ik vervloek de tsaar!' zeg ik. *Oif doktoirem zol er ois gebn* – Moge hij goud genoeg hebben om tien schepen te vullen en moge hij het allemaal uitgeven aan dokters!'

Natuurlijk voel ik rachmones voor Riwke, medelijden. Voor mij is het niet de slechtste tijd van mijn leven. Jesjia's zoon Jitzak droomt van Frankrijk; de mannen van de meisjes denken dat ze uit de moeilijkheden zijn als ze kinderen hebben om voor te zorgen. Of misschien verhuizen ze naar Riga, dan is het niet zo erg.

Mijn eigen zoon, mijn Mosje, is nog een kind – te jong voor de tsaar.

Het gaat vlug voorbij, een jaar met Mosje, Raisl, Masja en mij. Jitzak is naar Frankrijk gegaan. De herberg doet het goed. Sinds we de spoorweg hebben is Dvinsk een goede plaats voor reizigers uit Polotsk of zelfs Minsk om uit te rusten van hun lange reis naar de nieuwe wereld. Dus doen we goede zaken.

Mosjes lichaam wordt groot en sterk. Hij heeft brede schouders voor de zoon van een geleerde. Hij lijkt wel een os. Hij heeft spieren die uit zijn tefillin komen en zijn hoofd is zo groot. Je kunt de spieren zien door zijn jas heen. Dat vind ik vreemd – omdat Jesjia een lichaam had als een vogel. Zoals de meeste mannen die de hele dag in de sjoel zitten te leren.

Op zekere dag, misschien een jaar na zijn bar mitswa, ontmoet Mosje, als hij mijn kaas naar de markt brengt, een zekere mijnheer Diamont die op bezoek is uit Amerika. Die man praat over zionisme, we moeten een joodse staat stichten. En hij zegt tegen mijn zoon: 'Wie kan het wat schelen of je werkt op sjabbes?'

Als Mosje me dat vertelt bonst mijn hart! God kan het wat schelen! Je vader, dat hij ruste in vrede, kan het wat schelen! En mij kan het wat schelen!

Ja, het kan me wat schelen maar ik zeg niets.

Mijn zoon komt thuis van de markt. Hij heeft al mijn kaas verkocht. Hij zingt bijna dat meneer Diamont verstandiger praat dan onze Reb ha-Cohen. De ideeën van de rebbe zijn niet modern en Mosje zegt dat hij een moderne man wil zijn. Het doet me pijn een man te horen zeggen dat je mag werken op sjabbes als je dat wilt – dezelfde man die zich bemoeit met het werk van God en een joodse staat wil scheppen.

Wel, Mosje koopt een bril van meneer Diamont. Die staat hem goed, ook al hou ik niet van de ideeën in zijn knappe hoofd. Mijn zoon ziet er nu uit als een man met wie het kwaad kersen eten is. De volgende dag op de markt zie ik dat Perle Fineberg, de dochter van mijn nicht Kaila, een oogje op hem heeft. Ik hoor mijn eigen stem luid zeggen: Mosje is een man. Vanbinnen zegt een andere stem: *de volgende keer zal de tsaar hem nemen.*

Raisl is nu een jonge vrouw, met een kleine bruidsschat, een vriendelijke glimlach en veel hard werk om handen. Een echte goede joodse vrouw. En Raisl is ook knap. Ze heeft lang haar, donker, meestal draagt ze het in een vlecht op haar rug. Haar wangen zijn rood – zoals haar naam. Raisl bakt het brood voor de herberg en maakt de kaas die we op de markt verkopen. Ik kook, Masja maakt de kamers schoon. Masja is net Jesjia – ze houdt van boeken. Als de joodse marskramer met de boeken komt is het voor haar feest.

En Mosje. Wat zou ik moeten beginnen zonder Mosje? Hij haalt de emmers water uit de put achter ons huis die we delen met de Eisenbergs en de Solowitzes. Hij hakt het hout. Hij kan de mensen vertellen wanneer de treinen naar Riga vertrekken. Hij praat met de mannen van de tsaar als ze onze boekhouding komen controleren. En hij maakt mijn hart aan het zingen als hij mijn appeltaart eet en zegt dat hij het lekker vindt. Hij maakt de meisjes ook gelukkig – hij leest de gedichten van Raisl en zegt dat hij ze mooi vindt. En hij is het die Masja de roebels geeft om boeken te kopen. Jesjia's dochters hebben nu allemaal kinderen. Mosje heeft altijd een traktatie voor ze. Hij maakt onze harten aan het zingen, ook al doet hij weleens zaken op sjabbes.

Ik herinner me wat ik twee winters geleden tegen Riwke zei en wat zij antwoordde. Wij moeders zullen nooit de vrijheid zien of de kleinkinderen van onze zoons. Ach! Ik ken meer dan een vrouw die de trommelvliezen van haar zoon heeft doorgestoken en hem daarna tien keer in de put heeft gedompeld om er zeker van te zijn dat hij doof zou worden. Want het leger van de tsaar kan een dove jongen niet gebruiken. Ik blijf staan en denk aan al die dingen als ik eigenlijk mijn geiten zou moeten melken of water naar het huis zou moeten brengen of de kelder zou moeten schoonmaken.

Feh. Ik heb een hoofd als een pot met tsimmes: een ratjetoe van gedachten.

En nu is Mosjes tijd gekomen voor een lichamelijk onderzoek door de mannen van de tsaar. Drie weken lang drinkt hij alleen water en eet zo nu en dan een klein stukje brood. Hij doet het goed – hij maakt zichzelf erg ziek. Hij wordt zo mager dat ik haast niet naar hem durf te kijken. Ik zou bijna wensen dat de tsaar hem kwam halen zolang hij nog huid heeft om in te knijpen. Ik ben zo ongerust, je kunt het je niet voorstellen.

Hij gaat naar het onderzoek. Voor de kozakken is hij een gezonde joodse jongen met meer dan genoeg spieren. De kozakken trekken zich niets aan van magere wangen. Zij willen Mosje in hun leger. Voor dwangarbeid.

Mosje is nu niet alleen mager, hij heeft ook een schok gehad. Omdat hij er niet aan twijfelde dat zijn plan goed zou aflopen, dat hij bij me zou blijven en misschien nog een kamer zou bouwen. Hij komt thuis om de laatste maal door mij gevoed te worden maar hij is natuurlijk te ellendig om te eten. Ik heb ook geen *gefilte fis* gemaakt, zijn lievelingseten, omdat ik er zeker van was dat hij bij me zou blijven tot ik stierf. Maar nu moet hij naar Siberië.

Het is een duistere tijd, dat is een ding dat zeker is. Ik breng hem vroeg naar bed. 'Maar mama,' zegt hij, 'we moeten het over de boekhouding hebben.'

Ik zeg nee. Ik vind het beter dat hij als gezonde man de wereld intrekt. Ik zal de boekhouding zelf wel leren. Ik hou voet bij stuk en hij is te zwak van magerte om ertegen in te gaan.

Ik ga de kamer uit en loop naar de keuken om een zak voor hem in te pakken. Mijn hart is zo zwaar als een emmer water die ik moet optrekken uit de put. Ik herinner me Riwkes woorden. Als ik haar mijn zorgen vertel glimlacht ze en zegt: 'God zal ervoor zorgen.' Dan lacht ze om mij aan het lachen te maken. 'Als God nu ook maar zou zorgen tot op het moment dat Hij zal zorgen.'

Ik herinner me ook de woorden van Mosje. 'Als gebeden zouden helpen,' zei hij, 'zouden de mensen je betalen om te bidden.'

Nu ja, ik sla mijn ogen op – naar Hem. 'Misschien hebt u het niet gemerkt, God,' zeg ik, 'maar ik heb hulp nodig. Veel hulp!'

En wie zie ik daar op de drempel staan? Een kozak die een week geleden een brood van ons heeft gekocht. Ik neem aan dat hij me iets te vertellen heeft. Ha! Ik heb hem ook iets te vertellen. Maar natuurlijk hou ik mijn mond dicht.

'Ik heb gehoord,' zegt hij, 'dat uw zoon in het leger moet.'

'Ja,' zeg ik.

'Ik kan wel iets anders voor hem regelen als u dat wilt.'

Hij ruikt zo vies, die man. Elk woord dat hij zegt klinkt treife, als een leugen. Hij heeft een buik die een eind uitsteekt. Ik weet dat die vol varkens en bier zit. Ik doe de deur dicht om beter te verstaan wat hij zegt. 'Ik kan voor u regelen dat uw zoon de boot naar Amerika neemt,' zegt hij. 'De volgende week.'

Een paar dagen geleden zou dat geen goed nieuws zijn geweest. Maar nu springt mijn hart op in mijn borst. Maar ik laat het hem natuurlijk niet merken.

'Wat is dat dan voor een regeling?' vraag ik. Alsof we zakendoen.

'Het gezelschap van uw dochter,' zegt hij, 'vannacht.' Hij heeft een grijns zo vol modder dat die een doodkist zou kunnen bedekken. 'De oudste – jullie noemen haar Raisl, niet?'

Mijn lichaam wordt heet als een kachel die te hard brandt. Het schokt me niet, nee. Ik leef al lang. Maar ik ben razend. Omdat een stomme soldaat me de keus heeft gegeven: Mosje of Raisl. Ik ben razend omdat ik die keus – God heeft me vervloekt – zal moeten maken.

Die hond grijnst alsof hij geen twijfel kent in zijn stomme hoofd. Ik laat hem buiten wachten en ga mijn huis binnen. Raisl is nog in de keuken, ze boent de pannen en bakt het brood.

Ik loop langs het bed waar Mosje slaapt. Ja. Hij heeft zijn eigen zorgen. Wat heeft het voor zin als hij mij hoort denken? Laat Mosje slapen. Ik zie onze extra kamer voor reizigers, leeg.

Ha! Tegen die kozak fluister ik: 'Zol er krenkn un gedenkn. Laat hem lijden en gedenken.'

Raisl. Ze vraagt nooit om iets, ze heeft altijd een knikje en een verlegen glimlachje voor me in onze keuken. Natuurlijk houden we de verjaardagen van de meisjes niet bij, maar ze is bijna achttien. Een rijpe vrucht. Een kalm vuur, dat wacht. Als ik toen ik trouwde. Omdat Raisl me zo goed helpt heb ik de huwelijksmakelaar aan het lijntje gehouden.

Ik denk dat Raisl me wil vragen hoe het met Mosje gaat. Maar ik hoor hoe de woorden uit mijn mond vallen, haastig. 'De soldaat die jouw brood zo lekker vindt is hier. Als je met hem naar bed gaat in de huurkamer dan kan Mosje naar Amerika, zegt hij.'

Wat heb ik gezegd? Ik heb de keus van die stomme kozak aan haar overgelaten!

O, Raisl, Raisl. Ze is lief en slim. Ze weet wat die nacht voor haar zal betekenen. Ik geloof niet dat het haar schokt. Ze is geschokt omdat ik het vraag. Zoals mijn moeder mij schokte op die avond toen ze me vertelde dat mijn vader een huwelijk had geregeld met Jesjia, zodat ik de moeder zou worden van zijn vijf kinderen.

Ik zie geen enkele boosheid in Raisls ogen. Ze trekt haar lippen samen, ze slaat haar ogen neer en haar kin zakt, een beetje. 'Goed,' zegt ze. Ze kijkt me niet aan. Ik ben dankbaar, dit maakt het gemakkelijker. Maar misschien ook niet. Als ze kwaad zou worden zou het haar misschien helpen. Ze trekt haar schort uit die onder het meel zit. 'Over een kwartier is het brood gaar,' zegt ze. 'Dan moet je het uit de oven halen.'

Als de ene goede daad tot de andere leidt, waar leidt een *avere* dan toe, een zonde zoals deze?

Ik vertel Mosje niet wat er geregeld is. In 1908, als ik echt afscheid van hem neem, is het alsof ik hem naar zijn graf zie gaan. Ik denk dat ik hem nooit terug zal zien. Waarom zou ik hem dan vertellen wat ik Raisl heb gevraagd? Dat denk ik.

Wel. Ik wist niet dat Raisl zwanger zou worden van die regeling. Ik wist niet dat Mosje zich tegen zijn liefste zuster zou keren toen hij ontdekte dat ze een kind had, dat hij zou vinden dat ze treife was – onrein – omdat ze een vrouw was met een zoon zonder man.

In 1929 komt hij bij me terug als Amerikaan, rijk en getrouwd, hij reist op sjabbes, welzeker. We wonen nu in Riga. Masja is getrouwd met Menachem Weinberg, de dokter. Raisl en haar zoon Daniel en ik wonen met Masja's gezin in een huis met drie kamers. Mosje heeft een mooi pak aan met strepen en een bijpassend vest, glanzend gepoetste schoenen, een bril met een gouden montuur en geen baard – elke morgen haalt hij een scheermes over zijn gezicht! 'Moe' wil hij genoemd worden, niet Mosje.

'Zo Moe,' zeg ik, 'dit is je neef, Daniel, mijn kleinzoon. Vlak na je vertrek is Raisl met een aardige joodse man getrouwd, Daniels vader. Maar haar man ging naar Amerika en hij heeft haar niet eens geschreven in welke stad hij woont. Als dokter Weinberg er niet was geweest en Tamara en haar man, die een groentewinkel hebben hier in Riga, dan weet ik niet hoe we het gered zouden hebben.'

Moe haalt zijn schouders op. Alsof hij veel van zulke verhalen heeft gehoord. Alsof er veel aardige joodse meisjes zijn wier mannen niets meer van zich laten horen als ze in Amerika zijn. Hij haalt zijn schouders op en dan zegt hij dat we allemaal met hem mee terug moeten gaan. 'Alle boeken die je maar hebben 'wilt,' zegt hij tegen Masja, terwijl hij haar zoontje de lucht in tilt. 'De biblio-theken zijn gratis. En er zijn zo veel boekwinkels dat je je eigen bibliotheek kunt maken. En,' zegt hij tegen Tamara, 'we hebben restaurants waar je kosjer kunt eten.' Mij geeft hij een nertsstola. Raisl zegt hij nauwelijks goedendag.

Masja, Tamara en hun mannen willen hier blijven. 'Het is hier goed genoeg voor ons,' zeggen ze.

'Het is daar veiliger,' zegt Mosje, alsof hij iets weet wat wij niet weten. 'We weten dat het hier moeilijk is,' zeg ik, 'dat weten we, maar we redden het wel.'

'Moeten we mamme achterlaten?' vraagt Masja. 'Ik heb een zoon en er is nog een kind op komst. Dat is me te veel moeite, Amerika.'

Maar Raisl zegt: 'Ik wil gaan. Daniel en ik zullen gaan.'

Mosje kijkt haar aan alsof ze hem beledigd heeft.

Ik spreek met mijn zoon onder vier ogen. Ik vertel hem de waarheid over Raisl, haar zoon en de kozak. En dan krijg ik een schok. 'Ik wist het op de dag dat ik naar Amerika ging,' zegt hij. 'De kozak heeft het me zelf verteld, de dag dat hij mijn papieren tekende.'

Hij kijkt me aan alsof hij krankzinnig is. Zijn mond is vol met mijn kuchen. Ik heb hem extra lekker gemaakt – extra walnoten, extra rozijnen. Kaneel en suiker, natuurlijk. Wel. Zijn hart wordt niet zoeter van al die extra's.

'Mosje,' zeg ik. 'Wat ben je verbitterd. Het is je zuster, niet de tsaar!'

Hij kijkt me woedend aan. 'Ze had het niet moeten doen,' zegt hij, 'ik had wel een andere manier gevonden!'

Bij mijzelf denk ik: hoor wie het zegt. Zijn manier, de hongermanier, werkte niet. Het wordt me zo koud om het hart, dat kan ik je niet vertellen. Ik trek de stola die hij voor me heeft meegenomen stijf om me heen. Een *schande un a cherpe* – schande en ongeluk, denk ik, dat is wat ik heb voortgebracht. Een man die nerts koopt in Amerika om de schouders van zijn moeder te warmen. Maar in zijn hart heeft hij niets dan ijs – voor de keus die ik maakte om hem zijn vrijheid te geven.

3

Hannah

In Ann Arbor loop ik naar Kerrytown, de boerenmarkt, om avocado's en rode krulsla, tong en verse dille te kopen – dingen die ik nooit in mama's ijskast heb gezien. Ik koop een tak purperen bloemen – de verkoopster noemt ze 'oncydium'. Ik ga terug naar mijn kamer, de hengsels van mijn canvas tas breng ik van mijn ene hand over in de andere. Dan neem ik de hele tas in mijn armen alsof het een baby is. *Is er iets wat ik gemist heb in die eenentwintig jaar dat ik Celia's dochter ben geweest? Iets over hoe het toegaat in de wereld? Iets over haar?*

Ik zit op de treden van de Angel Hall van de universiteit om even uit te rusten en kijk naar de paar studenten die deze zaterdagochtend buiten zijn. Het is februari. De zon is fel, de lucht is koud. Ik sla mijn armen om mijn borst en wrijf, daarna leg ik mijn hoofd in mijn schoot, ik bedek mijn oren met de binnenkant van mijn armen. Mijn kaken zijn stijf gesloten. Mijn ruggengraat voelt als een stel verroeste scharnieren.

Voel je nu maar even koud. Doe niets. Wrijf ook niet.

Die stem klinkt in mijn hoofd als een radiowijsje uit nergensland. Hij spreekt vriendelijk maar resoluut, alsof hij me al jaren adviseert. *Wie ben je?* vraag ik me af. Ik hef mijn hoofd op en de felle zon steekt in mijn ogen. Een kind, een meisje van een jaar of zeven, loopt voor me langs, haar hand in het wantje ligt in die van haar moeder. Ze lopen door de kou in een synchrone stroom van rode sjaals en blauwe gevoerde jacks. Als zij uit het zicht verdwijnen hoor ik mama's versteende stem: 'Er valt niets te bespreken.' Vergeleken met het zachte gefluister dat ik zo-even hoorde klinkt haar stem hard. *'Ik respecteer je niet langer en daarom respecteer ik mezelf niet meer.'*

Mama, mama, wat bedoel je toch?

Denk eens aan de foto's van je overgrootmoeders, die je gestolen hebt uit het bureau van je moeder.

GÓD! Ik kan wel schreeuwen. *Wat moet er gebeuren om dit op te lossen?*

Ik ben te gejaagd om te blijven zitten, ik sta weer op en ga naar huis. *Laat het tien jaar sudderen*, zegt de vriendelijke stem in mijn hoofd. *Tien jaar.*

Is dat niet een beetje overdreven? Mama en ik hebben nooit echt ruzie gehad.

Ik loop Monroe Street in. *Er is veel wat je nog niet hebt gemerkt.*

Als antwoord op mijn vraag cirkelt een zwerm vogels boven mijn hoofd en gaat op de telefoondraad achter mijn huis zitten. Het zijn net schoolkinderen, ze zitten in een keurige rij te wachten tot de les begint.

In The Coffee Cup gaat een vrouw in een oude, dikke polyester jas, met een boodschappentas en felrode lipstick, in mijn afdeling zitten. Haar kroezige, peper-en-zoutkleurige haar doet me aan mama denken. 'Lieve vriendin,' zegt ze, met een donkere stem en een brede glimlach, en ze leunt tegen de bar, 'kan ik hier poffen? Heb ik mijn rekening deze maand betaald?'

Ik kijk in haar stralende ogen en lach terug. 'Ik zal het Van vragen,' zeg ik.

Als ik me omdraai naar de grill geeft hij me de rekening voor mijn klant in 17. 'Het antwoord is nee,' zegt hij, kortaf. 'En ze kan niet aan de bar zitten als ze niet iets bestelt.'

De vrouw hoort Vans 'nee', lacht hartelijk en gaat weg.

Mijn ogen volgen haar als ze naar het postkantoor loopt. Kathy, een andere serveerster, vangt mijn blik op. 'Wat is er?' vraagt ze, terwijl ze vuile borden opstapelt en bestek opbergt.

'Denk je dat ze gek is?' vraag ik en ik voel dat mijn ogen beginnen te tranen. Ik heb me afgevraagd hoe krankzinnigheid eruitziet.

Kathy heeft lang bruin haar, ze draagt het in een paardenstaart. Haar gezicht is een beetje plat, als een koekje, met rozijnen als ogen en een amandel als mond. Ze is niet veel groter dan ik maar ze is bijna zes maanden zwanger. Ik voel me bijzonder klein als ik kijk naar haar uitdijende schoot. 'Die vrouw is in Gods hand,' zegt Kathy. Ze legt haar arm om mijn schouders en knuffelt me.

Ik knik langzaam. Ze beantwoordt mijn vraag niet en ik zal niet aandringen.

Kathy is drie jaar ouder dan ik, vierentwintig, volwassen genoeg om haar hoofd te schudden en te glimlachen als een moeder. 'Je mag blij zijn omdat je medelijden kent,' zegt ze.

Ik kijk om naar haar lieve gezicht en dan hoor ik een klant in 11 om koffie roepen.

Lieve mama,

Elk enthousiasme, elk succes en elke nederlaag, elke vlaag van onzekerheid en gekwetstheid, elk feest heb ik met jou willen delen. Niet alleen omdat je mijn moeder bent, maar omdat je zo scherp kunt observeren en je medeleven altijd zo groot was.
Mama, schrijf me alsjeblieft. Ik heb je nodig.

Hannah

'Ik hou van je,' antwoordt ze, op een half blaadje ongelijnd typepapier. 'Ik kan je niet zien. Vraag me niet om daarover te praten.'

April gaat voorbij, dan mei. Elke avond na het serveren en de colleges kijk ik naar de zonsondergang vanuit mijn ramen op de derde verdieping.

'Jij bent het bedroefdste meisje dat ik deze week heb gezien,' zegt Tyrone, als ik zijn bestelling voor koffie en een donut heb opgenomen. Hij doet me denken aan de vriend van Sharon Johnson – zij danste in de club in Shaker Heights High. Tyrones lichaam is groot, zijn huid is donker, zijn bewegingen zijn langzaam, zijn ogen snel. Gewoonlijk schept hij op over zijn harem als hij in mijn afdeling zit en dan protesteer ik tegen de manier waarop hij vrouwen gebruikt. Maar hij heeft me kortgeleden ook verteld dat hij, toen het na twee jaar uitging met zijn vriendin, ook haar zoontje verloor. Dat greep hem aan. 'Laat me je vanavond thuisbrengen,' zegt hij vriendelijk.

Ik haal mijn schouders op, zeg: 'Oké.' Ik mag Tyrone wel. Zodra de deur van The Coffee Cup achter ons dichtvalt begin ik een monoloog over alle klanten die ik vandaag heb gehad, die maar doorkletsten met hun sofverhalen – en me geen fooi gaven, of een heel kleine.

'Zo is het maar net,' zegt Tyrone en hij klopt me op mijn hoofd met zijn grote hand. 'Iedereen vraagt om koffie. Maar eigenlijk willen ze iemand die naar hun verhalen luistert.'

'Ja,' zeg ik en ik besef door de warmte van zijn hand dat ik een van diegenen ben die ernaar snakken om gehoord te worden.

'Ik ga niet mee naar boven,' zegt hij, als we bij mijn huis zijn. Ik voel een steek van teleurstelling en daarna opluchting. 'Dat zou niet goed zijn voor ons.' *Weet hij wat ik aankan en wat ik niet aankan?* Ik knik, ik voel me nog altijd een beetje treurig omdat ik weer alleen naar mijn kamer moet.

Ik weet dat ik verlang naar vrienden, maar ik weet niet hoe ik iemand moet vertellen wat er gebeurd is. Ik weet eigenlijk ook niet wat er gebeurd is. Mijn moeder aanbad me; nu praten we niet eens meer met elkaar. Ik weet dat anderen ruzie hebben met hun moeder, maar wat wij gehad hebben zou ik geen ruzie willen noemen. Ik weet niet hoe ik het noemen moet.

Als op de eerste avond van juni om halftien de telefoon gaat spring ik mijn bed uit om op te nemen. De telefoon verrast me altijd en tegenwoordig ga ik vroeg naar bed – ik sta graag met de zon op om te schrijven. Bovendien zijn de avonden het eenzaamst. Vroeg gaan slapen maakt die donkere tijd korter.

'Hannah?'

'Ja.' Ik herken de warme stem niet.

'Met Marie Delaney.'

'O, hallo,' zeg ik en ik hoor de argwaan in mijn stem. Ik strijk de krullen uit mijn gezicht. Mijn haar is nu op schouderlengte, te kort om op te steken, te lang om uit mijn gezicht te blijven. Ik heb Marie maanden geleden gebeld, kort nadat ze aanbood te lezen wat ik geschreven had. Ik liet een boodschap achter en hoorde nooit meer iets.

'Het spijt me dat het zo lang geduurd heeft voor ik contact met je opnam,' zegt ze. 'Mijn vader is ziek geworden. Ik ben naar Boston gegaan om voor hem te zorgen.'

'O, wat naar.' Ik ben echt blij dat ze iets van zich laat horen.

'Hij is weer beter,' zegt ze. 'En ik ben blij dat ik terug ben in Ann Arbor. Ik ben niet vergeten dat ik beloofd heb om je werk te lezen. Wil je dat nog?'

'Ja,' zeg ik, en ik word klaarwakker, ondanks het late uur. 'Dat is fantastisch.'

Maries huis is een bungalow met drie kamers aan de westkant van Ann Arbor. Als ze de deur opent om me binnen te laten zie ik dat haar beenderen lang en stevig zijn. Ze draagt haar bruine haar in een lange vlecht. Ze heeft een groot, groen T-shirt aan dat over haar spijkerbroek valt. Ik denk dat ze minstens dertig is, vijfendertig misschien.

We lopen door de voorkamer, vol boeken, er staan een paar ingelijste schilderijen op de planken en er is ook een groot bureau. In de keuken ligt een stapel poëziebundels op het aanrecht naast haar telefoon. De tafel waaraan we zitten is groot en rond, van donker hout. Twee roze tulpen neigen weg van het midden van de tafel, onze kant op. Marie laat me kiezen uit een aantal soorten kruidenthee – kamille, pepermunt, zelfs drop. 'Drop,' zeg ik, dat heb ik nog nooit geproefd. Marie schenkt heet water in onze bekers terwijl mijn ogen door haar keuken dwalen, ik zie het hakblok achter ons, de messen aan een magneet erboven, een rij grote potten gevuld met allerlei soorten bonen en granen ernaast.

'Geef me je gedicht maar eens,' zegt Marie.

Uit mijn blauwe rugzak haal ik een blocnote. 'Het heet "De nieuwe maan",' zeg ik. 'Het gaat over mijn eerste menstruatie. Ik had verschrikkelijke kramp en mama zei dat ik me er niet tegen moest verzetten; ze zei dat verzet de pijn erger zou maken.'

'Waarom lees je het niet voor?' zegt Marie. Als ik klaar ben en opkijk om te zien hoe haar gezicht staat leunt ze met haar kin op haar rechterhand. Ze tikt met twee vingers tegen haar mond. Maar daarmee verbergt ze haar glimlach niet. 'Je bent een dichteres,' zegt ze. Eigenlijk geeft ze me haar zegen.

Ik voel dat ik bloos.

'En ik vertel je niets wat je zelf al niet weet,' zegt ze.

Ik knik. Ik ben zo jong en klein vergeleken met Marie. Maar ik ben een dichteres – net als zij. Ik kijk over haar lange, ronde tafel en denk: *eens zal ik ook zo'n grote tafel hebben.*

Marie zet haar beker neer, slaat haar ogen op en kijkt me aan. 'Je bent bijna klaar, hè?'

'Ik moet nog twee semesters, misschien drie.'

'Wat wil je graag worden?' vraagt ze.

'Ik wil schrijven,' zeg ik. 'Of lesgeven.' De woorden komen er bedachtzaam uit. Ik vraag me af of ze uit het gedicht kan opmaken dat mijn moeder niet met me wil praten. 'Ik zou willen werken met mensen die graag verhalen vertellen.'

Marie houdt haar hoofd schuin en knikt. 'Ik kreeg gisteren een telefoontje van een vriendin in Boston. Ze geeft een cursus in Cambridge voor vrouwen die leren schrijven. Ze zei dat ze iemand nodig had omdat die cursus moet worden uitgebreid. Ik heb zo'n gevoel dat jij een fantastische lerares zou zijn. En ik heb het gevoel dat je het heel leuk zult vinden.' Haar stem klinkt als die van mama toen wij mijn zomeravonturen bespraken: rustig, met een soort enthousiasme dat de wereld groot maakt en vol mogelijkheden.

'Wauw,' zeg ik, met een glimlach die zo breed opbloeit op mijn gezicht dat ik me een idioot voel. 'Maar ik doe mijn kandidaats pas volgend voorjaar op zijn vroegst.'

'Daar zou ik me niet druk over maken. Concentreer je hier maar op, als je het wilt.'

Als ik naar huis fiets kom ik langs de markt, langs Angell Hall en als ik Monroe Street insla voel ik me een koningin. Het is tijd om mama te bellen. Ik heb nieuws.

Er ligt een brief van haar op me te wachten als ik thuiskom.

Lieve Hannah,

Ik haat Cleveland – altijd gedaan. Daarom verhuizen papa en ik in september naar Seattle.
Het zal ook goed voor me zijn om van jou weg te gaan. Ik wil je daarmee niet kwetsen,
maar de waarheid is dat je me niet nodig hebt – en daar kan ik niet tegen. Ik zal je boeltje
naar oma brengen.

Ze heeft ondertekend met Mama – zonder *liefs* – en ze heeft haar nieuwe adres
en telefoonnummer opgeschreven.

Ik wrijf met mijn duim langs de rand van het witte vel papier. Mijn vingertoppen glijden over haar nieuwe adres in Seattle. Dan pak ik mijn blocnote en
pen, ik neem ze in mijn handen of het eten is dat mijn leven kan redden. *Is er*
iemand die me kan horen?

Als ik hoor dat ik in het voorjaar kan afstuderen sluit ik nog een studiele-
ning af, schrijf me in voor extra colleges en breng mijn werk in The Coffee Cup
terug tot driemaal per week. Het restaurant geeft me een sociaal leven, niet
alleen een inkomen. Veel klanten werken op het postkantoor of in bedrijven
in het centrum. Ik luister naar hun verhalen terwijl ik hun bestellingen op-
neem en hun eten breng en zij zien in wat voor stemming ik ben. Het is voor
mij gemakkelijker om met mijn klanten te praten dan met andere studenten,
ik weet niet waarom.

Dinsdagavond ga ik in de woongemeenschap van mijn vriendin Julie Kaufman eten. Eens in de maand hebben ze daar een feest. Ik zie niet in wat er nu
zo leuk is aan drinken en luisteren naar harde muziek. Ik weet nooit of iemand
met wie ik praat dronken of high is en ik kan niemand op die feesten goed
genoeg verstaan om een gesprek te voeren. Soms komt Julie op mijn kamer
eten of we gaan wandelen in het Arboretum. Ze leest boeken van Martin Hei-
degger, een filosoof. Als ik haar over mijn moeder vertel vraagt ze of ik me
thuis voel in de wereld. 'Dat weet ik niet zeker,' zeg ik. 'Ik geloof het wel, maar
ik weet het niet zeker.' En ik vraag me af of Julie me vreemd vindt – omdat ik
die droefheid niet van me af kan schudden.

Elke maand, als ik ongesteld word, heb ik heftige krampen. Het voelt aan als
verdriet, hoewel ik die krampen ook had voor ik mijn moeder verloor. Bijna
elke nacht droom ik van haar: *klompen roestvrij staal zijn aan haar voeten gebonden*
zodat ze niet kan wegvliegen als ze dat wil, terwijl een vrouw met wit haar met nadruk zegt
dat ik een goede school nodig heb. 's Zaterdags fiets ik naar de boerenmarkt en weer
terug, schrijf in mijn dagboek en braad een kip waar ik bijna de hele week mee
doe.

Vooral als ik fiets stel ik me voor dat ik in Boston woon en lesgeef.

Maar tussen Boston en Seattle ligt het hele land.

Toen ik papa een huisvrouw noemde heb ik haar verloren, denk ik, zouden er woorden zijn die haar terug kunnen brengen? Ik heb nooit veel contact met papa gehad. Maar hij is dol op mama. Ik veronderstel dat zij ook dol op hem is. Op een zondagmiddag, midden januari, wil ik mama bellen. 'Dat is een bespottelijk idee,' zeg ik tegen mezelf midden in een samenvatting over Paule Marshalls *Brown Girl, Brownstones*, een roman over een moeder en een dochter die niet met elkaar overweg kunnen. Zij heeft me nooit gebeld, niet eens om te vragen hoe het met me ging. Ik trek vuile kleren uit mijn kast, sorteer ze op wit en bont, trek de lakens van mijn bed: ik ga naar de kelder, de was doen.

Als ik boven kom wil ik haar weer bellen.

Ik sta bij mijn keukenraam en kijk naar de straat drie verdiepingen beneden me, ik stop mijn T-shirt zenuwachtig in mijn spijkerbroek, dan zit het beter. Het is dezelfde kleur groen als een van Maries T-shirts, maar ik laat het mijne niet over mijn broek hangen zoals zij doet.

Ik pak de telefoon en draai haar nieuwe nummer.

'Hallo,' zegt mama met een stem die normaal klinkt – rustig, gereserveerd, een beetje ingehouden.

'Collect van Hannah,' zegt de telefoonjuffrouw, 'wilt u betalen?'

'Hm,' zegt ze en ze blaast zo hard haar adem uit dat ik hem bijna uit de telefoonhoorn zie komen.

Een paar seconden gaan voorbij.

'Mevrouw,' zegt het meisje, 'ik wacht. Is het ja of nee?'

'Mmm,' zegt mama.

Ik zie de blonde vrouw van de tweede verdieping het huis uitkomen met de man die volgens mij haar vriend is. Ik draai hun de rug toe.

'Mevrouw?'

Ik wist het. Ik had niet moeten bellen. Ik had zeker niet collect moeten bellen. Maar ik heb nauwelijks genoeg voor huur en eten en zij is *mijn moeder* en ze *heeft geld*.

'Oké,' zegt mama. Haar stem is vol minachting. Als de telefoonjuffrouw ons verbindt zegt mama: 'Dat is vernederend, collect. Doe dat nooit weer.'

Mijn lippen sluiten zich alsof ze de vragen in mijn hoofd verzegelen. 'Oké,' zeg ik en ik doe mijn mond amper open. 'Hoe gaat het met je?'

'Uitstekend.'

'Hoe is je huis?'

'Uitstekend.' Ze schraapt haar keel. 'We zijn er dol op.'

Ik heb het gevoel dat ze in een donkere kamer staat.

'Hoe gaat het met papa?'

'Uitstekend.'

Stilte. Ik weet niet wat ik moet zeggen. Buiten is de lucht vol donkere wolken die ik niet eerder heb gezien. Ik houd de telefoon als een geliefde dicht tegen mijn gezicht, vol hoop dat hij tot leven komt, zich om me heen slingert en me omhelst. *Zou Marie behalve Paule Marshall nog meer schrijfsters kennen die over moeders en dochters schrijven? Ik heb behoefte aan de verhalen van andere vrouwen.*

'Hoor eens,' zegt mama, 'hier schieten we niets mee op. Ik vertrouw je niet en ik heb je niets te zeggen.'

Mijn lichaam zou wel kunnen wegvliegen of verdampen, zo vreemd voelt het aan. Ik slik mijn tranen in. Mijn stem is als die van een gekwetst kind van drie, net iets luider dan een huilerig gefluister. 'Ik wou graag met je praten.'

'Nou, we praten.'

'Ik zou graag bij je komen, je nieuwe huis bekijken.'

'Mm.' Ze praat automatisch, alsof onze zinnen transacties zijn.

'Ik zou vroeg in de zomer kunnen komen. Vier of vijf dagen.'

'Hoe wil je dat betalen?'

O God, ik krimp ineen. Ik druk mijn hoofd tegen de kast in de hoek van de keuken. Ik moet zeggen dat ik iets van haar nodig heb.

'Ik hoopte dat jij dat zou betalen. Ik heb erg weinig geld. Ik studeer nog.'

Weer stilte.

'Daar moet ik over nadenken,' zegt ze.

Het sneeuwt als ik de telefoon ophang. Ik trek plastic keukenzakken over mijn wollen sokken aan, net als oma, en schiet in mijn laarzen. Over mijn coltrui trek ik nog een trui aan, een gevoerd vest en mijn poncho en ik ga de deur uit. Als ik naar het Arboretum loop, verbergt de sneeuw mijn tranen. Aan de voet van het Arboretum leun ik tegen een hoge eik, zie hoe de sneeuwvlokken oplossen in de rivier de Huron en rust uit.

Twee weken later ligt er een brief van mama in mijn brievenbus. Ik maak een kop thee en zet die op het tafeltje naast mijn bed. Ik kruip onder het dekbed om te lezen.

Hannah,

Ik zal maar meteen ter zake komen, we zullen je de helft van het reisgeld voorschieten. Volgens mij schept het verplichtingen als ik je het hele bedrag geef en dat zou onze verhouding nog meer verstoren. Papa zegt dat we je de helft moeten geven. Ik beschouw dit aanbod als een compromis tussen wat hij wil en wat ik eigenlijk zou willen – dat je voor jezelf betaalde.

Maar ik stel geen compromis over de duur van je bezoek. Minder dan een week zou belachelijk zijn. Er zijn minstens een paar dagen nodig voor we weer een beetje aan elkaar gewend zijn en er is meer in Seattle te beleven dan jij je kunt voorstellen.

We hopen dat je zult komen.

Mama

Ik krul me op rond mijn kussen en trek de blauwe sprei die tante Molly jaren geleden voor me heeft gehaakt om het kussen en mijzelf heen. *Wat wil je echt, mama? Ik wil een geluid maken, maar er komt niets. Ik mis je. Ik wil je graag zien. Hoe kun je daaraan twijfelen?*

Wie zou dit nu kunnen begrijpen? Karen Caplan is een van de sterdanseressen geworden van de universiteit in Ohio. Haar leraren willen dat ze auditie doet voor een modern dansgezelschap in New York. Ik ben blij voor haar, maar nu gaan er weleens zes maanden voorbij zonder dat we contact hebben. Ik stap uit bed en kijk naar mezelf in de lange spiegel aan de binnenkant van de badkamerdeur. Ik heb nog steeds puistjes hier en daar en mijn kleine borsten zouden van een puber kunnen zijn. Maar mijn ogen zijn zo donker als altijd. Ik pers er een glimlach uit. 'Het komt goed,' fluister ik.

Als ze wil dat ik minstens een week kom dan betekent dat dat ze wil dat ik kom. Nietwaar? Toen ik voor het eerst terugkwam in deze kamer een jaar geleden, na het weekend toen mama tegen me zei dat ik haar huis moest verlaten, heb ik een zwartwitte foto op mijn prikbord geprikt. Het is een van de foto's uit de manilla envelop die ik zonder vragen uit haar bureau heb meegenomen. Oktober, 1962: terwijl mijn moeder tegen me lacht, heeft de fotograaf Celia's stralende profiel vastgelegd. Ik ben bijna drie, ik kijk recht in de camera. *Het lijkt toch echt of ze van me houdt.*

Ik ga terug naar mijn bed. Haar brief is onder het dekbed geschoven. De beheerste, elegante letters kijken me van onder de lakens aan. Ik wil die brief niet in mijn bed. Maar ik ben zo stijf en moe dat het me niet lukt om hem weg te leggen.

'Tante Mollie?' zeg ik, dolgelukkig dat iemand mijn collect heeft geaccepteerd. Maanden geleden, toen ik haar verteld had dat ik het fijn vond om te studeren en te serveren, dat ik me verheugde op de lessen die ik misschien in Boston zou gaan geven, zei tante Mollie: 'Ik begrijp niet goed waarom zo'n intelligent meisje als jij zich instelt op een baan die misschien nooit komt. Maar dat zijn mijn zaken niet. Dus ben ik blij voor je. Je klinkt gelukkig.' Ze is een soort vriendin.

'Ik heb tegen mama gezegd dat ik naar haar toe wilde komen,' zeg ik tegen Mollie, 'en ze zegt dat het goed is, maar dat ik het moet betalen. Ze zegt dat ze me de helft van het reisgeld zal lenen.'

'Maar Celia heeft geld genoeg!' roept ze. 'En jij studeert! Wat wil ze nou eigenlijk?'

'Ik weet het niet,' zeg ik. Ik voel plotseling een vlaag van honger, hoewel ik net gegeten heb.

'Als je wilt gaan zal ik het wel betalen,' zegt ze.

'Echt?' zeg ik. Ik heb Mollie gebeld omdat ze moeder kent, omdat ze mama's gedrag misschien ook vreemd zal vinden. Ik had niet verwacht dat ze me het geld zou aanbieden.

'Ja, natuurlijk. Celia lijkt te veel op haar vader. *A toitn bawint men zib'n teg, a nar dos gantse lebn,*' zegt ze. 'Je rouwt zeven dagen om een dode, maar een heel leven lang om een dwaas. En we hebben hier te veel dwazen.

Toen je moeder en Rita meisjes waren, leende je grootmoeder geld van mij voor tennislessen en dat soort dingen. Ze aten lamskarbonaadjes van beschilderde borden opgediend door een dienstmeisje, maar Moe wilde geen geld geven voor tennislessen. Dus leende Ida het. Ze heeft me altijd alles terugbetaald – ook al duurde het lang. Moe mocht het niet weten.

Moe vond dat je iets niet nodig had als híj vond dat je het niet nodig had. En dat ging voor veel dingen op. Ik heb altijd gedacht dat Moe eigenlijk gek was op je grootmoeder en Ida had hem om haar vinger kunnen winden. Ze zou hebben moeten krijgen wat ze nodig had of bij hem weg moeten gaan, zo eenvoudig is het.'

Ze zwijgt even. 'Ik zou dat eigenlijk niet moeten zeggen, Hannah. Ik ben nooit getrouwd. Dus wat weet ik ervan?'

Mijn moeder heeft me eens verteld dat Mollie toen ze net van de middelbare school kwam, verliefd werd op een man, oma was toen nog niet met Moe getrouwd. Het was een aardige man; hij had een eenvoudige, goedlopende zaak in kantoorbenodigdheden en hij was gek op haar. Maar hij was niet joods. Bovendien was Ida nog niet getrouwd en Ida was de oudste dochter. Daarom wees mijn oudtante het aanzoek van die man af.

Nu is Moe dood en oma en Mollie zijn twee oude vrouwen alleen in Cleveland. Hun zusters, Bessie en Evelyn, brengen hun winters in Florida door. Het is geen geheim dat oma en Mollie altijd ruziemaken. Elke dag, want ze praten elke dag met elkaar.

'Ik denk vaak aan je, tante Mollie,' zeg ik.

'*A gesunt oif dein keppele,*' zegt ze. Een zegen op je hoofd.

'Je kunt me ergens in juni verwachten,' schrijf ik mama. 'En je hoeft me geen geld te lenen. Ik zal het zelf wel betalen.'

Ik aarzel of ik een boek over mythologie mee zal sturen dat ik voor mijn studie moet lezen. Als ik de mythe lees van de godin Demeter en Persephone, haar dochter, die zolang gescheiden waren, is het net alsof ik over mama en mij lees. Maar ik stop mijn brief gewoon in een envelop en lik hem dicht.

April. Ik zet mijn elektrische schrijfmachine aan en schrijf:

BOVEN HET TWEEZITSBANKJE

Boven het tweezitsbankje in het huis van mijn grootmoeder hangt het portret van mijn overgrootmoeder, Leah Zeitlin. Mijn grootvader, Moe, heeft het iemand laten maken van een foto die hij had genomen tijdens zijn bezoek aan het oude land in 1930. Het portret is een fijne potloodschets, zo nauwkeurig dat hij eruitziet als een foto, zo groot dat hij de hele wand achter het bankje beslaat. Leah zit in het donker, met een glanzende nertsstola om haar schouders geslagen. Van ergens buiten beeld komt een licht dat in haar ogen schijnt. Toen ik als klein meisje 's zondags op bezoek was in het huis van mijn grootouders kwamen haar zwarte ogen als kogels op me af.

Ik rol het papier terug in de machine en lees wat ik geschreven heb.

Als ik lang genoeg naar haar portret staarde, zou Leah dan gaan praten? Ik rol het papier terug en begin weer te schrijven.

Eens op een keer, toen ik zeven jaar was, misschien acht, kwam mijn grootvader bij ons thuis en stopte twee biljetten van een dollar in mijn kleine handen. 'Boft dat meisje even,' zei hij, terwijl hij in mijn wangen kneep, 'met een zaide die met haar naar Woolworth gaat!'
Ik stapte in zijn grote, groene auto, ik zat alleen met hem op de voorbank en we reden naar de winkel. 'In het oude land heb ik eens met twee dollar een hele kamer gebouwd. En nu zullen we eens zien wat een meisje dat zo boft als Hannah Felber met haar geld gaat doen.'
Hij vond een parkeerplaats vlak voor de winkel en zette de auto neer. Ik was helemaal opgewonden door ons avontuur. Ik sloeg het portier dicht, net als hij en stak mijn handen in mijn zakken.
De twee biljetten waren er niet meer.
'Opa,' riep ik, 'het geld is weg!'
Hij stak zijn vuisten in de lucht. 'Tromnik! Niksnut!' schreeuwde hij. Mensen begonnen naar ons te staren. 'Zol vaksen tzibbelis fun pipek!' (Als er uien uit mijn navel groeiden zou ik een lijk zijn, bedolven onder de aarde.)
Ik ben ervan overtuigd dat hij mijn excuses niet hoorde en de angst die mijn lichaam bin-

nenkroop niet zag. Na die uitbarsting stapten we weer in de auto. Hij ging me naar huis brengen.

Toen we onze oprit inreden stak hij zijn hoofd naar voren alsof het een bal was in een kegelbaan. Hij glimlachte – een glimlach die door zijn hele lichaam trok. 'Hannah,' zei hij, 'mijn moeder maakte appeltaarten! Zo hoog als bergen. Ach – wat waren die lekker!'

Weet mijn grootvader dat zijn moeder kogels in haar ogen heeft? Heeft ze hem die kogels in de ogen geschoten en gek gemaakt?

Misschien ben ik ook aangeschoten.

Omdat ik van hem hou.

Op het prikbord naast mijn bureau hangt een foto van Leah met haar zoon – opa Moe. Hij is genomen in 1930, toen hij terugging naar Viski, nadat hij Amerikaan was geworden. Oma vertelde me dat ze, toen hij terugkwam met die foto van hem en Leah en het opschrift 'moeder wenst ons een lang en gelukkig leven en dat je een broertje voor Rita mag krijgen', een vreemd gevoel over zich kreeg. Bij dat bezoek had hij aangeboden om tickets te kopen voor iedereen die met hem mee wilde naar Amerika, naar Cleveland. Zijn moeder ging niet mee, dat had hij wel graag gewild en zijn lievelingszuster Masja en zijn halfzusters en hun gezinnen ook niet. Alleen Rose kwam, zijn oudste zuster, met haar zoon.

'Het was net een omen,' zei Ida, 'ik had het gevoel dat zij die niet met hem mee waren gegaan niet lang zouden leven.' Oma vertelde me ook dat ze Moe een handjevol appelpitten meegaven om in Amerika te planten. 'We hadden genoeg fruitbomen in onze tuin,' zei Ida, alsof ze een vieze smaak in haar mond kreeg. 'Het was waarschijnlijk een aardig gebaar, maar wat heb ik eraan om te wachten tot uit appelpitten bomen groeien?' Opa strooide de pitten uit opzij van het huis maar hij leefde niet lang genoeg om mee te maken dat ze vrucht droegen.

Er kwam geen broertje voor Rita – mijn moeder kwam, met fijne trekken die precies lijken op die van Leah Zeitlin. Het zijn allebei boze vrouwen met haviksogen en een fijngetekend gezicht. Maar Leahs woede houdt haar aan de grond en schiet naar buiten – als kogels. Mijn moeders woede komt van heel ver, achter haar ogen en smeult. Zonder waarschuwing kan ze ontploffen.

Ik trek het papier uit mijn schrijfmachine en ga naar de keuken om een snee bananenbrood te halen dat ik gisteravond heb gebakken. Dan moet ik mijn kamer uit, de frisse lucht in, weg van de vragen die ik niet kan beantwoorden. Het is zondagmiddag, een paar weken na de voorjaarsevening. Als ik naar het Arboretum fiets kan ik op tijd terug zijn in The Coffee Cup.

Bij de rivier leg ik mijn fiets neer, en hurk tegen mijn lievelingseik, de groene knoppen glanzen boven mijn hoofd. De grond is bedekt met oude, donkere bladeren, vochtig van de regen van de afgelopen nacht. Mijn handen prikken nog van het schrijven. Ik sluit mijn ogen en laat mijn vingers spelen in de lagen vergane oude bladeren.

Ik hoor een man zingen – ik denk dat het een liedje van de Beatles is, maar ik weet het niet zeker. Ik kom vlug overeind, geïrriteerd omdat mijn rust wordt verstoord. Als ik naar mijn fiets loop zie ik de zanger een eindje verderop bij de rivier met een blocnote in zijn hand. Het zou Hal Riley van de Shaman Drum, de boekwinkel, weleens kunnen zijn. 'Hallo!' roep ik, alsof ik zeker weet dat hij het is; alsof we oude vrienden zijn.

Hij kijkt mijn kant op en tuurt. Hij herkent me niet.

'Ik ben Hannah,' zeg ik, 'Hannah Felber, ik kom weleens in de boekwinkel.'

'O, hallo,' zegt hij, nog steeds naar mij toegekeerd. Tussen de uitbottende bomen staat Hal daar groot in een olijfgroen, flanellen hemd; zijn haar is lang genoeg voor een korte paardenstaart en hij heeft een volle goudblonde baard. Ik draag een blauwe matrozenbloes over mijn spijkerbroek en zilveren oorringen, gemaakt in Israël, die ik van Karen heb gekregen na ons eindexamen. Nieuwe speldjes houden het haar uit mijn gezicht, ik heb vandaag twee puistjes op mijn voorhoofd.

Voorzichtig lopen we naar elkaar toe. 'Kom je hier vaak?' vraag ik.

'Niet vaak,' zegt Hal.

Ik knik.

'Ik heb net een lang stuk geschreven,' zegt Hal, 'ik kwam hier om het te vieren.'

Ik knik weer. Ik weet dat Hal een dissertatie schrijft over de teksten van Neil Young. Hij wil terug naar Detroit om daar les te geven aan een nieuwe school voor jeugdige delinquenten waar hij graag heen zou zijn gegaan toen hij een tiener was. Hij heeft me die dingen de laatste keer dat we elkaar zagen verteld, ongeveer een maand geleden.

Rond zijn sleutelbeen zwemmen de spieren als kleine visjes en verdwijnen dan naar gebieden die ik niet kan zien. 'Ik heb ook net een stuk geschreven,' zeg ik. Mijn lichaam voelt licht als we daar staan met de bomen en de lente in de lucht en naar elkaar kijken. Hij is niet joods, denk ik, alsof ik aan het praten ben met mijn tante Mollie, maar ik mag hem graag. Ik steek mijn handen in de zakken van mijn spijkerbroek alsof ik mijn nervositeit kan wegstoppen. Ik heb niet veel ervaring met mannen.

'Waar heb je over geschreven?' vraagt Hal.

'Het is een verhaal. Ik heb het "Boven het tweezitsbankje" genoemd.'

Hal knipoogt naar me, ik weet niet of ik dat wel leuk vind. Volgens mij doen mannen dat alleen tegen vrouwen die ze erg jong vinden. Ik ben al twee-entwintig, maar hij is waarschijnlijk al dertig. 'Het is niet wat je denkt,' zeg ik en ik verander dan van onderwerp. 'Wat zong je daarnet?'

Hij grijnst ondeugend. Hij mag me wel. '"Hey Hey, My My",' zegt hij, 'een liedje van Neil Young.'

'O,' zeg ik, 'dat ken ik niet.' *Als hij hier in zijn eentje is gekomen om het te vieren heeft hij misschien geen vriendin.*

'Ik ken het net goed genoeg om het te zingen als ik alleen ben in de Arb,' zegt hij. Ik giechel. Hij spreekt langzaam met een diepe, rulle stem die mij aan motorfietsen doet denken en ik heb zin om mijn armen om hem heen te slaan. Ik heb vroeger ook weleens dicht bij een man willen zijn, maar die leek altijd te ver weg, buiten mijn bereik.

'O,' zegt hij en hij tikt tegen zijn hoofd, 'nu weet ik het weer. Jij informeert altijd of er ook nieuwe poëziebundels zijn.'

Ik glimlach zo warm dat mijn puistjes er misschien niet toe doen. 'Ja,' zeg ik. 'Dat ben ik.'

'Olga Broumas,' zegt hij, hij noemt mijn lievelingsdichteres.

'Ja,' zeg ik, blij dat hij het zich herinnert. 'En jij schrijft over de teksten van Neil Young.'

Hal giechelt, hij is, denk ik, blij dat ik dat weet.

'Ik moet terug naar de stad,' zeg ik. 'Ik ben serveerster en ik heb vanavond dienst.'

'Natuurlijk. Waar werk je?'

'The Coffee Cup.'

'Echt waar? Een jongen die daar borden waste was mijn kamergenoot.'

'Wie?'

'Mark dinges,' zegt Hal. 'Het is al zes of zeven jaar geleden.'

'Voor mijn tijd,' zeg ik, een beetje scherper dan ik bedoel – ik moet gauw naar mijn werk. Maar ik wil met hem blijven praten. 'Ik heb gisteren een kip gebraden,' zeg ik. 'Er is genoeg over voor vier mensen. Kom je morgen bij me eten?'

Hal glimlacht warm tegen me, alsof hij weet dat ik hierin een groentje ben, hoewel ik heb opgemaakt uit de manier waarop zijn ogen de mijne niet loslaten dat hij het niet erg vindt. 'Dat klinkt fantastisch,' zegt hij en hij stopt zijn blocnote tussen zijn elleboog en zijn heup en steekt zijn handen in de zakken van zijn spijkerbroek. 'Ja hoor.'

Ik krabbel mijn adres op een blanco velletje in zijn blocnote en fiets naar The Coffee Cup met genoeg energie om me naar Detroit te brengen.

Marie schuift onze stoelen weer onder de keukentafel terwijl ik 'Boven het tweezitsbankje' in een map in mijn rugzak stop. Voor ik de rugzak over mijn schouder hang, buigt ze zich naar me over en omhelst me. 'Ik lees graag over hoe je het raadsel met je moeder beschrijft, Hannah. Ik had het ook niet makkelijk met mijn moeder, hoor. Ik weet niet of er wel een vrouw is die het daar wel makkelijk mee gehad heeft.'

Ik wil wegsmelten in haar moederlijke omhelzing, maar in plaats daarvan doe ik een stap terug en zeg iets wat ikzelf een stomme vraag vind. 'Wat is liefde?'

Het is vreemd dat ik Marie zo'n ernstige vraag stel, omdat ze vandaag haar lichtgroene plastic pumps draagt. Ze heeft me trots verteld dat ze die voor drie dollar negenennegentig heeft gekocht. Maar ze zien er zo oncomfortabel uit. Mama zou een vrouw met zulke onpraktische schoenen zeker niet au sérieux nemen.

Maries brede heupen doen me denken aan beelden van Griekse godinnen. Als ze loopt denk ik aan water dat van de rotsen stroomt.

'Daar gaat het niet om,' zegt Marie.

We staan nu in de alkoof bij haar voordeur. Mijn rugzak staat aan mijn voeten, ik ben nog niet zover dat ik hem over mijn schouder kan hangen en naar huis kan fietsen. Ik wil haar vertellen dat ik vrijdag naar *Ordinary People* ga, met Hal. Het is ons derde afspraakje. Dinsdagavond, de laatste keer dat wij samen waren, heeft hij voor me gekookt. Ik vertelde hem over mijn moeder, dat ze niet meer met me wil praten, dat ik gauw naar haar toe ga. 'Het lijkt net of jullie partners waren, of zoiets,' zegt Hal, 'geliefden. En toen verliet ze je zonder te zeggen waarom. Ze lijkt me geen echte moeder.' We hadden op de bank gezeten en toen ik begon te huilen trok Hal me naar zich toe. Ik nestelde me op zijn schoot en zei dat ik binnenkort wel een nachtje zou willen blijven. 'Je laat het me maar weten,' zei Hal. Hij weet dat ik nog maagd ben.

'De vraag is,' zei Marie, terwijl ze me recht aankeek, 'wat weerhóudt je van de liefde? Wat weerhoudt jou van het liefhebben?'

Ik leg mijn hoofd schuin, verbijsterd. Marie strijkt met haar hand zachtjes over mijn haar en laat hem op mijn schouder rusten. 'Liefde is hier, vlakbij,' zegt ze. 'Net als verhalen die in je leven en die je opschrijft. Je vraagt niet: "Wat is een verhaal?" Je speelt ermee. Hetzelfde als met liefde.'

Toen ik Marie een portret voorlas over mama's lichaam als ze half overeind in bed ligt te roken, werd mijn eigen lichaam stijf; ik hield op met ademhalen toen ik voorlas. 'Hannah, je lichaam bestaat niet uit twee delen, verbonden door een ceintuur!' riep Marie. 'Je moet ádemen! En een brug maken tussen de bovenhelft en de onderhelft van je lichaam. Tussen de vrouw in je die lief is en teder en de vrouw in je die een kreng is.'

Zij zag iets wat ik altijd gevoeld heb – maar nooit onder woorden gebracht. Ik ademde een lange stroom lucht in.

4

1890 ❧ 1902

Channa

geboren omstreeks 1880

in Koretz, bij Kiev

Ik ben misschien tien winters oud op de begrafenis van mijn *bubbe* Sarah, de mamme van mijn mamme. Een legertje kozakken komt op hun paarden Koretz binnenrijden, ons rustige *sjtetl* ten zuiden van Kiev. Ze rijden naar bubbes graf, net op het ogenblik dat tatte en mijn ooms haar in de aarde laten zakken. Een kozak gooit zijn lege fles wodka in het graf. Het gerinkel van de fles op de doodkist en de lach die uit de buik van de man komt doen me denken dat onze aarde heel diep is. Er zit van alles in, net als in een pot tsjolent.

Ik zie dat die soldaat een verbitterde man is. *Un es kukt ois oz kainer hot im kein mol mit aglet geton.* Ik heb het gevoel dat niemand die soldaat ooit teder heeft aangeraakt. Ik word bedroefd als ik naar hem kijk.

Maar mamme wordt zo kwaad dat het klinkt als een gemene hoest die ze niet kwijt kan raken. Met vier jongens, drie meisjes, ik ben de oudste en tatte natuurlijk, heeft ze haar handen meer dan vol. Ze heeft geen tijd om gevoelens te verbergen. Ze zit *sjiwa* voor bubbe Sarah, zoals het hoort, maar de hele week zie ik hoe ze vanbinnen begint te koken. En daar begint het verhaal van mijn leven. Want nu zie ik mamme en ik zie de wereld uit een andere hoek. Aan het eind van de week ben ik bang dat haar woede tegen de soldaat haar in rook zal doen opgaan.

De eerste dag dat we sjiwa zitten zegt ze tegen tatte: 'Ik wil zo niet leven. We moeten ons boeltje pakken, afscheid nemen en naar Amerika gaan. Jij bent timmerman, je zult het daar goed hebben en zelfs in New York hebben de mensen matses nodig en wijn voor Pesach. Die kan ik daar verkopen. Ik wil niet toezien hoe er in onze graven wordt gespuwd.'

Mamme is degene die het woord doet in onze familie. Tatte zegt ja en nee. Maar hij doet altijd wat mamme wil. Hij zegt tegen iedereen dat ze intelligent is.

'Goed,' zegt hij, 'dan gaan we naar het nieuwe land.'

Mamme heeft alles in drie weken klaar. Sinds Daniel en Devorah zijn geboren, de kleinsten, is ze zo druk als een klein baasje. Ik herinner me dat ze uitrustte van haar werk en zong. Maar dat doet ze niet meer. Ze houdt haar gedachten bij het eten en het schoonmaken. En nu moet ze er ook voor zorgen dat we weggaan uit Koretz, naar Amerika.

Zo omstreeks twee maanden voor Pesach – Pasen – doet mamme haar zaken. Ze verkoopt haar wijn en matses vroeg en verkoopt wat er over is aan mevrouw Avrum. Meneer Avrum heeft een muilezel en een kar die ons naar de trein in Kiev kan brengen. Tatte pakt een koffer voor ons. Mamme wikkelt onze mezoeza's en bubbe Sarahs kandelaars in een tafelkleed van haar bruiloft en stopt dat in de koffer met twee pannen en een hakblok. Tatte heeft natuurlijk zijn kist gereedschap en zijn heilige boeken en een oeroude kiddosj kop, niemand weet hoe oud.

Mamme laat me zien hoe je een mes kunt laten dansen, dan kunnen mijn kleine handjes uien en wortelen hakken terwijl ik een oogje houd op Daniel en Devorah. Mamme heeft het druk genoeg met die reis.

Een maand voor Pesach zijn we bijna klaar om weg te gaan. Tatte zegt dat ik met hem mee moet gaan om afscheid te nemen van de misjpocheboom. Ik vraag me af wat een misjpocheboom is. Wat is een familieboom?

Mamme zegt: 'Channa moet op de kinderen passen, Dovid. Dan kan ik de was doen.'

'Anja,' zegt hij. 'Op de kinderen kan ze altijd nog passen. Maar afscheid nemen kan ze niet altijd. Laat haar met me meegaan. Die was wordt wel schoon. Op de kinderen wordt wel gepast.'

'Ach, Dovid,' zegt mamme. 'Je doet net of het sjabbes is. Ik moet vandaag de was doen. Ik wil niet dat je Channa meeneemt. Maar je hebt gelijk! Ze moet afscheid nemen. Neem haar maar mee.'

Mijn hart huppelt als een sprinkhaan wanneer ze dat zegt, want ik vind het heerlijk om met tatte alleen te zijn. Met mamme vind ik het ook best, ik haal water uit de beek, wieg Devorah die zoveel huilt, houd het vuur brandende, sleep met water – de tijd die ik bij mamme ben is er altijd, net als de grond onder mijn voeten. Ik vind het naar dat ze geen tijd meer heeft om plezier te maken. Tatte werkt de hele dag in de huizen van andere mensen, hij repareert hun tafels en hij kan ook een plee maken en een hok voor de kippen.

Als tatte bij me is weet ik dat ik een plaats heb in de wereld, een tehuis in zijn hart. Hij is er als de zon boven de rand van de wereld verschijnt en schaduwen begint te werpen en als hij ondergaat en in het donker krullerige kleuren maakt op de heuvels, kleuren die lijken op kindertjes die op hun moeders borst in slaap vallen. Elke morgen, elke avond – als licht en duisternis zich vermengen – glimlachen tatte en ik elkaar toe. Ik zie mamme niet vaak glimlachen, misschien omdat ik zoveel bij haar ben.

Om bij de boom te komen moeten we eerst het kerkhof over. Bij het graf van bubbe Sarah blijven we staan. Tatte zegt een gebed. 'We gaan naar Amerika,' fluister ik tegen haar, 'als je ons nodig hebt dan weet je dat we daar zijn.'

Sinds bubbe Sarahs begrafenis hebben de bomen knoppen gekregen, kleine sprietjes groen. Het kerkhof lijkt op een schilderij met al die verschillende soorten groen van de uitbottende blaadjes.

We lopen langs de graven. De wind speelt met mijn haar als een stout kind. Tatte legt soms zijn hand op een grafsteen en streelt die, alsof het het hoofdje van een pasgeboren kind is.

We lopen naar de rivier, langs de graven, naar een boom die dood op de grond ligt met een tak die als een arm naar de hemel wijst. Aan de manier waarop tatte er zijn hand op legt merk ik dat dat onze misjpoche is, onze familieboom. Hij laat zijn hand lang op de tak liggen. Hij wrijft er met zijn duim over, heen en weer. Die boom kent de geheimen van tattes hart.

'Kom bij me zitten, Channa,' zegt hij.

We gaan op de boom zitten. We gaan zo zitten dat we de rivier kunnen zien. 'Wei is mir!' zeg ik. 'Wat stroomt dat water hard!'

'Waarschijnlijk ken je de rivier alleen van de zomers, als hij langzaam en rustig stroomt. Maar in het voorjaar, zo rond Pesach, wordt hij woest van het overtollige water,' zegt tatte. 'De sneeuw die smelt in de heuvels geeft hem dat water en maakt dat hij vlug gaat stromen. Zo,' zegt hij. Hij klopt op de boom. Die boom heeft geen schors. Hij ziet eruit als een groot bot – glad, erg droog, bijna zo wit als een bot dat ik eens op de akker zag liggen. 'Zo,' zegt hij weer. 'Wil je iets weten over mijn vriend hier?'

Ik knik. Ik voel me een koningin. Ik moet een hoop mazzel hebben, denk ik, dat ik mag zien hoeveel mijn tatte van een boom houdt – terwijl de rebbe misschien zou zeggen, wie weet, dat het mesjokke is om je hart in een boom te leggen.

'Het was een appelboom, mijn *sjeine meidl*,' zegt hij. Hij noemt me zijn mooie meisje. 'Een oude appelboom die de ceder en de pijnboom bewaakte toen mamme en ik geboren werden.'

Ik kijk naar de ceder en de pijnboom achter ons. Ja, ik ken die bomen en ik heb gehoord over de overeenkomst die mijn grootvaders sloten, dat mamme en tatte zouden trouwen. Ergens staat geschreven dat je, als je een huwelijk regelt wanneer de man en de vrouw nog kleine kinderen zijn, een ceder en een pijnboom moet planten. Op de bruiloft neem je een tak van elke boom om de *choepa* te maken, de baldakijn.

'Wel,' zegt tatte, 'de bubbes dachten dat het onze familie geluk zou brengen als ze die plantten naast een vruchtboom. En we konden ook op de bruiloft appeltaart eten. Dus plantten ze de ceder en de pijnboom naast de oude appelboom.

Tegen de tijd dat ik naar school ging wist ik al wat er met die bomen aan de hand was. Ik ging er vaak zitten. Ik was zo blij als de appelbloesem uitkwam en daarna de kleine groene balletjes die rode appels werden. Het waren lekkere appels – zoet, met een klein beetje zuur. Mijn tatte groef een gat in de grond en maakte een grote houten kist die in het gat paste. En daar bewaarden we 's winters wat ik van de boom plukte. De meeste jaren hadden we appels genoeg tot Pesach en ook nog voor mammes familie.' Tatte keek onder het praten naar de rivier maar elk woord raakte mijn hart.

'Na mijn bar mitswa,' zei hij tegen de rivier en tegen mij, 'wist ik hoe ik moest snoeien – zodat de dode takken de levende niet leegzogen; ik wist hoe ik de tak waaraan te veel vruchten groeiden moest snoeien, zodat de boom in evenwicht bleef.

De zomer dat mamme en ik zeventien waren, vierden we bruiloft. We sneden takken van de pijnboom en de ceder voor onze choepa en bubbe Sarah en mamme bakten appeltaart voor iedereen.

Een paar jaar later, jij was twee winters oud, het was vlak na jom-kippoer, hadden we een zwaar onweer – het weerlichtte de hele nacht. Jij was stil, Channa, maar je was wel wakker. Mamme had al een dikke buik van Jehudis, ze sliep slecht. Ik was een beetje bang. Wat zou er gebeuren als mammes kind kwam in zo'n nacht? Maar jij was die nacht een leraar voor me, als een sjabbes bruid, vol van Sjekina's rust. Hoe rustiger je wordt, scheen je me te vertellen, hoe beter je het onweer hoort. En hoe meer ik dat hoorde, hoe mooier ik het vond. Tussen de donderslagen door hoorde ik de zachte geluiden van de dieren. Hoe meer ik luisterde, hoe meer alles in harmonie was, vrede en donder, zacht en bliksem. Je was nog maar klein, je begon net te praten, maar dat wist je al.

Nadat Jehudis geboren was, een paar weken later, ging ik naar onze appelboom om te vertellen dat we een nieuw kind hadden. Toen zag ik dat hij dood op de grond lag, plat, afgezien van zijn wortels die in de grond krulden. In zijn val raakte hij mammes ceder – zie je dat die minder takken heeft aan die ene kant?

Ik huilde en huilde alsof ik mijn moeder had verloren.

Mamme wist op de een of andere manier dat er iets mis was. Ze liet haar fornuis in de steek en kwam met jou en Jehudis helemaal naar onze boom. Toen ik mamme zag en daarna jou en Jehudis, verborg ik mijn tranen niet. Mamme huilde ook, omdat ze rust had gevonden bij de boom met zijn vruchten. Jullie dachten dat we mesjokke waren, volwassenen die op een akker stonden te huilen. Dus jullie begonnen ook te huilen. Soms lachten jullie ons uit.'

Tatte staat op en gaat op de boom staan. Ik doe het ook. We kunnen op de heuvel de grafstenen van ons sjtetl zien. Tatte legt zijn hand op mijn hoofd. Hij raakt het zachtjes aan en gaat dan weer op zijn boom zitten.

'Ja,' zegt hij, 'de boom was dood. Maar een paar jaar lang bleven er nog steeds blaadjes aan een paar takken groeien. En mammes ceder, gehalveerd – bleef groeien! Als ik erheen ging vroeg ik me af: wat is dood en wat is levend? Soms is me dat niet duidelijk. Ik begreep het niet. Ik zag wortels uit de grond steken, als de ingewanden van een kip. Maar na Pesach kwamen er toch groene bladeren aan.

En nu gaan we naar Amerika – *die goldene medine*, het gouden land. Ik wil niet gaan. Ze praten daar Engels, niet mammelosjn. Ik hoor dat je daar rijk moet zijn om naast een appelboom te wonen. Ha! Ik begrijp dat niet. Als je een appelboom wilt leren kennen moet je er dicht genoeg bij wonen om er met je snoeimes naar toe te lopen, ja? Maar ik heb het van meneer Caplan gehoord wiens zoon in New York woont. *Naase menisjme*, neem ik aan. Dat zegt de rebbe. We doen het nu, we begrijpen het later.'

Mamme zegt dat ik dertien jaar ben als we eindelijk ons eigen huis hebben in Cherry Street. Tot dusver hebben we bij mammes nicht Sadie en haar familie gewoond, in een appartement van vier kamers voor twee families. Ik vind het heerlijk dat de familie Fried op zichzelf woont! We hebben genoeg stoelen en een grote tafel waar we allemaal aan kunnen zitten en servies voor vlees en zuivel. We hebben zoveel dat we echt sjabbes kunnen vieren als die komt.

Het duurt een jaar voor tatte vast werk vindt. Hij knipt stof om nieuwe hemden te maken voor de rijke Amerikaanse mannen. Van het donker tot het donker werkt hij, in een heel hoog gebouw, in een kamer zonder ramen en een hoop lawaai van naaimachines en bazen met valse ogen die controleren wat er geknipt en genaaid wordt. Tatte knipt de stof omdat de machines hem zenuwachtig maken.

Wel, hij krijgt er elke week geld voor en een paar maanden later hebben we dit huis waar mamme haar eigen keuken heeft en bedden genoeg voor alle kinderen.

Ik heb een beetje Engels geleerd. 'Ik hou van Amerika!' Dat zeg ik vaak als ik onze keukenvloer aanveeg en dans met de bezem. In het oude land hadden we vaak honger. In Amerika eten we, we hebben genoeg.

Op zekere dag zegt mamme tegen me dat ze er genoeg van heeft om mij altijd om zich heen te hebben, met mijn Engels en mijn liedjes en dansjes met de kleintjes. 'Het is tijd voor een intelligent meisje als jij om naar school te gaan,' zegt ze.

Dus ga ik. PS 128, noemen ze het. Ik moet drie blokken lopen voor ik er ben. Ik kom in de eerste klas bij juffrouw Fisher. Er staan lange rijen kleine tafeltjes en op een schoolbord staan woorden geschreven. Ik kan er geen een van lezen. Juffrouw Fisher wijst me een tafeltje bij het raam met een stoel die wat groter is dan de andere. De andere kinderen zijn zo oud als mijn broer Hankus, een jaar of zes, zeven. Zij spreken al beter Engels dan ik. Sommigen zijn hier geboren. Ze staren naar me alsof ik een volwassene ben, een volwassene te groot voor hun klas.

Ik klem mijn handen ineen, stijf. Ik wil juffrouw Fisher niet beledigen, maar ik wil weg. Dit hier is niet mijn Amerikaanse droom. Ik ben vijf of zes winters ouder dan deze kinderen. Ik zie hoe een meisje lief kijkt naar een jongetje met sproeten. Ik weet dat hij ook op haar is, want hij wordt rood. Wat moet ik doen in een klas met jonge jongens?

Dus besluit ik om tegen mamme te zeggen: ik ga niet terug naar die klas. Ik kijk zoveel mogelijk uit het raam maar probeer toch *menschlich* te blijven, beleefd. Ik wil een *jiddisjkeit* meisje blijven, een jiddisjkeit meisje dat geen Engels kan lezen.

Mamme wil dat ik een echte Amerikaanse word. Daarom laat ze me boodschappen doen en de huur betalen bij onze huisbaas, meneer Goldberg. Dat doe ik het liefst, de ondergrondse nemen naar meneer Goldbergs kantoor in Coney Island om hem de veertien dollar te geven voor onze drie kamers in Cherry Street. Mamme geeft me gewoonlijk tien cent extra en mijn vriendin Tova gaat met me mee.

Tova woont in het huis beneden ons. Ze komt ook uit het oude land. Ze heeft rood haar waar iedereen naar kijkt; maar Tova heeft het verstand van een jongen. Ze wil naar school. Haar vader zegt nee. Overdag is hij in de sjoel net als in het oude land terwijl haar mamme de was doet voor mannen die nog niet getrouwd zijn. Eens in de maand maken Tova en ik een lunch van zoute haring en gekookte wortelen en dan nemen we de ondergrondse om meneer Goldberg, onze huisbaas, te betalen. We lopen op het trottoir en kijken naar de grote oceaan. En ik denk aan onze boom, aan de overkant.

De jaren gaan voorbij. Ik help mamme met schoonmaken en koken, als een volwassene en ik pas op de kleintjes. Tova vertelt me dat ze van haar broers hoort over vrijdenkersideeën, socialisme. Ik denk nog altijd aan tattes verhalen, die dag daar bij de appelboom. Je moet snoeien om een goed evenwicht te bewaren. Daaraan denk ik als ik moeders zie die tien kinderen moeten voeden en maar één brood hebben voor drie dagen. En ik denk aan rijke Amerikaanse meisjes met wel tien jurken: hoe weten ze wat ze aan moeten trekken als ze zoveel hebben?

Maar ik hou van Amerika! Je kunt naar de bakkerij gaan, naar sjoel, naar avondcursussen. Je kunt een baan nemen en geld verdienen, hotdogs eten, een zaak beginnen, lerares worden. Je kunt naar het park gaan met glinsterende lichten en ritjes in het donker. Je zou nog duizelig worden van al die keuzemogelijkheden.

Tatte zegt dat ik werk kan krijgen in zijn fabriek. Mijn vader en ik wandelen niet samen, zoals in Koretz. Hij is niet zo blij als hij 's morgens weggaat en 's avonds thuiskomt. Op sjabbes ziet hij er een beetje verloren uit. Het leven in de grote stad, de hele dag werken zonder hout en gereedschap maakt hem verward en bedroefd. Maar toch voel ik me een ster als ik bij hem ben, een goed meisje.

Als tatte zegt dat ik werk kan krijgen in zijn fabriek trekken we een gezicht dat me doet denken aan hoe we elkaar toelachten. 'Goed,' zeg ik, 'ik zal het proberen.'

Het is eigenlijk wel goed, denk ik, om wat geld te verdienen en wat dichter bij hem te zijn. Maar ik ben ook zenuwachtig. Als ik niet tegen die fabriek kan dan wil ik niet dat tatte nog meer gekwetst wordt. Ik wil hem niet graag zeggen dat ik afwijs wat hij me aanbiedt.

Ik ga. Naar Cohens Shirtwaist Company in Hester Street. Tatte heeft een vriend met een dochter van mijn leeftijd, Bernice Horowitz en hij weet het zo te regelen dat ik naast haar kom te zitten. Ze zet knopen aan de hemden en zorgt ervoor dat er geen losse draden aan hangen. Bernice is afwerkster. Van haar leer ik hoe ik mijn machine vlug of langzaam moet laten gaan, hoe ik de draad erin moet doen en hoe ik het lawaai moet verdragen.

Ik word er duizelig van, het werken in een ruimte met honderd vrouwen en honderd machines. Ik voel me alsof ik een deel ben van iets groots, alsof ik op een groot schip werk – maar ik zit in een klein hokje, opgesloten. Is deze grote fabriek goed of slecht? Dat vraag ik me af. Is al dat steek-steekgeluid goed voor ons meisjes?

Ik weet het niet. Ik ben bedroefd dat ik dit werk moet doen. Maar ik voel me ook trots.

Een paar weken nadat ik mijn eigen machine krijg neemt Bernice me mee naar mijn eerste vakbondsvergadering. Er wordt ruziegemaakt over wat je moet doen als je baas je slecht behandelt en als je bang bent om het te melden omdat je je baan niet wilt verliezen. Iedereen schreeuwt tegen die ene man die bang is om zijn baan kwijt te raken. Een andere man, misschien niet meer dan twee jaar ouder dan ik, met een zwaar accent, zegt: 'Laat hem zeggen wat hij te zeggen heeft.' Hij praat rustig, die man, maar iedereen luistert en laat de man praten.

'Mijn neef,' zegt Bernice en ze knikt naar de man die ons deed luisteren.

Mijn ogen lichten op. Bernice ziet wat er in mijn hart is. Ze drukt mijn hand, en zegt: 'Ik kan je wel aan hem voorstellen.'

De eerste keren dat Meyer en ik elkaar ontmoeten zijn we verlegen. Alleen Bernice praat. Maar op een dag, als we samen de fabriek uitkomen, vraagt Meyer of ik met hem mee wil naar het joodse theater. In Amerika noemen ze dit een afspraakje. Mamme en tatte vinden het goed dat de mensen in Amerika geen huwelijk sluiten via een *jenta*, maar via hun ogen en harten.

Meyer is een man met ideeën, een socialist. Hij scheert zijn baard af, net als andere jongens die proberen Amerikaans te worden. Ik ben nu al vijf jaar in dit land. Maar het is nog steeds een schok voor me als ik het hele gezicht van een man zie, niet alleen zijn ogen. Veel ouders schrikken van het scheren. Dat hun zonen een scheermes over hun gezicht halen. Ik vind het mooi om de zon te zien schijnen op Meyers wangen en op zijn neus. Hij is groot, Meyer, en hij heeft een lieve glimlach. Hij zal altijd een aardige man blijven, fatsoenlijk. Ik wed dat tatte en hij vrienden kunnen worden.

Op een dag wandelen we langs de rivier. Meyer loopt met zijn handen op zijn rug. Ik gooi wat oude kruimels challe naar de zeevogels. 'Channa,' zegt hij, 'ik weet dat je problemen hebt, net als iedereen, maar elke keer als ik naar je kijk lijkt het of je gelukkig bent met je leven.'

Ik glimlach. Want nu weet ik dat hij met mij wil leven.

Mir hobn gehat zeir gute gefiln eine tsum tsweitn. We hebben goede gevoelens voor elkaar, Meyer en ik. Dus trouwen we.

Zelfs voor mijn eerste maandstonde kon ik al koken voor een hele familie. Maar nu is er voor dat vele eten geen bestemming. Behalve voor mijn man, natuurlijk. Maar hoewel Meyer vindt dat ik lekker kook, kan hij geen eten voor tien mensen opeten.

Elke maand bloed ik, net als voor mijn huwelijk. En dan weet ik dat ik weer niet zwanger ben. De Channa uit de bijbel moest heel wat praten met God voor ze een kind kreeg om lief te hebben. Zij dacht ook dat ze onvruchtbaar zou blijven.

Drie jaar geleden ben ik met Meyer getrouwd. Ik werk nog steeds in de fabriek en terwijl ik de hemden maak droom ik van kinderen. En opeens, heden mijn tijd, bloed ik niet! Oi! – ik voel me gelukkig met iets waaraan ik mijn hart kan geven, iets waarvoor ik kan zorgen. Als ik vier maanden zwanger ben zegt Meyer dat hij genoeg verdient, dat ik me moet voorbereiden op het kind. Dus zeg ik tegen de baas: 'Ik ga.'

Maar toch sta ik vroeg op door de geur. We wonen in Cherry Street, twee blokken van mijn moeder, boven Herschels viswinkel. Sommige mensen klagen erover, maar ik hou van die vis, hij vermengt zich in de lucht met de wortels en de uien en soms de geur van de rivier. O ja, soms ben ik duizelig. Maar zo erg is dat niet.

Nadat ik heb opgeruimd en iets heb gegeten loop ik de trappen af van de derde verdieping, naar buiten. Gewoonlijk hou ik van praten, maar nu ik zwanger ben hou ik de woorden binnen. Zelfs als ik bij Meyer of mijn moeder ben heb ik weinig te zeggen. Ik heb uitgerekend dat de baby omstreeks Rosj Hasjana zal komen. Elke dag loop ik naar East River om naar de vogels te kijken en om te zien hoe de golven veranderen.

Wat doen andere vrouwen als ze voor het eerst zwanger zijn, als ze geen kinderen of baan hebben? Misschien wil God dat je een tijdje alleen bent met Hem. Mijn moeder kreeg acht kinderen en al die jaren heb ik haar nooit alleen gezien, aan de wandel of alleen maar pratend tegen zichzelf.

Nadat ik de zeemeeuwen heb bezocht loop ik terug naar de winkels om een kip of vis te kopen en een kool. Behalve mijn moeder en Meyer en mijn zuster Devorah ben ik de enige die weet dat ik een kind verwacht. Want ik ben een zware vrouw. Het is moeilijk te zien dat er meer in mijn buik zit dan borsjtsj en kuchen.

Wel, iets aan mij moet toch anders zijn. Want de mensen komen hun winkels uit naar mij toe, zoals mevrouw Bafmudsky die het brood verkoopt dat haar man bakt. Ze zegt: 'Mevrouw Horowitz, neem me niet kwalijk, maar ik zie u 's middags hier langskomen met zo'n vriendelijke glimlach op uw gezicht en ik wil dat u weet dat het een mitswa voor me is, dat zo'n gelukkige jonge vrouw langs mijn winkel loopt.'

Ik glimlach tegen haar, ik koop een roggebrood. 'Libe is wi puter, is gut mit broit – Liefde is als boter,' zeg ik. 'Het smaakt lekker met brood.' Ik voel me gezegend – dat de gewone dingen die ik zeg de mensen doen glimlachen.

En dan heb ik op zekere nacht een droom. Mijn grootmoeder en de kozak die de fles zonder wodka in het graf gooide zijn nog steeds in het oude land.

Ze zeggen dat ik haar Vitl moet noemen als het een meisje is. 'Leven' betekent die naam, levend. Ik ben nu vijf maanden zwanger. Die droom en de herinnering aan een oude vrouw uit Koretz die Vitl heette geeft me zo veel rust. Ze maakte lekkere challe, die vrouw – met rozijnen.

De volgende morgen hebben Meyer en ik ons samenzijn in bed. We eten ook zwijgend, we glimlachen alleen maar, zo fijn. Meyer neemt zijn eten mee, gekookte aardappels en een gekookt ei. Ik doe er een beetje zoetzure saus overheen van de vis die we de vorige avond gegeten hebben. Alleen onze ogen spreken. Als hij thuiskomt is het sjabbes.

Als hij weg is ga ik wandelen langs de rivier. Het is net of de golven naar me kijken – niet andersom.

Ik kom thuis, ik maak het eten klaar, ik wacht op Meyer.

In die woning in Cherry Street hebben we onze eigen kamer. Met een ander pasgetrouwd stel, de Feldmans, delen we de keuken en de wc. Meyer kent Feldman van zijn vakbond. Dit weekend zijn ze naar een chique plaats voor de bruiloft van mevrouw Feldmans zuster, buiten de stad. Ze trouwt met een rijke man.

Dus zullen we sjabbes met zijn tweeën vieren. Ik boen de vloer, ruim de kast op. Ik kneed extra deeg voor de challe met gehakte walnoten en appels, wat kaneel en citroensap – ik maak een kleine kuchen. Ik dek de tafel met het kleed dat we op onze bruiloft hebben gekregen en met mijn kandelaars. En dan ga ik aan tafel zitten om te wachten op Meyer en op sjabbes. Ik leg een oude jurk uit zodat die om mijn dikke buik past.

Plotseling ontglipt me iets, als een giechelbui. Ik kijk vlug in mijn broekje en zie bloed. Ik weet meteen dat het Vitls ziel is die vlucht naar de andere wereld.

Mijn knieën knikken, ik moet op de grond gaan zitten. Toch zie ik niets anders in mijn broek dan dat beetje bloed. 'Wat is er gebeurd?' vraag ik aan de muren. Steeds opnieuw mompel ik dat, hopend dat God zal antwoorden. Een uur later, vlak nadat Meyer is thuisgekomen, glijdt haar kleine lijfje eruit – een vogeltje zonder veren – op ons bed.

Ik ben zo in de war, ik heb net alles klaargemaakt voor de sjabbes. Hoe kan zoiets op sjabbes gebeuren? Ik heb gedachten in mijn hoofd als een leger dat nergens heengaat.

Meyer rent de gang op om de buurvrouw te vragen of ze de vroedvrouw wil roepen. Ze komt vlug. Maar ik heb al veel bloed verloren. Dat zou je niet denken als je voelde hoe zwaar mijn hart was. Het is zo zwaar als een rotsblok, terwijl de rest van mijn lichaam voelt als zo'n ballon op Coney Island die wegvliegt als je het touwtje loslaat. Terwijl de vroedvrouw controleert of alles eruit is wat eruit moet, gaat Meyer weg naar ik-weet-niet-waar.

Eindelijk doet de vroedvrouw haar mond open. 'Als u rust neemt komt het wel goed,' zegt ze. En ze doet haar instrumenten weer in haar tas.

Op dat ogenblik komt Meyer binnen en hij begint te praten als een brandend vuur. Langzaam en heet komen de woorden uit zijn mond. 'Hoe kon dit gebeuren?' zegt hij. Het lijkt alsof hij haar verantwoordelijk stelt.

'Meyer,' fluister ik.

Maar hij is te overstuur om te zwijgen. 'Tsu fil far jir,' zegt hij tegen die vriendelijke vrouw, die volgens mij weleens eerder een man als Meyer is tegengekomen. 'Het was te veel voor haar dat ze in die fabriek heeft gewerkt.'

'Het gebeurt soms,' zegt de vrouw. 'Soms gebeurt het gewoon. Maak u maar niet overstuur.'

Daar raakt Meyer nog meer overstuur van. Maar hij werpt een blik op mij en ziet dat ik niet meer kan hebben. Hij buigt zijn hoofd naar onze kast met linnengoed en kleren, alsof hij bidt. Hij haalt twee dollarbiljetten uit de bovenste la. 'Alstublieft,' zegt hij tegen de vroedvrouw, 'ik weet dat het sjabbes is. Ik weet niet of u geld aanneemt op sjabbes. Maar u moet het nemen voor uw moeite.'

Meyer. Zelfs in mijn zwakte zie ik dat hij geen plaats heeft waar hij met zijn gevoelens heen kan. De vakbond is nu God voor hem, het socialisme. Wat voor troost geeft de vakbond een man wiens kind dood is voor hij het in zijn armen heeft gehouden? Ik bid tot God dat Hij Meyer ruimte geeft om zijn woede te luchten. 'Zelfs mijn man mag weleens overstuur zijn,' fluister ik tegen Hem.

Ik zeg tegen de vroedvrouw dat ik naar de rivier wil. Meyer kijkt me aan of ik mesjokke ben. De vroedvrouw begrijpt het misschien, maar ze zegt: 'De eerste vijf dagen niet.'

Ik wacht. Ik wacht vijf dagen in onze kleine kamer. Mamme komt als ze tijd heeft en ook Devorah, die geen kind meer is, maar een Amerikaans meisje van twaalf – een gewiekst kind. Ze wassen het linnengoed, ze brengen eten dat al klaar is.

Na vijf dagen ga ik naar mijn bank. Als ik daar kom zijn de golven zo hoog! Groot als monsters – en luid! Ik kan het leger dat mijn gedachten heeft ingenomen nauwelijks horen. Ach je weet wel – gedachten dat ik de vloer niet had moeten boenen voor sjabbes, misschien is het kind daarvan doodgegaan; of dat ik geen haring had moeten kopen van de nieuwe koopman.

Ik kan niet zitten. Ik voel donder, donder die de hele week in mijn zware hart heeft gewoed en ik sta op. 'Hee, Vitl,' hoor ik mezelf schreeuwen. 'Jij durft wel! Jij durft wel, je verlaat me voor je op mijn schoot hebt gezeten! Voor je van mijn kuchen hebt geproefd! Je neemt alle lieve woorden die ik tegen mijn buik heb gezegd en dan verlaat je me! Hoe kun je dat doen? Vertel me eens *mein sisgeit*, mijn lieveling, wat moet ik doen met mijn liefde?'

Ik heb tranen die ik nooit dacht te hebben. Ik schreeuw, ik huil, en als het afgelopen is, is mijn woede meegevoerd met de golven. Ze hebben mijn tranen gedronken zoals een klein kind melk drinkt.

'Dit is wat ik weet,' zeg ik tegen de rivier, 'omdat ik een vrouw ben. Een vrouw met een kind waartegen ze kan praten maar dat ze niet kan aanraken.' Ik zeg het zonder mijn lippen te bewegen, alleen met de tranen die over mijn wangen rollen. Sommige mensen in mijn buurt kijken me medelijdend aan. Misschien denken ze dat ik een arme, gekke vrouw ben. Wel, misschien ben ik dat ook.

Voor mijn armen heb ik niets. Voor mijn hart heb ik de naam van mijn dochter. Dus ik kan haar aanroepen. En ik heb ook een rivier, met golven die naar me toerollen, over me en onder me en die al mijn woorden meenemen.

Ja, en voor die dag is wat ik heb genoeg.

De natuur is hardnekkig, weet je, die houdt niet op. Het is net of God een lange lepel in me heeft gestoken, tot aan mijn schaamdelen en Hij roert. Ik word weer zwanger. Het begin van een zwangerschap is net als het begin van soep. Mijn hart wordt zacht en ik voel het gewicht van water en zout, alsof er iets staat te koken.

Ik heb nog steeds dagen dat ik een paar woorden tegen Vitl zeg. Tegen het woelige water van de rivier schreeuw ik: 'Jij kent in de Stad der Zielen toch zeker wel een baby die bij me blijft en op mijn schouder rust en door mijn keuken kruipt! Vertel me eens – wat moet ik met die liefde beginnen?'

Ik schreeuw tegen haar, oi. Het voelt goed – alsof ze me hoort. Zelfs al slokken de golven mijn gevoelens op. Vitl is altijd bij me.

En dit nieuwe kind brengt me een groot geluk, zo sterk dat het soms pijn doet. Als ik glimlach voel ik me als een chique auto met sterke koplampen die in de duisternis oplichten als twee volle manen.

Mevrouw Kassenstein ziet het. 'Bent u zwanger?' vraagt ze. Ze maakt daarbij geen geluid, ze laat me liplezen. Ik glimlach en knik. Mevrouw Smolinsky van meneer Smolinsky, de slager, ziet de vraag en het antwoord. Ze is een lieve vrouw; ze lacht ook tegen me.

Ai, het is een goed gevoel dat de vrouwen uit Cherry Street mijn geheim kennen. De hele weg naar huis zing ik. Mamme zou zeggen dat de mensen het nog niet mogen weten, ik moet oppassen voor het boze oog. Ja, misschien. Maar wat kan ik doen – tegen mevrouw Kassenstein zeggen dat ik geen kind verwacht? En waarom zou ik mijn geluk verbergen?

Nee. Terwijl ik het eten kook, het bed opmaak, naar de slager loop, zing ik.

Meyer weet hoeveel ik praat met onze dochter Vitl. Misschien praat hij ook met haar. 's Nachts houdt hij me zo voorzichtig vast dat ik echt kan uitrusten. We hebben een raam naast ons bed en als ons hoofd op de goede plaats ligt kunnen we de sterren zien. 'Het is mooi om zo in het donker te kijken,' zegt Meyer. 'Met onze blik op die sterren worden we gezegend.'

Ja, Meyer is een goede man. Maar ik ben bang dat dit nieuwe kind me ook zal verlaten en mijn armen leeg zal laten. Op een nacht maakt Meyer me wakker, hij heeft zwaar gedroomd. 'Channa, slaap je?' vraagt hij. 'Ik heb gedroomd.'

Zijn droom zegt dat er na zonsondergang een vuur komt in onze donkere kamers. Dat maakt ons huis licht en warm. Maar als je de elektrische lamp aansteekt om het vuur beter te zien, zie je niets. Dat vuur zie je het best in het donker.

Ik ben al zwaar, zeven maanden zwanger. Als hij me zijn droom vertelt rollen de tranen over zijn wangen. Ze zien eruit als draden van de spoelen van zijn naaimachine, die afrollen. Het zijn dus de tranen die ons aan elkaar vastnaaien, denk ik, als Meyers snikken worden als die van een kind, een kind dat zich laat gaan. 'O, Channa,' zegt hij. 'En als we dit kind ook verliezen?'

Eventjes hou ik hem alleen maar vast, zo goed als dat gaat met mijn dikke buik. Ik leg mijn hand op zijn wang. En ik zeg: 'Meyer, ik geloof dat jouw droom goed is. Dit kind houdt ons warm in de duisternis. Ik denk dat het een meisje is. We zullen haar Ida noemen. Dat is een stoere naam voor een Amerikaans meisje.'

5
1982

Hannah

Ik zet mijn bagage op de vloer van brede planken, vlak bij de buitendeur van het huis van mijn ouders in Redmond, een buitenwijk van Seattle. Het is eind juni. 'Nou?' zegt mijn moeder, terwijl ze langzaam haar armen onder haar borsten vouwt. 'Heb je ooit zo'n uitzicht gezien?'

We kijken door een wand van ramen naar de bergen aan de kust. 'Dat is me nogal wat,' zeg ik.

'Inderdaad,' zegt ze en we lopen door de hal en ze wijst me de logeerkamer. 'Ik heb handdoeken op het bed gelegd en de Felbers komen ons om zes uur halen om te gaan eten.'

'Wie zijn de Felbers?' vraag ik, terwijl ik achter haar aan loop naar de voorkamer. 'Ik dacht dat wíj de Felbers waren.'

Het gaat me allemaal te hard – te worden ontvangen als een gast, het prachtige uitzicht, het eten om zes uur. We hebben elkaar een jaar lang niet gezien.

Uit de hoek van mijn oog loer ik door de huiskamer naar planten die tweemaal zo hoog zijn als die in Shaker Heights; een diepbruine fluwelen bank staat tegenover een tafeltje, het blad is een stuk fossiel hout. De wanden zijn bedekt met indiaanse wandkleden en manden. Die hadden we ook in Cleveland, maar mama had ze opgeborgen in een kast, die zij en ik soms openmaakten om samen te oo-en en aa-en. Ik denk dat zij ze opborg omdat ze bang was voor opa's reactie, vooral als hij hoorde hoeveel ze gekost hadden. Ik begreep dat mama iets kon kopen als ze het echt graag wilde hebben en soms deed ze dat. Maar die aankopen werden zelden uitgesteld. 'Ik wil het liever alleen met jou delen,' zei ze eens over een Pakistaanse quilt met spiegeltjes die ze had gekocht van een vrouw die naar Azië reisde en haar schatten thuis verkocht. 'Dat maakt ze sacraal.'

'Wat bedoel je met "Wie zijn de Felbers?"' Mama's stem is bijna schril.

Ik voel de neiging om ook mijn armen onder mijn borsten te vouwen, maar dan zou het net zijn alsof ik in een boksring stond. 'Precies wat ik zeg, vermoed ik.'

'Papa's broer Rob. Robs vrouw Lois. Hun dochters Lynda en Darlene.' Ze legt haar handen op haar heupen terwijl ze die namen uitstoot en trekt haar bovenlip naar een kant op. Ze is misnoegd.

'Sorry,' zeg ik, 'ik dacht dat die nog in Cleveland woonden.'

'Nee,' zegt ze, krampachtig beleefd, 'in Bellevue.'

'Bellevue?' Ik schud verward mijn hoofd. 'Is dat geen tehuis voor geestelijk gestoorde kinderen?'

Ze schraapt haar keel. 'Bellevue, Washington.' Ze spelt het: 'B... E... L... L... E... V... U... E. De stad hiernaast.'

'Hoe lang wonen ze daar al?' dring ik aan, ondanks de duidelijke boodschap dat ze dit niet wil uitleggen, dat ze het niet fijn vindt dat ik dit niet weet.

'Ze zijn hier al een paar jaar.'

Ik knik. Rob en Norm zagen elkaar niet vaak toen we nog in Cleveland woonden. Ze zeiden elkaar goedendag op de begrafenissen en bruiloften van hun familieleden. Soms kwamen we Lois in de supermarkt tegen. Ik herinner me nog dat mama me een paar jaar geleden heeft verteld dat ze niet meer in Cleveland woonden.

Ik begrijp dat ik geen vragen meer moet stellen, hoewel ik er genoeg heb: *wie ben je geworden, Celia? Wanneer zijn de Felbers zo belangrijk geworden? Waarom wilde je dat ik een week hier kwam?*

We staan in haar salon en staren zwijgend naar elkaar, terwijl Norm de kamerantenne van de tv in de huiskamer rechtzet. Ik krijg het gevoel dat mama daar wel eeuwig kan blijven staan. Maar ik niet. 'Ik ga een halfuurtje liggen,' zeg ik, 'misschien neem ik een douche.'

Mama knikt maar zegt niets. Haar ogen staan star, alsof ze in trance is. Ik knik ook, langzaam, ik vraag me af of haar iets mankeert. Een paar tellen blijft die stilte tussen ons hangen – tot mama zegt: 'Dan ga ik de planten water geven.'

'Goed idee,' zeg ik. Ik pak mijn bagage en loop door de hal naar de logeerkamer.

Tijdens het eten in de Sizzler zeggen Lynda en Darlene, die dertien en elf zijn, tegen de serveerster dat ze een grotemensenmenu willen, geen kindermenu. 'Kinderen worden behandeld alsof ze geen echte mensen zijn,' zegt Lynda als de serveerster onze gele glazen volschenkt met ijswater en weggaat zodat we iets kunnen uitkiezen. 'Ik kan alleen geld verdienen met babysitten.' Ze wil grammofoonplaten kopen en oorbellen.

'Ik weet een plek,' zegt mijn moeder en ze glimlacht stralend tegen haar zoals ze vroeger tegen mij glimlachte. 'Het is een bosbessenboerderij. Je krijgt zestien cent voor elk pond dat je plukt. Hoe meer je plukt, hoe meer geld je verdient. We gaan zaterdag. Oom Norm gaat mee. En Hannah ook. Goed?' Ze trekt haar wenkbrauwen op in een vraag die ze zelf al beantwoord heeft. Dan doopt ze een grote garnaal in de cocktailsaus en neemt er een hap van. 'Als je als familie werkt en je bosbessen bij elkaar doet, krijgt iedereen meer geld,' zegt mama.

Ik ga naar het toilet om even alleen te zijn. Als ik voor de spiegel sta, doe ik mijn ceintuur een gaatje losser en haal diep adem.

Ik kom de keuken binnen met een vastomlijnd plan: ik wil de afstand over-bruggen tussen het meisje dat ik ben als mijn moeder er is – en de vrouw die ik ben in Ann Arbor.

Over een groot t-shirt en shorts draag ik een grote sjaal die ik heb gekocht van een vrouw in mijn moderne schrijversseminar. De sjaal heeft een fijn ruit-patroon van allerlei tinten grijs, zacht bruin, blauw. Vooral deze ochtend ver-warmt hij me als het dekentje van een baby.

'Goeiemorgen,' zeg ik.

'Hallo,' zegt mama nonchalant. 'Ik dacht dat we vandaag de stad weleens in konden gaan,' zegt ze. 'Boodschappen doen.'

Ze heeft haar blauwe ochtendjas aan, ze drinkt haar tweede kop koffie en kijkt in de krant waar er zomeruitverkoop is. Op haar bord liggen alleen toast-kruimels.

'Dat lijkt me goed,' zeg ik en ik ga tegenover haar zitten.

'Maar ik ga niet met je naar de stad als je die sjaal draagt. Je lijkt wel een oude vrouw.'

Wanneer is ze begonnen ruzie te maken over zulke onnozele dingen? 'Ik hoef die sjaal niet te dragen,' zeg ik. Ik pak een sinaasappel van haar fruitschaal en begin hem te schillen, zij leest weer in haar krant. 'Mama, zijn er ook boekwinkels, daar waar jij heen wilt?'

Mijn moeder snauwt. 'Als je bij mensen op bezoek bent, breng je je tijd door met hén.'

'Ik wil graag weten wat ze in die boekwinkels hebben,' zeg ik rustig, ik pro-beer me niets van haar afkeuring aan te trekken. 'Ik heb gehoord dat de boek-winkels in Seattle erg goed zijn. Ik zou graag willen weten wat ze hebben over leren schrijven.' *Toen ik haar een paar dagen geleden belde om haar te zeggen wanneer ik kwam, vertelde ik haar dat ik die baan in Boston had gekregen. Ik krijg* niet zoveel als een gewone leraar, maar ik heb veel meer vrijheid om creatief te zijn in de klas en meer vrije tijd voor mijn eigen schrijverij.

'Ik kan waarschijnlijk binnen een uur vinden wat ik nodig heb,' zeg ik en ik denk dat ze misschien best een uurtje voor zichzelf zal willen of meegaan naar de boekwinkel.

'Als je hier weg bent kun je naar alle boekwinkels gaan die je maar wilt!' Mama duwt haar stoel weg, pakt de koffiepot en schenkt voor zichzelf een kop in met haar rug naar me toe. 'Ach, doe maar wat je wilt,' zegt ze en ze draait zich plotseling om. 'Je hebt geen idee hoe moeilijk het is om iemands moeder te zijn – van iemand als jíj! Jij bent zo op Hannah ingesteld!'

Zonder iets te zeggen ga ik naar de fluwelen bank in de huiskamer en neem mijn dagboek mee. Ik stop een kussen achter mijn rug zodat ik rechtop kan zitten en strek mijn benen. Ik leg de blocnote op mijn schoot en kruip onder de sjaal.

Ik sluit mijn ogen. Ik denk aan de rozen die Hal voor me meenam voor ik wegging – een ter ere van mijn nieuwe baan, de ander om me goede reis te wensen. Ik had het eten klaar toen hij kwam maar het duurde meer dan twee uur voor we zover waren. Terwijl ik de bloemen in een vaas zette stond hij achter me, hij rook aan mijn haar en streek met zijn lippen langs mijn oren en mijn nek. 'Hai, Hal,' zei ik, smeltend als boter in augustus. 'Heb je honger?'

'Hmmm,' zei hij. We pakten elkaar bij de hand en liepen naar mijn bed. 'Je bent zo mooi,' zei hij en hij streek met zijn handen door mijn krullen terwijl ik boven op hem lag. *Wie heeft me geleerd om boven op een man te gaan liggen, met mijn vingers over zijn biceps te aaien en door het haar op zijn borst? Hoe weet ik dat ik niets moet doen, dat ik stil moet blijven liggen en genieten van zijn zachte lippen op mijn borsten? Ik heb zelfs nog nooit gezien dat mama en Norm elkaars hand vasthielden!*

Het vorige weekend reden we 's avonds met Hals rode Volkswagen-kever naar de Arb om naar de zonsondergang te kijken. 'Klim erop,' zei hij, toen we op het pad waren, 'klim op mijn schouders. Ik wil dat je het leven ziet vanaf een hoge plaats.'

'Als ik dat doe,' zei ik, en ik voelde hoe mijn ogen glansden en mijn glimlach breder werd toen ik mijn voet op zijn rechterhand zette, 'zou je weleens macho-ideeën kunnen krijgen.'

'Zou dat niet mooi zijn,' zei hij. 'Dat mijn schouders het podium vormen voor de monoloog van een feministe?'

Ik sloeg op Hals voorhoofd terwijl hij me stevig vasthield bij mijn dijen, vlak boven mijn knieën en me ronddraaide tot ik begon te gillen. 'Voor je naar het oosten gaat,' zei hij, 'moet je de zandduinen zien.' Het klonk erg definitief, alsof dit uitje ons afscheid was. In augustus, over twee maanden, ga ik naar

Boston en Hal gaat terug naar Detroit om les te geven aan de brugklas.

'En dan wat?' zei ik, terwijl ik van zijn schouders kroop.

'En dan maak ik de lekkerste spaghetti die je ooit geproefd hebt.'

Ik wist niet of hij er zich van bewust was dat hij mijn vraag ontweek. 'Hal,' zei ik, en ik tikte op zijn borst, 'wat gebeurt er dan met óns?'

Hij stak zijn handen in zijn zakken en aarzelde. 'Ik weet het niet, Hannah. We zijn dan wel erg ver van elkaar.'

Ik keek hem recht aan, het drong nauwelijks tot me door dat ik bijna dertig centimeter omhoog moest kijken, ik wist dat ik het nog niet kon verdragen om te horen dat hij zijn leven niet met mij wilde delen. 'Ik heb daar ook wel het een en ander over te zeggen,' zei ik. 'Ik wil erover praten als ik terugkom van mijn moeder.'

'Juist, mevrouw,' zei hij en hij salueerde omdat ik zo bazig had geklonken. Toen zwaaide hij me weer over zijn schouder en draaide met me rond tot ik opnieuw begon te giechelen.

Hier op mama's bank denk ik ook aan Nancy Sullivan, die mijn chef zal zijn in het Wilde Vrouwen Centrum in Cambridge. Nancy was een maand geleden in Ann Arbor op bezoek bij Marie en ze heeft met mij gepraat. We hadden het over Paolo Freire, de Braziliaanse filosoof met radicale ideeën; over Paule Marshall, Olga Broumas en Tillie Olsen – schrijvers waar we allebei van houden.

Nancy vertelde me over het Centrum dat een cursus geeft voor vrouwen, de meesten hebben kinderen. Hun leeftijden variëren van achttien tot ver in de zestig. Ze krijgt nieuwe subsidie, daarom kan ze mij aannemen om ze te leren schrijven.

Tegen de tijd dat ik gisteren mijn kamer verliet was een van Hals rozen uitgekomen. De andere zat nog in de knop.

Nadat ik ongeveer een halfuur in mijn blocnote heb geschreven komt mama binnen. 'Op deze bank moet je niet achteroverleunen,' zegt ze.

Ik geef geen krimp. 'Ik kan niets goed doen,' zeg ik. Haar zwijgen leg ik als instemming uit.

'Hoor eens,' zegt ze, 'misschien vind je het moeilijk om dat te accepteren, maar je bent hier een gast.'

'Dat doet pijn,' zeg ik.

'Sorry,' zegt ze. Ze draait zich om en loopt langzaam naar een hoek van de huiskamer. Ze trekt een dertig centimeter lange bronzen buis achter een palm vandaan. 'Het is een caleidoscoop,' zegt ze. Ze zwaait ermee als met een majorettestok. Ze steekt hem omhoog naar een bovenlicht en houdt hem een eindje van haar starre oog af.

Ik zet het laatste bord van ons etentje in de vaatwasmachine en mama zit aan de keukentafel een tweede stuk chocoladecake te eten. Als we alles eerlijk zeggen, denk ik, dan komt het weer goed. Ik moet die vraag gewoon stellen. Ik wil geen fouten maken. Ik heb de juiste woorden nodig – de woorden die ons langs een geheim kunnen leiden dat ze misschien haar hele leven heeft verborgen.

'Mama,' zeg ik, met een stem zo vast dat het stellen van die vraag alles weer glad en open tussen ons zal maken. 'Je hebt me eens verteld dat je op je achtentwintigste getrouwd bent.' Ik kijk haar zo vriendelijk mogelijk aan. 'In januari 1960 werd je negenentwintig. Ik ben geboren in februari 1960, dus je was zwanger toen je trouwde.'

Ik sta een meter van haar af, mijn zij naar haar zij, ik droog mijn handen. Maandenlang heb ik me afgevraagd of ze misschien met Allan getrouwd is omdat ze zwanger was en of ze me nu afwijst vanwege een smeulende woede tegen hem. Misschien lijk ik op hem en irriteert haar dat. Mama en ik staan daar nu als sombere geladen magneten die elkaar afstoten, we weten dat we elkaar alleen kunnen aantrekken als een van ons zich omdraait.

Ze schudt plotseling haar hoofd, alsof ze een smalle zigzaglijn volgt met haar ogen en lacht. 'Mijn God!' zegt ze, met rollende ogen, en in één beweging neemt ze een slok koffie en draait zich naar me toe. 'Je denkt dat je niet gewenst was! Dat is de meest hysterische onzin die ik ooit heb gehoord!'

Ik lach ook, zenuwachtig. De spanning is gebroken, hoewel er geen warmte in de lucht hangt. 'Dát heb ik niet gezegd, mama. Ik heb me nooit afgevraagd of ik wel gewénst was. Ik heb me wel afgevraagd of ik wel geplánd was.'

Ze drukt haar sigaret uit. 'Ik ben in december achtenvijftig getrouwd, toen ik zevenentwintig was. Jij bent een jaar later geboren, in februari.' Ze pakt haar Pall Malls en haar lucifers en laat me alleen met de rest van haar chocoladecake.

Norm rijdt. 'Ik laat papa altijd kiezen of hij wil rijden of niet,' zegt mama, zelfvoldaan. Norm kijkt recht voor zich uit, zijn beide handen klemt hij om het stuur. Dan begint mama met een lijst van instructies, afritten en wegen die ons naar de hoofdweg zullen brengen. 'Oké! OKÉ!' schreeuwt hij op het laatst. 'Ik weet het! Ik weet wel hoe je daar komt!'

We komen bij het huis van de Felbers en Lynda en Darlene laten zich naast mij op de achterbank vallen. Ik zit tussen hen in, zwijgend en misnoegd, ondanks hun bewonderende blikken. Even later rijdt Norm een winkelgalerij binnen en zegt dat hij een tafeltje voor ons vast zal houden terwijl 'de dames' naar Safeway gaan om snacks te kopen voor het bessenplukavontuur dat aanstaande is. Ik wil een Granny Smith appel, geen reep. 'Nee,' zegt mama. 'Dan wil iedereen er een en ze zijn te duur.'

'Dan betaal ik wel,' zeg ik en ik weet terwijl ik het zeg dat ik daarmee een van haar onzichtbare grenzen overschrijd. Aan mama's woedende blik en trillende lippen zie ik *dat ik haar weer heb beledigd.* Ik zie dat Norm een gezicht trekt, hij heeft zijn hoofd omgedraaid. Hij stapt uit en sluit de wagen af terwijl mama naar Safeway loopt met Lynda en Darlene. Ik loop met Norm naar de aangenaam geurende lunchroom.

Op die boerderij staan rijen en rijen bosbessenstruiken. Als we er aankomen legt een vrouw van middelbare leeftijd in een kaki bermuda ons uit dat we minstens tien pond moeten plukken als we iets willen verdienen – tien cent per pond. 'Als je dertig pond plukt,' zegt ze glimlachend, 'krijg je twaalf cent per pond. Voor vijftig pond veertien cent.' Enzovoort.

Ik luister nauwelijks naar haar. Als ik de zinken emmer die ze me geeft aanpak en met haar meeloop langs een lange rij die, zoals ze toegeeft, al geplukt is, zie ik zwermen Vietnamese families gehurkt naast de struiken, ze plukken de bessen en doen ze in de emmers met de snelheid van robots. Behalve de opzichter zijn wij de enige blanken.

We nemen alle vijf onze plaatsen in. Na twintig minuten hurk ik nog steeds ongemakkelijk. Ik heb net genoeg geplukt voor een dun laagje op de bodem. 'Dit is absurd!' roep ik. 'Volstrekt absurd!' Misschien heb ik nooit voldoende beseft hoeveel er gaat in een klein doosje bosbessen in de supermarkt, maar is er geen gemakkelijker manier om dat fruit te plukken?

Papa, Lynda en Darlene kijken op om te zien wat er met mij aan de hand is. Mama blijft geconcentreerd op haar werk, daarom gaan de anderen ook weer door met hun bessen. Ik ben ook niet opgehouden met plukken, ondanks mijn uitbarsting, tot ik mezelf hoor schreeuwen: 'Zijn er hiervoor geen machines?'

Mijn moeder, haar hoofd gebogen over de struiken, kijkt op naar de anderen. 'Negeer haar maar,' zegt ze met een onbedwingbare glimlach op haar lippen.

'Vind je dit leuk?' vraag ik. 'Ik bedoel, wil je me vertellen dat jij dit niet absurd vindt?'

Mama blijft plukken. Norm ook. Lynda en Darlene kijken naar mij. Dan naar mijn moeder, ze vergeten de struiken voor hen.

'Dit is een belachelijke manier om geld te verdienen!' schreeuw ik, na nog eens vijf minuten, blij dat ik een manier heb gevonden om de spanning tussen mij en mijn moeder te breken. 'Als dit de enige manier is om geld te verdienen, is het het geld niet waard! Behalve wanneer jij degene bent die de emmers uitdeelt!'

'Jij bent verdomme een commie!' schreeuwt mama.

'Wat is een commie?' vraagt Darlene.

Mama glimlacht koket tegen de bosbessenstruiken. 'Dat is iemand die geen idee heeft van de werkelijkheid,' zegt ze, en dan barst ze in lachen uit.

Ik lach ook. Ik lach zo hard dat ik per ongeluk mijn emmer omgooi. Terwijl ik op de grond zit, om de een of andere reden getroost door die troep en de zachte grijze wolken boven ons, beginnen Norm en de meisjes ook te lachen. *Misschien is die bosbessenpluk het waard geweest; misschien gaan we nu eindelijk weer normaal doen.*

Als we naar huis rijden van de boerderij voel ik me meer op mijn gemak dan ik gedaan heb sinds ik kwam. Lynda en Darlene zitten naast me op de achterbank en we eten bosbessen uit een klein doosje op mijn schoot. 'Er zit blauw op je wenkbrauw,' zeg ik plagend tegen Darlene.

'Dat rijmt,' zegt Darlene.

'Dat klopt,' zeg ik.

'Hannah,' zegt Darlene, 'vind je het erg dat je zo klein bent?'

'Nee,' zeg ik. 'In het vliegtuig heb ik maar twee plaatsen nodig als ik wil slapen. En ik vind altijd koopjes in de uitverkoop.'

'Hannah, waar komen die puistjes vandaan?' vraagt Lynda.

'Dat is heel eenvoudig,' zeg ik. Ik voel me helemaal niet beledigd door haar vraag, ik herinner me een verhaal dat Karen Caplan en ik eens verzonnen hebben. Mama en papa draaien zich niet naar ons om, maar luisteren stilletjes. 'Er was eens een familie van Eddies en Freddies en ze woonden in het noorden, op mijn voorhoofd. Ze wilden naar het zuiden voor de winter en dat deden ze. Ze namen al hun kinderen en al hun oude mensen mee. En op weg naar mijn kin pikten ze wat neven en nichten op van de westkust. O, ze zijn dol op al die vakantieplekjes, begrijp je wel?'

Lynda raakt haar voorhoofd aan met een bosbes voor ze hem in haar mond stopt en giechelt.

'Kun je er niet van afkomen?' vraagt Darlene.

'Misschien, maar ik heb geen zin om medicijnen in te nemen.'

'Medicijnen?' Darlenes ogen puilen uit van schrik.

'Pillen,' zeg ik.

Ze knikt en zwijgt. 'En crème?' vraagt ze. 'Clearasil?'

'Misschien,' zeg ik. Ik glimlach tegen Darlene met het moederlijke gevoel dat ik soms had voor de kinderen op wie ik paste in Shaker Heights. 'Denk je dat ik mooier zou zijn als ik geen puistjes had?'

Mama draait zich plotseling om en wijst naar Linda's raam achter papa. 'O kijk! Je kunt Mount Rainier zien! Er is geen wolkje aan de hemel!'

Na het plezierige vertellen van een verhaal krijg ik de kous op mijn kop. Ik zeg niets. Als we Lynda en Darlene afzetten, lukt het me nauwelijks om afscheid van ze te nemen.

Als we thuis zijn wil mama niet dat ik een groentequiche maak omdat het te veel moeite is. Ik heb een paar ingrediënten nodig die ze niet in huis heeft. Ik kijk haar boos vragend aan. 'Onze normen zijn niet hetzelfde,' zegt ze, bij wijze van uitleg.

'Mama!' smeek ik. 'Waar heb je het toch over? Ik kan met de auto naar de winkel gaan, ik ben binnen twintig minuten terug. Maar jij wilt niet dat ik je iets geef. Jij wilt niet dat ik kook. Als ik een leuk gesprek heb met twee aardige, nieuwsgierige meisjes kom jij ertussen met een stomme berg.'

'Wat wil je dan dat ik zeg?' zegt ze met een stem vol venijn. 'Dat die puisten een áánfluiting zijn? Dat je lélijk bent? Dat het dat is wat iedereen aan jou opvalt?'

We staan daar in de schemering, met ons gezicht naar de grote keukenramen, de zon gaat onder achter het kustgebergte. De kracht die ik voelde toen ik haar aansprak is verdwenen. Haar aanwezigheid voelt aan als een oude trui, met gaten die waarschijnlijk niet de moeite waard zijn om te repareren. Ik voel me niet in staat om me te bewegen en ik vind het vreselijk dat we daar zo staan. Na een paar minuten draait mama zich van het raam af naar me toe, zo langzaam dat ik weet dat ik haar aan mag kijken.

'Ik hield te veel van je toen je een kind was,' zegt ze. Ze heeft haar rug gebogen en haar kin een eindje naar voren gestoken, alsof ze zichzelf voor ineenstorting wil behoeden. 'We waren te intiem.'

Ik herinner me dat ze dit tegensprak toen tante Mollie het zei, een jaar of tien geleden. Waardoor is ze veranderd? Dat weet ik niet. Maar ik zie nu dat het belangrijkste wat mama met haar leven heeft gedaan het bemoederen van mij is geweest. Misschien benauwt haar dat. Ze heeft een nieuwe sigaret opgestoken.

'Dus dit is nodig,' zeg ik, 'deze scheiding.'

'Nee,' zegt ze en ze zet haar tanden in haar lip, ze vecht om zelfbeheersing. 'Geen mens kan dit nodig hebben.'

Het is mijn laatste nacht in Seattle. Mama en papa zijn naar bed. Ik zit op de nieuwe bank met een van mama's gebreide vierkantjes op mijn schoot. In de richels en zachte dalen vinden mijn vingertoppen troost en blijdschap. Het is rustig in huis.

Ik droom ervan om hier te blijven alsof ik een weg terug kan vinden naar de affectie die tussen ons bestond. En toch kan ik nauwelijks wachten tot de morgen, als een vliegtuig me weg zal brengen, naar de rest van mijn leven.

Ik zit nooit zo vol strijdigheden als in het huis van mijn moeder.

Het laatste weekend in juli rijden Hal en ik vijfenhalf uur naar de zandduinen ten westen van Traverse City, net buiten Glen Arbor. De volgende vrijdag ga ik twee nachten in Cleveland logeren bij oma en Mollie. En een week later zal ik naar Boston verhuizen. Hal en ik hebben niet over de toekomst gesproken sinds de week voor ik naar Seattle ging. Als we vanavond eenmaal gezellig in bed liggen in het motel, of misschien als we in de duinen aan het wandelen zijn, zal ik hem zeggen dat ik best eens in de maand naar Detroit wil vliegen. Ik weet niet hoe ik aan het geld moet komen; ik weet alleen dat ik hem zo graag wil zien.

In Sleeping Bear Point wandelen we de hele middag. Waar we ook kijken, we zien niets anders dan nog wat paartjes en zand. Er groeien ook helmgras en andere kleine planten, zelfs een enkele wilde kapokboom. Dat verbaast me – dat er planten groeien in het zand. De lucht is aangenaam, niet te winderig, niet te warm. Hal pakt mijn hand en zwaait ermee. 'O Hannah,' zegt hij zuchtend. 'Laten we elkaar de rest van ons leven hier eens per jaar ontmoeten. Laten we het bijschrijven in de huwelijksakte wanneer we met iemand anders trouwen.'

'Waar heb je het over?' zeg ik, en ik laat zijn hand los. 'Hoezo iemand anders?' Ik blijf staan en draai me naar hem om. We zijn zo klein, vergeleken met die duinen. Wil hij mijn hoofd niet dicht bij het zijne brengen?

Hal steekt zijn handen in de zakken van zijn spijkerbroek, net zoals die dag in de Arb. 'Het zou niet blijvend zijn, Hannah,' zegt hij. 'Jij moet nog te veel reizen. Ik ben pas je eerste minnaar.'

Een windvlaag blaast zand in mijn mond. 'Moet ik dat niet beslissen?' roep ik en ik kruis mijn armen over mijn borsten. Hal legt zijn grote handen op mijn schouders. 'Ik bedoel, wat betéken ik voor je?' zeg ik.

'Je bent prachtig, Hannah. Je bent een fantastische vrouw.'

'Waarom wil je dan bij me weggaan?'

'Jij gaat uit Michigan weg, liefje. Ik ga alleen maar naar Detroit.'

Hij ontwijkt mijn vraag. Dat ik uit Michigan wegga en hij bij mij weggaat zijn twee heel verschillende dingen. 'Ik dacht dat we bij elkaar konden komen,' zeg ik. 'Eens in de maand of zo. Ik dacht niet dat we bij elkaar weg zouden gaan.' Terwijl ik dat zeg hoor ik aan de angst in mijn stem dat de intimiteit die Hal en ik gehad hebben niet zal duren. Ik zal een alleenstaande vrouw zijn als ik naar Boston ga; ik ben alleen geen maagd meer.

Omdat ik verwacht had dat ik naakt zou slapen naast Hal heb ik geen nacht-hemd meegenomen. 's Nachts in elkaars armen liggen is voor mij een van de mooiste dingen geweest van een relatie. Maar die nacht draag ik het T-shirt dat ik de hele dag heb aangehad, ik ga stijf opgerold liggen en blijf aan mijn kant van het bed. Als Hal zijn hand op mijn rug legt, draai ik mijn hoofd naar hem om, een klein eindje.

Hij heeft zijn T-shirt ook aan. Hij trekt me in de boog die wordt gevormd door zijn kromming. 'Het spijt me, Hannah,' zegt hij, met die stem die ik niet kan uitstaan, die stem die wil dat wij allebei beseffen dat hij zeven jaar ouder is. 'Weet je, ik was ervan overtuigd dat ik zou trouwen met mijn eerste vrien-din.' Hij maakt een korte, snelle beweging op mijn schouderblad, trekt zijn hand terug, draait zich om en gaat slapen.

Ik blijf de hele nacht wakker, dat is normaal als ik met Hal slaap; maar dit-maal ben ik niet dronken van de warmte van een mannenlichaam naast het mijne. Ditmaal ben ik bedroefd omdat ik zo eenzaam ben en boos omdat Hal niet gezegd heeft waarom hij niet bij me wil blijven.

De volgende morgen rijden we naar huis met de raampjes open. Het lawaai op de snelweg geeft ons een gemakkelijk excuus om niet te hoeven praten. Ik vind het eigenlijk prettig, dit zwijgend indrinken van elkaars nabijheid als een manier om afscheid te nemen. Dan begint Hal te zingen:

Love is a rose but you better not pick it
Only grows when it's on the vine.
Handful of thorns and you know you've missed it
Lose your love when you say the word mine.

'Linda Ronstadt,' zeg ik en ik ben zo tevreden met mezelf omdat ik dit weet dat ik minder kwaad ben op Hal omdat hij het zingt.

'Zij zingt het,' zegt hij, 'maar Neil Young heeft het geschreven.'

Als ik het volgend weekend met de bus naar Cleveland rijd om Ida op te zoe-ken, voel ik me nerveus, net als toen mama ophield met me te praten. Het is eigenlijk paniek; het maakt mijn gezicht versteend en mijn lichaam keurig geklemd in een kaki broek en een roodgeruite bloes met korte mouwen. Hal Riley zal mijn levensgezel niet worden; ik heb geen levensgezel. En waarom is die nervosi-teit zo intens, terwijl we amper een paar maanden geliefden zijn geweest?

'Hallo, oma,' zeg ik en ik sla mijn armen om haar brede lichaam als we haar huiskamer binnengaan. Ik vind het fijn dat ze mijn omhelzing zo stevig beantwoordt. 'Dat is voor jou.' Ik geef haar een klein plastic bakje.

'Dank je wel,' zegt ze. 'Wat zit erin?'

'Ratatouille.'

'Wat is dat?'

'Aubergines en *zucchini*, groene pepers en tomaten, basilicum, oregano en knoflook. Ik heb het gemaakt voor mijn lunch onderweg en ik heb wat voor jou overgehouden. Het is lekker met een omelet.'

'Ik vind aubergines lekker. Maar ik hoop niet dat je er veel knoflook in hebt gedaan, Hannah. Ik hou niet van knoflook.'

'Je bent soms een *hanna pessl*, Ida Zeitlin,' zeg ik. 'Ik geef je een cadeautje en je klaagt erover nog voor je het geproefd hebt.'

'Ja,' zegt ze en daarmee is het onderwerp gesloten.

Haar huis is me nog niet vertrouwd – mama heeft er kort voordat ze naar Seattle verhuisde voor gezorgd dat ze is gaan wonen in dit complex voor bejaarde joden, toen oma nog nauwelijks een jaar weduwe was. Ik bied aan om de ratatouille in de ijskast te zetten, dan kan ik zien wat ze gekookt heeft: kippensoep, tsimmes en appelmoes. Eten zegt me niet veel sinds mijn weekend met mama en daarna Hal, maar dit ziet er goed uit.

Leahs portret hangt nog boven het bankje. De droevige, lieve ogen van oude Channa kijken van een ingelijste foto op het dressoir de slaapkamer in. Ik voel me op mijn gemak gesteld door die dingen, hoewel mijn eerste uren met oma moeilijk zijn. Ze vindt dat ik te veel hik; ik kleed me alsof het me niet kan schelen hoe ik eruitzie. Ik gebruik te veel zeep als ik de borden afwas en de vriendinnen over wie ik het heb – Julie, Karen, Marie en Nancy – zijn allemaal meisjes.

'Vróuwen,' zeg ik ten slotte, tot wanhoop gebracht door haar kritiek. 'Geen méisjes.'

'Ach,' zegt ze. 'Je praat als een *dnudnik*.'

'Wat is een dnudnik?' vraag ik.

'Een *nudnik*,' zegt ze, zonder een zweem van een glimlach, 'met een doctorsgraad.'

Het is zondagmiddag, oma's tijd om Celia te bellen. 'Luister maar mee – in de slaapkamer!' zegt oma en ze wijst met haar hand naar me terwijl ze bij de telefoon aan de muur in de keuken zit, wachtend tot haar dochter opneemt. Ik doe wat ze wil: misschien zal mama zich met oma's hulp weer voor me openstellen.

In de maand die verlopen is na mijn bezoek zijn mama en Norm naar Reno, in Nevada geweest. 'O, het was prachtig,' zegt mama, 'het was schitterend. Gewoon schitterend. Het eten was zo goedkoop, niet te geloven. En ik won vijftien dollar met gokken, maar ik liet het daar natuurlijk bij. Norm wordt zenuwachtig als ik gok.'

Ze gaat nog vijf minuten zo door, misschien wel tien. Zonder iets te vragen over oma of mij.

Ik voel me teleurgesteld als ik ophang. 'Ik heb niet veel hoop,' zeg ik somber tegen oma als ik terugkom in de keuken, verbaasd over mezelf dat ik zo eerlijk tegen haar ben. 'Ze is zo egoïstisch geworden. Ik kan me niet voorstellen dat ze ooit ook maar een beetje aardig tegen me zal zijn.'

'Pas op, Hannah,' zegt oma. '*Az men chassert tsu fil iber wi gerecht men is, wert men umgerecht.* Als je lang genoeg zegt dat je gelijk hebt, krijg je ongelijk.'

'Dat heb ik nog nooit eerder gehoord,' zeg ik, alsof mijn onbekendheid met die uitdrukking hem irrelevant maakt.

Mijn oma haalt haar schouders op en vult een woord in in haar kruiswoord-puzzel.

Ik sta op van tafel om me aan te kleden. Karen is ook in de stad. Ze gaat binnenkort verhuizen naar Washington D.C., ze gaat dansen bij een moderne dansgroep. We hebben afgesproken om samen te lunchen.

'Zeg, Hannah,' zegt oma, als ik over de drempel stap, 'wil je me helpen om de kast in de hal op te ruimen? Daar staan dozen met oude brieven die ik niet meer nodig heb. Maar er liggen ook foto's. Misschien wil jij er wat van hebben.'

'Misschien,' zeg ik en ik merk dat ik met tegenzin iets voor haar doe, net als mama toen ik klein was.

'En ik zou je sjaal weleens kunnen wassen. Die is zo mooi, die moet je schoon houden. Ik heb goede zeep voor wol. Morgen kun je hem weer dragen.'

'Oké,' zeg ik en ik denk hoezeer haar reactie op die sjaal verschilt van die van mama. 'Weet je dat opa en ik die foto's bekeken hebben voor hij stierf?'

'Maar ik heb hulp nodig, Hannah.'

'Goed,' zeg ik, 'maar wacht dan tot ik terug ben van de lunch met Karen.'

Als ik uit de logeerkamer kom in een eenvoudig rood T-shirt en een afge-knipte spijkerbroek met een ceintuur is oma bezig mijn schone, natte sjaal voorzichtig in doeken te rollen, zodat hij zijn vorm behoudt. Ze rolt de doeken stijf op, langzaam, zodat ze er veel aandacht aan kan besteden en hangt de sjaal dan aan het wasrek. 'Ziezo,' zegt ze. 'Doe Karen de groeten. En breng wat amandelbrood voor me mee.'

Karen zit in het achterste hokje van Sands deli, gebogen over haar blocnote. Ze draagt een grijze jumper; haar haar is opgestoken in een vlecht. Ze kijkt lang-zaam op als ik eraan kom. Ik kijk naar haar slanke hals, ze ziet eruit als een balletdanseres. Ze legt haar blocnote op de plaats naast haar. Ze glimlacht vaag.

Ik hang mijn jasje aan de kapstok en aarzel voor ik in het hokje ga zitten. Maar ze staat niet op. We zullen elkaar niet omhelzen.

'Hallo,' zeggen we.

Haar vriend is vorige week naar Washington vertrokken, zegt ze somber; gisteren heeft hij een huis voor hen gevonden. Hij is schilder en zal waarschijnlijk in de horeca moeten werken om zijn deel van de huur te betalen. Haar moeder mag hem niet, hoewel ze niet kan zeggen waarom niet.

Ik heb de laatste weken zoveel gereisd, dat ik bijna de angst in mijn buik heb kunnen vergeten, mijn beklemmende angst. Nu ik tegenover Karen zit in al haar sombere traagheid komt hij weer opzetten; ik ben geneigd snel te praten om te verbergen wat ik voel. 'Ik begin in Boston over een maand met lesgeven,' babbel ik. 'En ik ken in die hele stad alleen maar mijn chef. Daar ben ík bang voor.'

Karen zegt: 'Hmm,' en knabbelt aan de matsebal in haar soep. 'Hoe gaat het met jou en je moeder?'

'Ik ben net bij haar en Norm geweest,' zeg ik, met rollende ogen.

'Norm?' vraagt Karen.

'Mijn stiefvader,' zeg ik. *Misschien kunnen we allebei even geloven dat ik zonder hem kan en ook zonder mijn moeder.*

Ik zeg niet dat ik Hal verloren heb.

Oma wijst naar een oude koffer in de kast in de hal die ik nog nooit heb gezien. 'Die was van mijn moeder,' zegt oma, 'van háár moeder, liever gezegd. Toen ze uit Rusland weggingen.'

Ik pak een kort stuk leer dat ooit een handvat is geweest en sleep de koffer de hal in. We maken hem open. 'Jeee,' snuif ik en ik deins terug voor de doordringende lucht van schimmel. 'O oma, dat stinkt.'

'Ach toe, zo erg is het niet. Alles is in plastic verpakt. Haal het er uit en doe de koffer dicht. En haal een stoel voor me. En de prullenmand.'

Als ik terugkom met wat ze heeft gevraagd heeft oma een stapel foto's in haar handen. 'Hier,' zegt ze. De foto die bovenop ligt is van een meisje van vier: mama. Ik laat me in de stoel vallen die ik oma net heb gebracht. 'O oma,' zeg ik, 'ze ziet eruit als een engeltje.'

'Heel wat mensen vonden dat,' zegt oma. 'Ze was een engel, denk ik. Een vreemde engel, maar een engel. Weet je dat Celia nooit een vriendin heeft gehad, afgezien van één meisje dat ze kende voor ze dat ongeluk kreeg?'

'Wacht even, oma,' zeg ik. 'Ik haal een andere stoel.'

Als ik terugkom begint oma opnieuw. 'Ik was geen erg lieve moeder, denk ik. Maar ik wist niet hoe ik dat moest zijn. Niet met Moe in de buurt.' Oma praat zakelijk, als een detective die een zaak moet oplossen. 'Ze had veel contact met mijn moeder, Channa. En dan was Leonard er nog.'

'Leonard?' vraag ik.

'Haar eerste vriend. Ik mocht hem graag. Hij stierf vlak voordat ze zich zouden verloven. Dat dacht ik tenminste.'

'Ik heb nog nooit van hem gehoord.'

'Ik zal je ooit weleens over hem vertellen.'

Ik voel me duizelig als oma praat en dat zeg ik.

'Misschien moet je iets eten,' zegt ze en ze loopt naar de keuken. Als ze terugkomt met een kom kippensoep merk ik dat dat net is wat ik nodig heb. Ik neem een paar lepels – en dan begint mijn huid te prikken en te branden. Het lijkt wel of er gewichten op mijn lichaam drukken. Ik kan mijn hoofd en mijn armen haast niet bewegen. Oma staat nu in de kast, ze haalt er oude schoenendozen uit vol met papieren.

'Oma,' zeg ik, met een langzame, zware stem, 'wacht.'

Ze zet de dozen op de grond en gaat zitten. 'Wil je huilen voor ik verder vertel?' vraagt ze.

En met de voet van de kom warm op mijn dijen en de heldere vloeistof klotsend tegen de rand doe ik wat ze zegt.

6

1917 ❦ 1941

Ida

geboren in 1902

in New York City

De zomer nadat ik vijftien ben geworden, in 1917, onze tweede zomer in Cleveland, staan mijn moeder en ik met onze armen tot over onze ellebogen in heet water, we wecken tomaten. Het is laat in augustus. Mijn zuster Mollie heeft Bessie en Evelyn, de kleinste meisjes, mee naar het park genomen zodat ze ons niet voor de voeten lopen. Maar mijn broer Jeremy en mijn neven Abie en Sol komen elk ogenblik binnen met druipende kleren, nat als vissen. Een van de buren heeft emmers en een slang buitengezet, zodat de kinderen kunnen afkoelen. Door het wecken en al het water dat de jongens binnenbrengen ziet de keukenvloer eruit als hutspot.

Het is een grote keuken, groter dan die in New York. We zijn uit New York weggegaan omdat papa haast geen werk meer had. Zijn broer Irving zei dat een kleermaker in Cleveland het hele jaar door kon werken. Papa wilde liever niet weggaan van zijn vakbond, maar hij moest ons allemaal te eten geven. Dus pakten we ons boeltje en namen de trein. Evelyn was nog geen zes maanden toen we die reis maakten en ze huilde de hele tijd – terwijl een groep soldaten die naar huis ging uit de oorlog aan de overkant van de oceaan de slaap probeerde te vatten.

Ik dweil een plas water van de vloer. 'Deze keuken wordt nooit meer schoon,' zeg ik. Mama hoort het, natuurlijk. Ze draagt de jurk die papa vlak na Pasen voor haar gemaakt heeft, een blauwe rechte jurk met rode en beige bloemen. Ze moet hem over haar hoofd aantrekken. Hij heeft hem, denk ik, gemaakt, omdat Evelyn dit voorjaar van de borst afkwam, zodat mama een jurk zonder knopen kon dragen.

'Ja,' zegt mama. En dan draait ze haar ronde lichaam naar me om. 'Ida, *ich hob nais wos ken iber cairn der welt,*' zegt ze, 'ik heb nieuws om de wereld op zijn kop te zetten. *Ich hob noch amol fersjweigert.* Ik ben weer zwanger.'

Ik kijk haar aan. Het is alsof er een raket in mijn hoofd afgaat, ik heb de neiging om de tomaat te pakken die ik net heb gepeld en hem als een baseballspeler tegen de muur te kwakken. Mama heeft die muur vorige week geboend.

Wel. Ik zal het niet doen. Maar mijn handen, die helemaal rood zijn, zet ik op mijn heupen. Ik pers mijn lippen op elkaar en sluit stijf mijn mond. En ik denk dat je de manier waarop ik haar aankijk wel vals kunt noemen. Het is alsof er een onzichtbare sjaal om mijn lichaam wordt gewikkeld, een sjaal die me in mijn eigen wereld opsluit, afgezonderd van de rest.

Dit ogenblik zal me mijn hele leven bijblijven. Want op dat moment verandert de wereld voor mij van een moeilijke plek in een onmogelijke. Ik aanbid mijn moeder. Ze kan me blij maken door me dingen op te dragen. 'O, Ida,' zegt ze, 'waarom maak jij de sla niet? Als jij het doet smaakt hij beter.' Of: 'Waarom ga je niet afstoffen, sjeine meidl? Veeg er maar even met een doek overheen.'

Maar nu moet ik uit die keuken weg omdat ze weer zwanger is. Ik moet het huis uit. Ik kan het niet verdragen om bij haar te zijn.

Ik hoef toch niet te zeggen wat het voor me betekent dat mama weer zwanger is, dat er een nieuw kind komt in maart, vlak voordat we allemaal van school komen? Evelyn is bijna drie, zij is de jongste, net uit de luiers. En Abie en Sol wonen bij ons, de zoons van mijn oom Isaac. Mama heeft ze in huis genomen toen we in Cleveland gingen wonen – hun moeder was aan de tering gestorven. Ze zijn acht en tien, en lief, zeker. Maar met die neefjes meegerekend zijn we met zijn negenen en we hebben maar drie slaapkamers.

Een nieuw kind betekent dat ik mijn fantasieën over picknicks met mijn vriendin Pearl Adler wel kan vergeten. Ik was ook van plan een cursus boekhouden te gaan volgen, dan kan ik een goed baantje krijgen als ik van school kom. Ik wil mijn ouders graag bijspringen en ik wil ook graag wat geld voor mezelf hebben.

Mijn dromen zijn niet zo buitenissig. O, ik heb wel een idiote droom dat ik een dokter word die een feilloze methode uitvindt voor geboortebeperking. Maar ik wil alleen graag iets van de wereld leren kennen behalve het huishouden – hoewel ik geen idee heb wat dat zou kunnen zijn. Boekhouden is natuurlijk heel wat praktischer; en ik ben een praktisch meisje.

Wel. Er gaan twee weken voorbij na de middag dat mama tegen me zegt dat ze weer zwanger is. Al die tijd praat ik niet tegen haar. Dat is niet met opzet, ik ben alleen maar razend en bang dat ik, als ik mijn mond opendoe, dingen zal zeggen die het allemaal nog erger maken. Zoals altijd doe ik boodschappen op weg van school naar huis; ik maak elke dag twaalf sandwiches met gehakte lever en doe ze in broodzakjes, of soms maak ik een salade van hardgekookte eieren. Op dinsdagmiddag breng ik alle kleden in huis naar het achtererf en klop het stof eruit.

Als mama dicht bij me komt, voel ik die extra laag opnieuw om me heen. Als papa bij me komt sla ik mijn ogen een beetje neer. Ik ben ook kwaad op hem, denk ik. Ik weet hoe een kind gemaakt wordt; ik weet hoe een kind niet gemaakt wordt. Ik begrijp niet waarom ze er niet mee ophouden. Ik weet dat ze van elkaar houden. Dat zie je zo. Maar kunnen ze geen andere uitweg voor hun liefde vinden dan het maken van kinderen?

Dat zijn mijn nutteloze gedachten.

Nadat ik de borden heb afgewassen – soms krijg ik mijn zuster Mollie zover dat ze dat alleen doet maar vanavond is ze nergens te bekennen, zeker verdiept in een boek – loop ik het huis uit en het blok om, om af te koelen. Ik ga bij Pearl Fishman langs voor gezelschap. Ze weet wel zo ongeveer wat er in mijn huis gebeurt en hoewel ze er waarschijnlijk liever over zou willen praten, wandelen we zwijgend. Ze is een goede vriendin, Pearl.

Later, als iedereen slaapt, ga ik naar de badkamer voor mijn bad bij maanlicht. Zo noem ik het. Mama noemt het mijn mikve hoewel je dat natuurlijk niet neemt tot je getrouwd bent – om het vrouwelijke zaad te laten ontspruiten, na de menstruatie. Mama zegt voor de grap dat ik zo veel baden neem dat ik weleens meer kinderen zou kunnen krijgen dan zij; of dat ik, als ik eenmaal getrouwd ben, niet meer naar de mikve hoef te gaan omdat ik dat vaak genoeg gedaan heb toen ik nog ongetrouwd was.

Dat ben ik niet van plan.

Ik doe het licht uit als ik in het bad stap. Ik geniet evenveel van de stilte als van het warme water. En van de duisternis ook, denk ik. Ik zie de maan door het raam; het is een kleine badkamer, maar hij heeft een raam dat groot genoeg is om naar de duisternis te kijken. Ze zeggen dat de nieuwe maan op Rosj Chodesj tot zichzelf inkeert. Op dat donkere ogenblik kun je alleen maar zijn eenzaamheid zien. Zo begint elke cyclus, daarna maakt hij de cirkel vol en keert terug tot het niets.

Ik herinner me niet wanneer ik begonnen ben die baden te nemen. We waren nog in New York; maar ik was er nog niet mee begonnen of ik wist dat ik ze nodig had. Ik ga naar mijn eigen stille plaats, zo donker dat het is als het niets, geen naam, geen moeite. Ik voel me rustig en stil, zelfs al begint er een wereldoorlog. Een bad helpt me door de volgende dag.

Het is twee weken geleden dat ik voor het laatst een woord tegen mama heb gezegd. Vanavond klopt iemand op de deur, net als ik het water heb laten weglopen en mijn nachthemd over mijn hoofd heb getrokken. Ik weet dat zij het is. Ik kijk naar boven, naar de maan, bijna vol. Ik voel hoe mijn lippen verstarren. Als ik de deur open, glipt mama naar binnen. We blijven daar een ogenblik staan, in het donker. Dan begint ze te praten. 'Ik heb hulp nodig, Ida, morgen. Ik vraag het jou. Maar als je niet wilt doen wat ik je vraag dan moet je het alsjeblieft zeggen. Ja?'

Ik knik. Ik heb mijn armen over mijn borst gevouwen. Ik voel me een verschrikkelijk mens maar eerlijk gezegd kan me dat niet genoeg schelen om het te veranderen. Nee: ik heb geen enkele behoefte om mijn armen te laten zakken. Ik wil ook niet zien dat mama eruitziet als een geest. Alsof een bloedzuiger al haar bloed heeft opgedronken.

Haar ogen staren naar de maan. En weer is het even stil. Ik vind het best. Na een tijdje kijkt ze me weer aan. 'Zou jij morgen thuis willen blijven van school, op Bessie en Evelyn passen en sjabbes voorbereiden? Mevrouw Kaminsky heeft me verteld dat ze een man kent in Woodland die me een abortus kan geven. Vandaag heb ik besloten het te doen. Papa weet dat ik zwanger ben, maar ik wacht tot ik weer beter ben voor ik hem dit vertel. Mevrouw Kaminsky zegt dat ze om twee uur wel klaar is met haar sjabbes en mij kan komen halen. Dan heb ik iemand die me thuis kan brengen.'

Een abortus. Pearls tante Saura heeft het drie jaar geleden zelf gedaan, maar zij heeft het niet overleefd.

Alles is nu afgesloten. Ik zit in mijn schulp en onze badkamer is al klein voor één mens, laat staan voor twee. Ik voel me misselijk, duizelig. Ik zit op de wc, het lijkt alsof ik er in wegzink. Ik weet niet wat me overkomt. Ik voel me alsof ík zwanger ben, alsof ik besloten heb om me te laten aborteren. Ik begin te huilen. Ik ben bang dat ik de anderen wakker maak, maar ik kan niet ophouden. *'Der moil ken nisjt zogn wos is oifn herts*, mama,' zeg ik ten slotte, na mijn lange huilbui. 'De mond kan niet zeggen wat er op het hart ligt.'

Mama legt haar hand op mijn hoofd en ik begin weer te huilen. 'Het is moeilijk om een vrouw te zijn, soms,' zegt ze. En dan huil ik tegen haar buik, waar de baby groeit.

Mama's gezicht en ogen zijn zo lief, vooral in het maanlicht. Ik zie ook hoeveel droefheid er in haar schuilt. 'Het is niet wat ik gewenst heb, dat jij je zou laten aborteren,' zeg ik.

'Dat weet ik, sjeine meidl,' zegt ze. 'En ik weet dat je dit huis waarschijnlijk nooit zult verlaten als ik weer een kind krijg.'

'Ja,' zeg ik, 'maar een abortus – dat heb ik niet gewild.'

'Wat wil je dan wel?' vraagt mama.

'Dat weet ik niet!' huil ik.

Mama streelt me over mijn hoofd en geeft me een zakdoek.

'Ik zal voor je thuisblijven,' zeg ik. En met haar zakdoek veeg ik mijn tranen weg.

Kort voordat papa terugkomt uit de fabriek, terwijl mijn zusters en de jongens buiten spelen, komt mama de keuken binnen. Ik heb een grote hete pan kugel in mijn handen als ze tegen de deur leunt en hem openmaakt. Als ik haar zie durf ik mijn ogen niet af te wenden, zelfs al brand ik mijn handen. Ze lijkt op sterven na dood. Ik denk: als ik maar naar haar blijf kijken ontglipt ze me misschien niet. Je weet wel: doodgaan. Ze loopt zo zwaar als een olifant maar haar gezicht is zo wit als een doek.

We stoppen haar in bed en besluiten tegen de anderen te zeggen dat ze griep heeft. Ik weet niet wat die zogenaamde dokter met haar gedaan heeft, maar hij heeft gezegd dat het kind pas morgen komt. Als we zeggen dat ze een zware griep heeft, kunnen we haar misschien een dag in bed houden.

Ditmaal ben ik het die zegt: 'Het is soms moeilijk om een vrouw te zijn.'

'Ja,' zegt ze. Ze lacht een beetje en steekt haar ene arm omhoog, dan de andere, zodat ik haar jurk uit kan trekken. Ze is zo vol geworden, mama, zo zwaar. Toen ze zwanger was van Bessie wist niemand het. 'Ida,' zegt ze, alsof ze me wil troosten, 'Vitl is er.'

Vitl. Dat is het meisje van wie mama een miskraam kreeg, vóór mij, haar engel in de hemel. 'De hele dag,' zegt mama, 'heeft Vitl gezegd: "Wat je ook doet, laten we blijven praten." Ze weet dat het niet gemakkelijk voor me zou zijn, welke keuze ik ook maakte. Ze zegt dat deze ziel hoe dan ook zijn weg wel vindt. Ach, ik was zo bang dat Vitl niet meer zou praten als ik dit kind liet wegmaken. En als ze ophoudt met praten word ik compleet mesjokke. Maar ze praatte zelfs toen ik bij die man op de tafel lag. "A broche oif dein kopf," zei ze tegen me, "een zegen op je hoofd." En: "Dit gaat ook voorbij," en: "Haal maar rustig adem, de wereld vergaat niet."'

Als haar kleren uit zijn valt mama in slaap en ik zeg tegen de anderen dat we sjabbes zullen moeten vieren zonder haar. Dus steek ik die avond de kaarsen aan. Ik voel dat Vitl in de buurt is. Ik ben niet jaloers op haar. Maar soms ben ik jaloers op mama, omdat ze met Vitl kan praten. Misschien moet ik praten met het kind dat ze vandaag heeft laten wegmaken, denk ik. Misschien heeft het woorden voor mij. Ik vraag me zelfs af of ik het geen naam moet geven, dit kind dat ik niet geboren wilde laten worden.

Die gedachten heb ik maar ik moet er ook voor zorgen dat papa een beetje sjabbes kan vieren, ook al is hij nog zo ongerust over mama. Hij weet vast dat er iets aan de hand is, want ze heeft nooit rust genomen als ze griep had en dan nog wel op sjabbes. En Evelyns soep moet wat afkoelen voor ze de lepel in haar mond steekt en als Abie te veel kugel krijgt wordt hij misselijk. Hij kan niet goed tegen aardappels.

Wel, ik heb geen naam voor dat kind. Maar ik zal erover denken, en ik zal er ook over denken alsof het het mijne is.

In 1920 haal ik mijn examen van de Longwood Highschool of Commerce, in hetzelfde jaar dat vrouwen kiesrecht krijgen. Mama en mijn vriendin Pearl en ik vinden het wel fijn dat we nu kunnen meebeslissen over zaken van wereldbelang. Mama vindt dat, hoewel ze nooit heeft leren lezen. Maar om je de waarheid te zeggen zou ik niet weten hoe een man in een deftig wit huis in Washington D.C. kan weten wat ik nodig heb. Margaret Sanger, van de geboorteregeling, is nu populair. Sommige politici zeggen dat de informatie die zij verstrekt zondig is, maar zo zie ik het niet. Misschien brengt de gedachte aan zulke mannen me ertoe om mama tot stemmen te bewegen, want ik ben nog niet oud genoeg. Ze laten me het stemhokje binnen om mama te helpen een x te zetten bij de naam van James M. Cox de democraat, hoewel Warren Harding onze senator is sinds we in Ohio wonen.

Voor papa is het een feestdag als hij hoort dat zijn vrouw gestemd heeft, zelfs al verliest onze kandidaat. Papa. Ik kan niet zeggen dat ik weet hoe hij er vanbinnen uitziet, maar ik hou van hem. In persoonlijke dingen zijn we een beetje verlegen tegenover elkaar. Misschien omdat wij de twee mensen zijn die het dichtst bij mama staan. We kennen haar allebei vanbinnen en vanbuiten en daardoor kennen we elkaar, hoewel we dat natuurlijk nooit zeggen. 'Misschien wordt de wereld wel beter nu de vrouwen kunnen stemmen,' zegt papa onder het eten, terwijl hij mama's stralende gezicht bewondert, 'wie zal het zeggen.'

De zondag na ons examen gaan Pearl en Sophie Frankel en ik picknicken in Garfield Park. We nemen broodjes mee en zure haring, gekookte bieten uit Sophies tuin, koolsla met peperkorrels erin. Ik neem mama's grote, oude tafellaken mee, ik leg het op het gras zodat we allemaal onder een oude eik kunnen zitten.

We hebben allemaal onze dromen, ze lijken op elkaar. We willen allemaal een aardige, knappe man ontmoeten met een hogere opleiding. Ik ben vooral geïnteresseerd in die opleiding. Omdat ik zie hoe moeilijk mijn ouders het hebben, zelfs al is hun huwelijk een huwelijk uit liefde. Dus vraag ik me af of geld verschil zal uitmaken.

Ik heb nu een baan, boekhoudster bij de Gordon Hat Company. Mijn zusters doen de karweitjes die ik moest doen voor ik een baan had en als ik Bessie een kwartje in de week geef wast ze mijn kousen. In 1924 is Pearl getrouwd, en nu is ze zwanger. We gaan bij haar op bezoek, meestal op zaterdagmiddag. Soms koop ik nieuwe kleren voor mijn zusters, soms heb ik een afspraakje. Het is best een plezierige tijd.

Voor ik het weet ben ik drieëntwintig. Een oude vrijster.

Het is negentienzesentwintig en de Gordon Hat Company verhuist naar Columbus, waar de familie van de baas woont. Ik ga naar Eisens arbeidsbureau en ze sturen me naar Zeitlins Plumbing Supply. Daar hebben ze een boekhouder nodig.

Het is voorjaar, kort na Pasen. Zeitlins zaak ligt aan West Sixth and St.-Clair, op ongeveer een halfuur afstand van de Terminal Tower. Terwijl ik erheen loop voel ik me vol van iets, iets als de vrede die over me komt als ik het maanbad neem. Ik vind het leuk om tussen veel mensen te lopen, in die lucht van het stadscentrum vol auto's en cement en lawaai en mannen in pakken. Maar dan stompt iemand me per ongeluk met zijn elleboog in mijn ribben als we een straat oversteken en daar schrik ik van. Plotseling voel ik me een schuchter meisje, op weg naar haar nieuwe baan, alleen in de grote wereld.

Ik kijk naar het Eriemeer en zie dat de maan nog steeds aan de blauwe hemel staat. Dat is een troost, geloof me. Ik doe mijn ogen dicht en blijf even staan, zodat ik die zoete aantrekkingskracht tussen de maan en mij kan voelen. Ik weet dat het deel van mij dat altijd zacht is, ook teder kan zijn in een drukke straat.

Dan hou ik van al die drukte. Die biedt zich aan, bijna als een danspartner, die mijn gratie beter doet uitkomen.

Zo denk ik als ik loop naar Zeitlins Plumbing Supply. Ha! Het is een *balagan* – chaos. Als ik zeg dat de straten in het centrum een uitdaging voor me zijn, dan weet ik nog niets van die zaak. Er zijn nauwelijks ramen, dus het lijkt wel nacht, zelfs om negen uur in de ochtend. De winkel is vol mannen, die buizen kopen en toiletten en god mag weten wat ze die dag nog meer nodig hebben. Ik herken meneer Zeitlin meteen, want hij draagt een pak met een stropdas in die troep, stel je voor. De klanten zijn van het overalltype.

Ik zie dat hij gevoel heeft voor mooie stoffen en goede kleren. Hij heeft de breedste schouders die ik ooit heb gezien en hij draagt een bril die goed genoeg is voor een professor. Hij is iemand waar je rekening mee moet houden.

Ik draag die eerste dag een zachtroze jurk en een witte handtas. Mijn donkere krullen vallen zacht en kort rond mijn gezicht. Ik denk dat ik opval als een madeliefje op een vuilnishoop. Alle mannen worden zenuwachtig, houden op met praten en met zoeken in de bakken met korte pijpen. Meneer Zeitlin is het zenuwachtigst. Hij staat me daar maar aan te staren.

Ik heb hem geschoten, als een fotograaf. Ik begin bijna te giechelen, want meneer Zeitlin ziet er niet uit als iemand die ooit stilstaat. Ik sta daar en weet dat mijn vrouwelijke zachtheid nu het middelpunt is van de winkel. Ik geef al die mannen, met hun moeren en zoal meer, een plaats. *A froi ken fartrogen a ganze welt*, denk ik bij mezelf. Een vrouw kan de hele wereld verdragen.

Eindelijk doet Moe Zeitlin zijn mond open, hij vormt woorden. 'Juffrouw Horowitz?'

Ik kijk hem recht aan. 'Ja,' zeg ik. Mijn rug is even sterk als die van de mannen in de zaak. Hoe langer ik mijnheer Zeitlin aankijk, hoe sterker ik me voel. Maar hij is in de war. Hij staat daar maar in het zicht van ons allemaal, met openhangende mond.

Het duurt allemaal natuurlijk niet langer dan een minuut. Moe Zeitlin verspilt geen tijd als hij kan werken, in de war of niet. 'Ik zal u naar het achterhuis brengen,' zegt hij, 'daar staat het bureau van de boekhouder.'

Ik loop achter hem aan. En maak kennis met het kleine kantoortje waar een andere vrouw een week geleden afscheid van nam omdat ze ging trouwen.

Niet lang daarna gaat hij een paar maal met me uit – als je het zo kunt noemen. Moe komt naar mijn huis, knikt naar mijn ouders en zusters en neven alsof hij verlegen is – ha! – en maakt een ritje met me naar buiten. Hij heeft een grote groene Packard, groot genoeg voor zes mensen. Eenmaal neemt hij me zelfs mee naar een Chinees restaurant in Shaker Heights, een deftige buitenwijk waar ze niet veel van joden moeten hebben. Ze geven ons garnalen en kreeft, zelfs varkensvlees. Ik ben op mijn teentjes getrapt, om de waarheid te vertellen. Maar ik zeg er natuurlijk niets van – ik zeg helemaal niets. Ik hoor dat Moe tweeëndertig is, acht jaar ouder dan ik. Hij kwam in Amerika toen hij nog maar vijftien was. Hij is zeventien jaar alleen geweest, zonder vrouw, tot over zijn oren in de loodgietersbenodigdheden, zodat hij rijk kon worden.

Hij stuurt geld naar zijn familie in het oude land, waar hij allerlei zusters en nichten en neven heeft. 'Mensches,' zegt hij, met een gezicht waar ik nog geen glimlach op heb gezien, 'goede mensen.' Hij heeft veel waardering voor zijn moeder en zijn zuster Masja. Hij heeft ze natuurlijk niet weer gezien sinds hij een jongen was.

Het ontroert me, dat moet ik eerlijk zeggen, dat een man mij foto's laat zien van nichten en neven die hij nooit heeft ontmoet. Hij heeft over iedereen een verhaaltje. Hij heeft Masja's zoon een houten trein gestuurd en hij kent een liedje waar een klein meisje van houdt. Ik zou niet willen zeggen dat ik Moe Zeitlin graag mag; maar ik waardeer zijn familiezin.

Hij merkt mijn waardering, denk ik. Tijdens ons vierde afspraakje komt hij me ophalen om te gaan eten en ik stap in zijn auto. *Mer doffen chassene hobn,'* stamelt hij. 'We moeten maar trouwen. Zou goed zijn.'

Ik kan niet zeggen dat ik verbaasd ben, maar het idee valt me zo hard in de schoot als een blik bonen. Minutenlang kan ik geen vin verroeren. Eindelijk draai ik me naar hem toe. 'Ik zal erover denken,' zeg ik.

Ik stap de auto uit en smijt het portier bijna dicht. 'Prettige avond verder,' zeg ik. 'Ik zie je wel in de zaak, maandagmorgen.'

Weer raakt hij in de war.

Ik hoef jullie niet te vertellen dat ik niet dolverliefd ben op Moe. Dolverliefd! Ik heb geen flauw idee hoe ik met hem moet praten over boekhouden, laat staan over een huishouding of van die lieve dingen die mensen in een romantische film tegen elkaar zeggen. Moe is net een machine. Hij tikt-tikt-tikt om zijn winkel te bemannen. Als hij iets te zeggen heeft doet hij dat met zo weinig mogelijk woorden en als iemand anders nogal lang nodig heeft om iets uit te leggen draait hij hem gewoon de rug toe als hij genoeg heeft van het luisteren. Hij doet dat ook bij klanten; zelfs bij klanten die een hoop geld te besteden hebben.

Maar als ik mijn vader vertel over Moes aanzoek heeft hij heel wat te zeggen. 'Een rijke zakenman wil met je trouwen,' zegt hij, alsof God mij heeft uitverkoren om koningin van het mensdom te zijn. 'Prachtig, Ida, dat je zo veel mazzel hebt.'

Als hij ziet dat ik me niet erg gelukkig voel zegt hij: *'Nor a sjtein zol zain alein.* Alleen een steen moet blijven alleen.'

Daar gaat het mij niet om. Maar ik houd mijn mond. Ik wil een huwelijk uit liefde, zeker. Maar ik weet dat geen van mijn zusters zal trouwen voor ik het doe en het zijn er vier. Mijn vader heeft zo hard gezwoegd om ons te eten te geven en nu heb ik de mogelijkheid om niet te hoeven zwoegen. Wat heeft het voor zin om te zeggen dat Moe Zeitlin mijn hart niet sneller doet kloppen?

Mama begrijpt mijn dilemma geloof ik wel. 'Je moet zelf beslissen,' zegt ze. En dan: 'Ga een eindje lopen. De meisjes helpen me wel.'

Maandagmorgen in de winkel vul ik een glas met water om de tulpen die hij voor me heeft meegenomen in te zetten. 'Goed,' zeg ik en ik denk dat die tulpen waarschijnlijk het enige romantische cadeautje zijn dat ik mijn hele verdere leven zal krijgen. 'Ik zal met je trouwen. Maar het bruiloftsdiner moet kosjer zijn.'

Wat doe je nou, hoor ik een stem zeggen die ik niet horen wil, *trouwen met een man die je niet eens aardig vindt?*

Ik weet het niet. Maar ik denk ook aan iets wat mama zei toen we hoorden dat een man twee deuren verderop gestolen had van zijn baas, die ook zijn zwager was, omdat hij een eigen zaak wilde beginnen. Pearls moeder zei dat die man minder was dan een rat. Maar mama zei: 'Iedereen heeft recht op tederheid. Iedereen is een mens.'

'Moe Zeitlin ook,' zeg ik tegen die vervelende stem – alsof de uitdaging die dit besef inhoudt me door de volgende vijftig jaar heen zal helpen.

Dan verstrakken mijn lippen en klemmen zich rond mijn tanden. Als een schroef rond een buis.

We trouwen in een feestzaal die door de familie Katz kortgeleden is gebouwd. Ik vind het een beetje vreemd, trouwen in een feestzaal en niet in een synagoge. Maar Moe wil het, om redenen waar ik niet naar vraag. Ik heb dat gauw genoeg geleerd over die redenen: redenen zijn wat Moe zegt dat redenen zijn.

Er is rosbief genoeg om heel China te eten te geven en veel groente, vers fruit en kuchen. Ik heb in mijn leven nog nooit zo veel eten gezien – en ik heb veel eten gezien, want ik heb mama geholpen om voor ons negenen te koken sinds ik een mes kon vasthouden. De maaltijd is kosjer, zoals ik gevraagd heb, hoewel Moe, toen ik mijn keuken aan het inrichten was, zei: 'Vergeet kosjer. In Amerika is er geen reden om kosjer te eten.'

Geen reden? Kasjrut is een reden! Het is een manier om te vermengen wat bij elkaar past en te scheiden wat niet bij elkaar past – te beginnen in de keuken.

En ik wil dat papa en mama zich op hun gemak voelen als ze bij mij komen eten. Maar ik houd mijn mond. Als ik tegen mama zeg dat mijn servies is verdeeld in gewoon en speciaal, niet in vlees en zuivel, is zij degene die me verrast. 'Ach, de wereld verandert. Wij zullen wel mee moeten veranderen.'

Ze is een fantastische vrouw, mijn moeder. Ik hoop dat mijn kinderen mij net zo zullen bewonderen als ik haar bewonder.

Terug naar de bruiloft – in mijn jurk zijn honderden witte veertjes gestikt; mijn boeket is een waaier van lange veren. Moe koopt een smoking en een voor mijn vader en zelfs voor mijn broer. Het is fantastisch, zeggen de mensen.

Dat zal wel. Maar het enige wat die vogelveren voor me doen is dat ik ga verlangen om weg te vliegen. Het voelt niet goed aan, te overdreven. Mama ziet hoe ik me voel. '*Er is a ferd*,' zegt ze, als we even alleen zijn. 'Hij is een paard. Mit *a gute herts* – met een goed hart.' En ze zegt ook: 'Hij heeft gevoel voor goede dingen.' Ze bedoelt mij. Ik drink haar woorden in als water voor een lange reis door de woestijn.

Na het diner verkleed ik me in gewone kleren. Eve en Ezra Feigenbaum, die Moe van zaken kent, staan ons op te wachten bij Moes auto met hun dochter,

Sadie. Ze heeft een klein koffertje in haar hand. Zo hoor ik dat we een chaperonne hebben op onze huwelijksreis, van wel acht jaar oud.

Ik ben heel kwaad dat dit is gebeurd, zonder dat er mij zelfs maar naar gevraagd is. Maar om eerlijk de waarheid te zeggen ben ik ook opgelucht dat Sadie met ons meegaat. Ik ben nog nooit lang alleen geweest met Moe en ik kan niet zeggen dat ik me erop verheug.

We rijden naar New York met zijn drieën op de voorbank. Ik ben daar niet meer geweest sinds ik een kind was en ik heb nooit de buurten gezien waar je geld voor nodig hebt: restaurants, warenhuizen, hotels, Broadway. Moe neemt een grote kamer voor ons in het Plaza Hotel met een raam dat uitkijkt op Central Park, een hemelbed en zelfs een telefoon. Zo veel deftigheid maakt dat iedereen zich een koningin zou voelen. Maar het is te moeilijk voor mij om te genieten van het plezier dat Moes geld kan kopen als Moe, diegene die het gekocht heeft, erbij is inbegrepen.

We hebben een bank in onze suite en als je de kussens eraf haalt is het een bed voor Sadie. Ik begrijp dat hij haar heeft meegenomen omdat hij zich geen raad weet met seks. Ik lach in mezelf. Tijdens mijn huwelijksreis zal ik tenminste geen problemen hebben. Maar later die nacht, als Sadie naar de wc gaat, ach. Moe rolt boven op me – zo vlug dat ik krijs zoals ik een klein katje eens heb horen doen toen mijn neef het achternazat, een klein krijsje dat waarschijnlijk alleen door je soortgenoten wordt gehoord. Volgens mij moet een vrouw in haar huwelijksnachtsuite een deur hebben waar ze ongedeerd uit kan wandelen, als ze dat wil.

Als er al een deur is, dan zie ik die niet. Woede trekt door mij heen als rode inkt door een witte doek. Het lijkt wel of ik in brand sta. Ik ben ook duizelig. Omdat ik mama hoor zeggen: 'Hij heeft een goed hart.' Ik weet dat dit waar is. Ik weet ook dat deze krankzinnigheid het beste is wat Moe te bieden heeft. En het huwelijk zal voor mij zijn: proberen er het beste van te maken.

Rita komt in 1928, op het ogenblik dat Moes geld stijgt op de aandelenmarkt alsof er geen morgen bestaat. Dan wil Moe een jongen, na Rita. 'Als het een jongen is, dan is het een jongen,' zeg ik. 'Als er een meisje komt, dan komt er een meisje. Wat doet het ertoe?'

Maar ik weet wat ertoe doet. Een jongen kan hem helpen in de zaak.

In het voorjaar van 1929 wil hij een lening afsluiten met de zaak als onderpand, hij wil een warenhuis laten bouwen voor luxe badkameronderdelen. Maar de bankier wijst hem af. Je kunt je niet voorstellen hoe hij daarover scheldt en tiert – totdat hij een bank vindt die wel doet wat hij wil. Hij brengt meteen al zijn geld van de oude bank naar de nieuwe.

Wel. In de herfst gaat zijn oude bank failliet in de crash; de nieuwe blijft solvabel. Moe loopt rond alsof hij de meester van het universum is.

Een paar maanden na de crash, in december 1929, gaat hij terug naar het oude land om zijn moeder te bezoeken. Dat is fijn, nu ben ik alleen met de baby. Als Rita slaapt, slaap ik ook. We eten als we honger hebben. Ze heeft al een vriendin, Pearls dochtertje, Nora. Ik kan Pearl bellen en vragen of ze allebei komen, 's morgens of 's middags als haar zoontje op school is en haar man in zijn bakkerij.

Ik kom ook te weten dat er een kosjere slager is die aan huis bezorgt. Als ik er niet ben betaalt het Ierse meisje, dat op onze zolder woont, en zij legt het vlees in de ijskast. Ik heb weliswaar geen apart servies voor *milkich* en *fleisjig*, zuivel en vlees, maar ons vlees is kosjer en ik maak geen kwarktaart als dessert op avonden dat we vlees eten! Eerlijk gezegd voel ik me trots dat ik een manier heb gevonden om een beetje kosjer te zijn. De avonden dat Mollie bij mij komt straal ik licht uit als een auto in het donker.

Het zijn dagen waarop er weinig gebeurt en daar hou ik van. Ze zijn zo anders als Moe er is. Als hij er is schreeuwt hij elke vijf minuten iets idioots – 'Rita zit te spelen bij de kranten! Waarom speelt ze bij mijn kranten?' of hij stormt de keuken binnen als ik aan het koken ben. 'Waarom neem je twee kippen voor de soep omdat je ouders en je zuster komen eten?' Als ik een bad neem voor ik naar bed ga, om te ontspannen, schreeuwt hij door de deur dat het een aard heeft. 'Een goeie kokkin,' schreeuwt hij, 'kan met een halve kip toe!'

Hij stoort me elk ogenblik, hij wil antwoord. Voortdurend doet hij zo. Voortdurend.

Maar dan neemt hij een zak met ongepelde walnoten en doet een spelletje met Rita, hij gooit die noten van de zak in de schaal en weer terug. Het is leuk om een vader te zien spelen met zijn dochter. Het ongeluk is, dat zijn concentratie niet zo lang is als die van het kind, niet meer dan tien minuten.

Wel. In Riga laat hij een fotograaf foto's maken van hem en zijn moeder, Leah. Een ervan gebruikt hij als ansichtkaart. Zulke ernstige gezichten heb je nog nooit gezien. Ze draagt de nertsstola die hij voor haar heeft meegenomen.

'Moeder wenst ons veel geluk, dat we altijd gelukkig mogen blijven en dat jij een broertje krijgt voor Rita,' staat er op de achterkant.

Prachtig, prachtig. Zeg maar wat je wilt, denk ik, terwijl ik het kind een schone luier omdoe of de was in de wasmachine stop. Ik ben nog niet gelukkig met jou; een broertje voor Rita zal daar niets aan veranderen. En ik kan jouw zaad niet in een jongen veranderen. Stuur je ansichtkaarten dus maar naar God, niet naar mij.

Midden februari komt hij terug met zijn zuster Raisl – weer een met een ernstig gezicht. We noemen haar Rose, een naam die helemaal niet bij haar past, als je het mij vraagt. Of je moet een roos bedoelen die is verdroogd. Zelfs voor ons huwelijk praatte Moe niet vaak over die zuster. Wel over Masja, die van boeken houdt en met de dokter is getrouwd. Maar over Rose zegt hij alleen maar dat haar man haar heeft verlaten toen ze pasgetrouwd waren, toen hun zoon Daniel nog klein was. Daniel is nu een jonge man, een jaar of twintig, denk ik. Hij is natuurlijk meegekomen naar Amerika.

Rose geeft me de sjabbeskandelaars van haar moeder. Ik zet ze op de eettafel, goed gepoetst, zodat er iets in het huis is dat glanst. Moe geeft de foto van zijn moeder aan een klant die een zoon heeft die kan schilderen en geeft hem een paar dollars om haar levensgroot uit te beelden. Hij hangt haar portret boven de schoorsteenmantel.

Nu hebben we zijn moeders gezicht en een tijdlang nog twee mensen in huis. Rose kookt; Daniel helpt Moe in de zaak. Ik vind hun gezelschap wel aangenaam, om eerlijk de waarheid te zeggen. Ze willen allebei Engels leren en omdat Rita net woordjes leert kunnen we met zijn allen een prettige tijd hebben en iets van de taal opsteken. Nat. Droog. Eten. Slapen.

Na twee maanden zegt Moe dat hij er genoeg van heeft. Wat is het probleem? We hebben zelfs nog een slaapkamer over. Ik denk dat Moe Rose gewoon niet mag. En ik denk dat hij het niet prettig vond om zijn moeder en zijn andere zusters, vooral Masja, achter te laten. Masja en haar dokter hebben een zoontje, Asjer, van vijf of zes; en Ruchl is een jaar of drie. Hij verdient goed, haar man. Hij heeft Amerika niet nodig.

Wel. Moe wil niet meedoen met ons taalspelletje. Hij wil zelfs helemaal niet praten met zijn zuster of met Daniel. En als ik hem vraag waarom, doet hij alsof hij doof is. 'Mosje Zeitlin!' schreeuw ik op een morgen als hij zich aankleedt. 'We moeten wat bespreken! Rose moet naar de dokter en zij en je neef moeten echt les hebben in Engels. Je moet ons daarvoor wat geld geven!'

Maar dat wil hij niet.

Ik weet niet hoe iemand zich kan afsluiten van de smeekbeden van iemand anders, vooral als die iemand nota bene zijn vrouw is. Maar als het bedtijd is en ik in onze kamer over Rose of Daniel begin, kruipt hij in bed met zijn rug naar me toe en legt zijn hoofd op het kussen dat ik net heb opgeschud, alsof ik niet besta.

In die tijd word ik weer zwanger. Ik voel die kleine steen in me groeien, die niet alleen de krankzinnigheid van mijn man absorbeert, maar ook de mijne.

Al heel gauw vindt Moe een flat voor Rose en Daniel boven een speelgoedwinkel in Taylor Road. Hij heeft twee kamers. Zelfs als je die samenvoegt is de hele flat nauwelijks groter dan een kast. Zij is dankbaar, maar ik schaam me. We kunnen ons meer veroorloven. Ik heb het gevoel dat hij in Riga waarschijnlijk geprobeerd heeft Masja mee te krijgen en Rose bij zijn moeder te laten. Daar krijg ik een vieze smaak van in mijn mond. Als ik het hem vraag, kijkt hij me net zo aan als de eerste dag toen ik bij hem op de zaak kwam; hij weet niet wat hij moet zeggen. Als hij wel wat zegt zal hij misschien uit elkaar springen.

Ach. Het is allemaal onzin wat ik denk en wil.

Minder dan een jaar nadat zij terug zijn gekomen uit het oude land wordt mijn tweede dochtertje, Celia, geboren. In januari 1931.

Tijdens de weeën schreeuw en huil ik. Ik voel me als een hobo, met kleine en grote gaatjes, die eenzame, vreemde geluiden maakt. Ik heb eens een radioprogramma gehoord waarin alles over dat instrument werd verteld en ik vond het interessant. Enfin, toen Celia eruit kwam duurde het zo lang voor ze schreeuwde dat de dokters een beetje ongerust werden. Maar Celia laat zich niet in de war brengen. En als ze dat wel is, dan verbergt ze het. Terwijl ze geboren werd gaf ze geen kik. Toen de dokter haar eindelijk een klap gaf, dreinde ze een beetje.

Ik leg haar direct aan de borst. Ik wil haar borstje tegen het mijne voelen, dan kan ik haar vederlichte ademhaling volgen.

Ze is niet de zoon die Moe wilde. Ze is Celia. De eerste dagen laat ik hem mijn kamer niet binnen. Ze is zo teer, zo lief, ik ben bang dat hij haar pijn zal doen. Hij kan zo ruw zijn, Moe. Ik vraag de verpleegsters of ze hem bij me weg willen houden, hem iets willen wijsmaken, het kan me niet schelen wat.

Rita schopte en krabde toen ze op deze wereld kwam. Ze kwam er vechtend uit en beet in mijn borst als een hongerig paard in een bos hooi. Ze kan altijd wel eten.

Celia is anders. Ze zou het liefst altijd in mijn buik zijn gebleven. En als ze eruit wordt gegooid, wel, zij is niet iemand die zich tegen het gezag verzet. Dus in dat opzicht lijkt ze op mij.

Ik leg haar aan de borst. Mijn melk komt snel; dat had ik met Rita ook. Maar Celia wil die niet. Ze wil niet drinken. Ik doe alles wat ik maar kan bedenken – ik geef haar mijn vinger om op te zuigen, dan mijn tepel, heel vlug. Ik ga plat voor haar liggen, leg een warme sjaal over mijn borsten zodat ze warm zijn voor ik haar kleine lichaam ondersteboven hou, over mijn schouder...

Niets helpt: ze wil mijn melk niet. Ten slotte zegt de dokter dat het tijd wordt om haar de fles te geven. 'We willen niet dat ze verhongert,' zegt hij.

Ik voel het als een mislukking, om de waarheid te zeggen. Mijn melk is de beste liefde die ik te bieden heb en mijn kind wil het niet aannemen. Wat kan ik doen? Ik weet dat ze melk moet hebben om in leven te blijven. Ik weet ook dat ze liefde nodig heeft; en die zal moeten komen uit een deel van mijn lichaam dat ik nog niet ken – niet uit mijn borsten.

Dus vraag ik om de fles en ik zeg tegen de zuster dat ze Moe binnen moet laten. Ik kan hem niet altijd buiten laten staan. O, wat schreeuwt ze als hij binnenkomt! En hij wordt verlegen. Hij neemt zijn hoed af en komt l-a-n-g-z-a-a-m binnen. Alsof hij een bezoeker is, niet de vader. Als de zuster de fles brengt geef ik die aan Moe en dan geef ik hem aan Celia. Ik giechel een beetje, nu ik hem zo lief en hulpeloos zie. Hij gedraagt zich wel goed met haar.

Als Celia geboren is, werkt Moe nog harder in de zaak, als dat mogelijk is. Misschien denkt hij dat hij, omdat ze een meisje is, het alleen zal moeten doen en dan kan hij het maar beter goed doen. Misschien omdat het nieuws uit Europa zo dreigend is. We weten allemaal dat er oorlog komt. Ik blijf er kalm onder: ik kan kalm blijven bij praktisch alles, ik kan leven met de duivel. Ik was nog geen jaar met Moe getrouwd of ik wist dat al.

We schrijven en sturen geld en telegrammen naar Leah en Masja zoals altijd, maar ze schrijven maar zelden terug. Wat kunnen we nog meer doen?

In zijn werk kan Moe zijn handen gebruiken. Hij heeft veel energie en die stopt hij in de zaak, als een gek. Hij beweert dat ik de enige ben die hij kan vertrouwen met de boekhouding – en dat betekent dat ik met hem mee moet naar de zaak voor vier, soms vijf dagen in de week. Om zes uur 's morgens gaan we de deur uit. Ik heb nog geluk omdat ik hulp in de huishouding heb, denk ik maar. Ons Ierse meisje blijft bij de kinderen op de dagen dat ik naar de zaak ga. Rita praat al, ze is tweeënhalf. Celia is zes maanden als ik terugga naar Moes boekhouding, de rustigste baby die er bestaat. Ze lijkt meer op een oude man dan op een kind.

Ik vind het idioot dat mijn zusters en ik meer tijd hadden met mijn ouders dan Rita en Celia met ons. Want ik wil dat ze plezier hebben. Maar het zijn dagen van twaalf uur. Meestal zijn we niet voor halfzeven thuis. Ik begin te denken dat ik een slechte moeder ben, omdat ik mijn man er niet van kan overtuigen dat de meisjes me meer nodig hebben dan zijn boekhouding. Eens stelde ik voor om het thuis te doen en toen heeft hij twee weken niet met me gepraat. Dit voorjaar klaagde ik in mijn moeders portiek tegen Mollie dat ik zo'n hekel had aan die zaak – ik was bang voor de zomerhitte in die achterkamer. Wel, Moe hoorde dat, liet papa's kranten die hij aan het lezen was in de steek en kwam naar buiten. Hij sloeg me, een rode vlek op elk van mijn wangen.

Mama was er snel als de bliksem bij en nam hem mee naar de slaapkamer om hem de mantel uit te vegen. Toen ze terugkwam zei ze: 'Hij zal je niet meer slaan.' Ik weet niet wat ze heeft gezegd of gedaan, maar ik wist dat ik haar kon geloven. Maar ik was er niet op voorbereid dat Moe een maand lang niet met me praatte.

Mijn hart is zo verscheurd, zo verward. Ik denk eraan dat Moe nog maar vijftien was toen hij bij zijn moeder wegging en dat hij bijna twintig jaar geleefd heeft zonder vrouw. Toen werd ik naar hem toegestuurd als zijn boekhoudster en werd ik zijn vrouw. En na zo'n eenzaam leven legt hij zichzelf de plicht op om zijn familie uit de handen van de nazi's te redden. Uit al die jiddische kranten die hij leest krijgt hij een duidelijk beeld van wat er gaat gebeuren in het oude land. Een duidelijk beeld waar hij stapelgek van wordt.

'Wer weis,' zegt mijn moeder. 'Wie weet? Misschien heeft hij je meer nodig dan je kinderen.'

Ja, misschien. Als ik die dingen overweeg helpt het me om een beetje vriendelijk over hem te denken. Ik vermoed dat hij niet genoeg plaats in zijn hoofd heeft voor de zorgen van een vrouw met twee kleine kinderen, ook al zijn ze van hem.

Ik weet dat hij gek is, in de war. Maar ik leer leven zonder te praten, ik ben taai. En als ik bij hem wegga, wat dan? We zouden gemeden worden zonder man in huis, en arm zijn als kerkratten.

Ik moet toegeven dat ik de moed niet heb om een eind te maken aan dit huwelijk. Wat er ook komt, ik zal mijn tanden op elkaar zetten en er het beste van maken.

De mensen zeggen dat Celia een aparte schoonheid is – *aza sjeinheit is in der welt nit tsu gefinen* – een schoonheid niet van deze wereld. Ik zie dat ze knap is, zeker. Maar dat van die andere wereld zie ik niet.

Als ze ouder wordt merk ik dat er iets sterks is tussen Celia en Moe, iets dieps, iets wat op eerbied lijkt. Maar er smeult een vreemd gevoel in me als ik ze samen zie. Het is niet iets waar ik de vinger op kan leggen, maar als hij naar haar kijkt lijkt hij een beetje dronken.

A spesielen ferbund zei gehot, zeg ik bij mijzelf, ze hebben een speciale band. Een plaats waar ik niet moet binnengaan.

Op een dag dat Moe terugkomt van een reis om loodgietersgereedschap te verkopen vind ik een doos in zijn kast. Er zit een beschilderd wandbord in met een naakte dame erop. Ze is gehuld in doorzichtig chiffon met de kleur van zeeschuim en een zwaan steekt zijn snavel in haar richting. Ik ben niet preuts, ik weet dat het menselijk lichaam mooi kan zijn. Maar als Pearl langskomt om een ei te lenen, nog geen halfuur later, merkt ze direct dat er iets is. Ik schaam me over dat wandbord, besef ik nu.

'Ik denk,' zeg ik, terwijl ik het haar laat zien, 'dat hij in al die eenzame jaren allerlei mannelijke begeertes had.'

Pearl kijkt me medelijdend aan. Als ze haar hand op mijn schouder legt, ga ik niet weg.

Een week later wil Moe het wandbord ophangen. Het is april 1941. De oorlog is in volle hevigheid losgebarsten. Moe zegt dat we iets moois moeten hebben om naar te kijken om ons door die donkere tijd heen te helpen. We hebben allang niets meer van Masja gehoord. Haar laatste brief kwam een jaar geleden. Ze schreef dat hun moeder was gestorven, rustig in haar slaap. 'Goed, Moe,' zeg ik en ik voel mijn kaken stijf worden, 'doe maar wat je wilt.'

Maar dan hangt hij die vrouw boven Celia's hemelbed met een groen, ge-bloemd dekbed over de gewatteerde deken. Ze heeft ook een toilettafel met een spiegel, maar ik geloof niet dat ze daar ooit voor zit. 'Wat ben je aan het doen?' zeg ik. 'Celia is een kind van tien! Wat haal je nou voor een idioot idee in je hoofd?'

Hij negeert me natuurlijk. Hij slaat de spijker in de muur en hangt het wandbord eraan, zoals hij het hebben wil. Ik zie dat ik geen enkele kans heb om dit gevecht te winnen. Ik heb zin om mijn deegroller te pakken en hem daarmee de hersens in te slaan. De meisjes zijn bij Mollie, het is zondag. Ze heeft ze mee uit eten genomen in de stad, een uitje. Ik heb een visioen, ik zie ze binnenkomen en staren naar hun bebloede vader op het Perzische kleedje in Celia's kamer. Wel, ik kan me niet voorstellen dat daar iets goeds uit voort kan komen.

Ach. Ik zou meer fantasie moeten hebben.

Zodra Mollie de kinderen heeft afgeleverd en weg is gegaan zegt Moe: 'Celia! Ik heb een verrassing voor je. In je kamer.'

Wat moet een moeder in zo'n situatie doen? Celia wordt opgewonden, ook al is ze nog zo verlegen. Dat is toch natuurlijk? En het is vreemd voor Rita, want zij krijgt niets.

Mijn hoofd is helemaal in de war, ik probeer iets te bedenken om hieraan een eind te maken.

'Ida, jij en Rita moeten beneden blijven,' zegt Moe.

Ik wil protesteren, maar ik slik mijn woorden in. Rita zegt: 'Ik ga naar bui-ten.'

Als alles gewoon was zou Moe het hele huis op stelten zetten als hij haar zo hoorde praten, 's avonds alleen buiten spelen, stel je voor; maar nu zegt hij niets. Ik kan niet zeggen dat ik er blij mee ben, maar op dat ogenblik wil ik haar vrijheid niet beperken. 'Twintig minuten,' zeg ik en ze knikt.

'Het is een moeilijke tijd nu het oorlog is, Celia,' zegt hij, terwijl we de trap opgaan. Ik volg zo zacht als ik kan. Ik laat haar niet alleen met hem. 'Maar een mooi meisje als jij moet weten dat je me iets geeft waar ik graag naar kijk in deze oorlog, nog mooier dan deze vrouw.' Dan knipt hij het licht aan.

'Het is Nemesis,' zegt hij. 'De Griekse godin van het noodlot.'

Ik word misselijk. *Wat in godsnaam zegt hij tegen Celia, wat doet hij haar aan?* Een meisje van tien wil een nieuwe pop, geen naakte vrouw! En wij zijn jóden – geen Grieken! *Moe Zeitlin, wil ik schreeuwen, we gaan niet op jouw manier naar de dingen kijken! En wat goeds kan er van komen als je de last van de schoonheid aan een kind geeft – nu het oorlog is, nota bene?* Maar ik sta daar als verstijfd, met in mijn hoofd honderd dingen die ik niet kan uitspreken.

En dan, God vergeve me, komt er een vlaag van angst over me dat Moe niet alleen maar onzin praat. *Dat hij Celia betast.* En ik weet op dat ogenblik: *Celia is gewond, wordt misschien zelfs krankzinnig, haar hele leven lang.* Mijn knieën knikken. Ik steek mijn hand uit naar de leunstoel zodat ik kan gaan zitten, maar ik beland op de vloer. Snel als een krankzinnige kijkt Moe op van zijn wandbord – dat door mijn val geen centimeter is verschoven – en ziet wat er gebeurt. Celia glipt de kamer uit.

Nog maanden na die avond kan ik alleen maar inslapen nadat ik gebeden heb dat mijn dochter op de een of andere manier zal weten dat haar vader het goed bedoelt. Dat er heel wat meer in de wereld te koop is dan hij weet. Dat ze weet dat ik van haar hou met mijn hele, onvolmaakte hart en mijn hoofd dat maar niet kan ontdekken hoe je twee meisjes moet voeden en een huis moet betalen zonder de hulp van een man. Behalve bidden weet ik niet wat ik moet doen.

Ik heb een moeilijk leven in een groot huis en ik verdraag het. Een vrouw heeft tegenwoordig geen middelen meer om haar woede af te reageren. Je moet voorzichtig zijn als je groenten snijdt. Als je de plastic verpakking van een kip aftrekt, hem kruidt en in de oven schuift geeft dat niet zo veel voldoening als wanneer je hem de nek omdraait en zijn veren plukt. Als je de was doet, hoef je alleen maar op een paar knoppen te drukken. Mijn moeder ging elke maandag naar de kelder met de kleren en het linnengoed van zeven kinderen en dat van haar en papa ook, en ze kwam pas rond etenstijd terug. Als ik de deur opendeed hoorde ik haar soms zingen. Soms klonk haar stem meer als gekreun of gejammer. Ze was moe als ze weer boven kwam, zeker; haar vingers waren opgezwollen en vuurrood. Maar ze kwam naar boven met een lichter hart, alsof ze haar zorgen met het vuil had weggeschrobd.

Als ik werk zit ik aan een bureau in Moes zaak of ik sta bij mijn gootsteen of bij het aanrecht. Wat er in de lucht hangt gaat over in mijn heupen en mijn benen, tot mijn lichaam zo zwaar is als oud hout. Hoe ouder ik word, hoe zwaarder.

Oud hout geeft een felle vlam als je het verbrandt. Misschien houd ik daarom mijn woede binnen en maak ik geen ruzie als Moe dagenlang niet praat. Want als ik zou zeggen wat ik werkelijk meende, dan zou dit hele huis in vlammen opgaan.

7

1982 ❧ 1983

Hannah

Ik vlieg naar Boston met de deegplank van oude Channa, mijn oude Smith-Corona schrijfmachine en twee duffelse tassen vol met kleren. Ik heb al zes dozen vooruitgestuurd met keukengerei, linnengoed en boeken.

Ik maak mijn riem vast en denk aan mijn nieuwe baan, ik voel me de gelukkigste afgestudeerde van de wereld en ik ben de laatste twee weken elke morgen opgestaan met diarree. Julie kwam een paar maal langs om te helpen met inpakken en ze nam zelfs *hummus* sandwiches voor me mee met alfalfaspruiten en tomaten – maar ik kon nauwelijks eten. Ik was te bang voor al die veranderingen.

Hal heeft me maar eenmaal gebeld, om te zeggen dat ik een trui bij hem had laten liggen en toen hij hem kwam brengen kwam hij binnen en deed vlug een stap achteruit toen ik hem omhelsde. Ik vond dat onaardig – we hebben elkaar altijd lang omhelsd. Maar misschien was hij gewoon eerlijk.

Julie heeft een nieuwe man in haar leven, een musicus die wil dat ze bij hem komt wonen. Dat is het enige waarover ze praat. Ik weet niet eens of ze wel gemerkt heeft hoe bang ik ben en hoe idioot ik het vind dat ik zo bang ben. Want het is toch erg fijn dat ik die baan in Boston heb gekregen.

Boven het lawaai van de motoren uit wordt in mijn hoofd de lijst met mijn angsten afgeteld. *Boston is zo'n grote stad! Ik ben daar nog nooit geweest. Ik ben alleen. Stel dat ik een hekel heb aan dat baantje? Of als mama mijn telefoonnummer kwijtraakt? Ik heb het haar gestuurd in een brief. Misschien had ik haar moeten bellen. Misschien had ik een baan dichter bij Seattle moeten zoeken.*

De litanie hield gisteren eventjes op toen Marie kwam om mijn dozen naar het postkantoor te brengen. Ze gaf me een nieuwe blocnote en een doosje pennen. 'Dit is het echte thuis,' zei ze glimlachend terwijl ze naar haar geschenken keek, 'voor een schrijver.' De laatste keer dat we bij elkaar kwamen om over mijn gedichten te praten vertelde ik haar dat Ann Harbor mijn huis was sinds mijn moeder niet meer met me praatte en dat zij mijn anker was geweest. Nu ik naar een andere stad ga weet ik dat ik geluk heb gehad – en ik ben weer alleen.

Marie drukte me stevig tegen haar brede botten toen we afscheid namen, toen nam ze mijn gezicht in haar handen en fluisterde: *zet je stempel op de wereld!*

Ik genoot van haar bevel als van een lekkere maaltijd. Ik voelde me zelfs haar vertrouwen waardig. Nu kijk ik uit het raam van het vliegtuig. Ik zie stukken oranje en geel, bomen beginnen te kleuren. *Het is een nieuw seizoen.* Ik pak mijn rugzak en haal er de manilla envelop uit met de foto's die oma me gegeven heeft toen we haar oude koffer opruimden. Ik ga langzaam door de foto's, dan haal ik mijn blocnote te voorschijn en schrijf een gedicht over mama.

Het is vreemd dat mama altíjd mijn onderwerp is – zelfs na mijn eerste verhouding, zelfs nu ik een nieuwe wereld intrek.

De taxi rijdt door een lange tunnel. Mijn duffelse tassen liggen op de bank naast me. Als we een doolhof van straten binnenrijden doet de drukte me duizelen.

'Je bent een gelukskind,' zei Nancy Sullivan toen ze me belde omdat ze een gemeubileerde flat met huurbescherming voor me had gevonden van een vrouw die met haar vriend zes maanden op proef gaat samenwonen. 'Ik ken mensen die hun hele leven hebben gezocht naar een flat met huurbescherming.' Nancy, Maries vriendin, leidt het Wilde Vrouwen Centrum waar ik les ga geven. Ik klem me aan haar woorden vast als we over de Charles River rijden, die vol ligt met zeilboten.

Mijn flat in Inman Street in Cambridge ligt zeven blokken van het metrostation Central Square, twintig minuten lopen van Harvard Square. Het is een bakstenen huis van vier verdiepingen hoog, gebouwd in de jaren twintig, geflankeerd door twee bomen die net zo oud moeten zijn.

De taxichauffeur zet me af. Ik vind twee sleutels in een envelop in de brievenbus, zoals afgesproken. Ik doe de deur van de hal open en kijk naar de trappen die ik zal moeten beklimmen, met mijn tassen, naar mijn flat op de derde verdieping.

Het is zes uur als ik mijn deur open. Straaltjes zonlicht vallen op een oud kleed in het midden van de huiskamer. Er staat een tweezitsbankje onder de erker, met een schommelstoel ernaast; een bureau tegen de muur. De muur tegenover de erker is de keuken: een rij gereedschap, een werkruimte en een kleine eettafel. De hal begint bij de voordeur. Hij staat vol boekenplanken, er is een zachtblauwe badkamer en een klein slaapkamertje aan het eind.

Nancy heeft een briefje voor me achtergelaten op de tafel met een kaart van Cambridge. Drie blokken verderop is een vrouwenboekhandel die New Words heet en een reformwinkel, Bread & Circus.

Ik hang mijn kleren in de slaapkamerkast, zet de schrijfmachine en zijn *American Heritage Dictionary* op het bureau en open de keukenkastjes om te zien of ze, net als de boekenplanken, leeg zijn, zoals Nancy heeft gezegd. Ik ga op weg naar Bread & Circus en verheug me over de bomen in mijn nieuwe buurt. Ik ben misschien vijf minuten in de winkel als een jongetje begint te huilen bij de kassa. Ik sta in de groenteafdeling, voor de sla, ik weet niet of ik rode sla of krulsla moet kiezen. Als een andere klant een krop bindsla pakt, vinden onze ogen elkaar omdat de jongen huilt. Ik zie zijn moeder bij de kassa. Ze heeft een rode jas, een keurig blond kapsel en een gezicht van steen. Haar winkelwagentje is propvol. Ik wil iets doen, iets om hem te troosten, maar ik sta daar maar en kijk naar ze tot de caissière de creditcard aan de moeder teruggeeft en zij met haar huilende zoontje en haar boodschappen de winkel uitrijdt.

Als ik weer thuis ben krul ik me op in de vorm van een ei op het kleed in de huiskamer en rek me uit naar de laatste zonnestralen van de dag. Ik en mijn tassen zijn alleen op dat kleed.

Als ik uit mijn schaal kruip (mijn handen hebben een wieg gemaakt voor mijn hoofd) trek ik het bankje bij een van de poten van de muur af. Ik schuif het kleine boekenkastje ernaar toe; dat stond onder het raam. Ik duw het bureau naar het raam: nu heb ik uitzicht op de boomkruinen van Cambridge als ik schrijf. Het bankje wacht nog op zijn nieuwe plek. Ik manoeuvreer het naar de eettafel: als ik gasten heb, kunnen ze daar uitrusten terwijl ik kook.

Als ik bij het hakblok sta met broccoli, forel en mijn lievelingsmes, draai ik me om en kijk naar mijn nieuwe huis. Mijn eigen binnenste voelt aan alsof het gelucht is en klaar voor gebruik.

Het Wilde Vrouwen Centrum staat in Lawrence Street in Cambridgeport, vlak naast een klein speelplaatsje en basketbalveldje, tien blokken van de rivier de Charles. De inwoners van Cambridgeport zijn een mengsel van gezinnen met kinderen, kunstenaars en pas afgestudeerden; West-Indische immigranten, Afrikaanse Amerikanen, Porto Ricanen en blanke arbeiders. Aan de overkant van de rivier, in Brighton, zijn kortgeleden immigranten uit Zuid-Azië neergestreken. Vrouwen uit die buurt gaan hier ook naar school.

Vanuit mijn flat kan ik in vijfendertig minuten naar het Centrum lopen. Als ik het goed uitkien kan ik in Mass. Avenue een bus nemen door Magazine Street naar Lawrence en dan spaar ik een kwartier uit. Het Centrum is een honderd jaar oud korenblauw Victoriaans huis, de naam staat decent vermeld op een bord dat op de voordeur hangt. Ik moet bekennen dat ik hier ook ben omdat ik de naam van het Centrum zo leuk vind.

Ik heb een groene corduroy broek aan, een gele bloes en een rood geblokt vest. Ik moet zulke nette kleren dragen om ouder te lijken. En mama zei altijd, toen ze nog inviel op die school in Cleveland, dat je beter conservatief kon beginnen om je leerlingen respect af te dwingen.

Ik loop de paar stoeptreden op en kom in een gezellige kamer met twee enigszins versleten banken en een hoge boekenkast. Er zijn nog twee kamers op de eerste verdieping: de kamer van de kinderbescherming en de keuken. Op de tweede verdieping is een klaslokaal met een ronde tafel met vouwstoeltjes eromheen en Nancy Sullivans kantoor, daar staat ook een bureau dat alle leraren kunnen gebruiken. Op de derde verdieping vormen een dozijn houten lessenaars een slordige cirkel; in een ander klein kamertje staan twee dikbeklede stoelen.

Nancy geeft me twee groepen van dertien vrouwen, die bijna klaar zijn om de GED-test af te leggen; ze komen driemaal per week. 'Die vrouwen moeten leren schrijven,' zegt ze. 'En jullie moeten er allemaal plezier in hebben.'

Ze geeft me vlug een tikje op mijn schouder. 'Als je me nodig hebt,' zegt ze, 'ik ben in mijn kantoor bezig met subsidieaanvragen. Ik weet zeker dat je het heel goed zult doen.'

Als ze weggaat denk ik dat minstens een van ons gek moet zijn. Ik heb heel wat gelezen en geschreven in mijn leven, maar ik heb nooit lesgegeven!

Ik ga zitten aan de ronde tafel en wrijf een vlek op mijn vest weg met spuug terwijl ik op mijn leerlingen wacht. *Ik heb me niet goed genoeg voorbereid. Ik weet niets van lesgeven, ik weet alleen dat ik het leuk vind om in mijn dagboek te schrijven.* Ik hoor de hese stemmen van vrouwen die de trap op komen, ze giechelen, ze plagen elkaar. Het lijkt erop dat iemand dit weekend een leuk afspraakje heeft gehad. Als ze bij de deur van het klaslokaal staan en mij zien zitten met mijn open blocnote aan de ronde tafel worden ze zo stil als muizen.

Het gestencilde artikel dat ik wil uitdelen en het lesrooster liggen netjes op tafel, die geven me een doel en een zekere volwassenheid. Maar deze vrouwen zien vast wel hoe klein en jong ik ben. *Hoe onervaren.*

De leerlingen gaan zitten en wenden hun ogen af. Ze zijn verschillend qua leeftijd, uiterlijk en kleur. Ze gaan voorzichtig zitten, alsof ze in een kamer van porselein zijn die kan breken. Ik vraag hun naam.

'Marianne Donnelly,' zegt de vrouw die naast me zit.

'Marianne Donnelly,' herhaal ik en ik draai me om zodat we elkaar aan kunnen kijken. Ze is stevig gebouwd, haar huid is even bleek als de mijne, ze heeft kort zwart haar, een zwaar Boston-Iers accent en een afgebroken voortand die haar er niet van weerhoudt te lachen. Ze is een jaar of negentien, vermoed ik.

'Belle Jimenez.' Ze ziet eruit als vijfentwintig, waarschijnlijk een paar jaar ouder dan ik. Ze heeft het lichaam van een atlete, een romige, lichtbruine huid, de spieren rollen uit haar T-shirt als vlugge ballen en ze heeft een Spaanse zangerigheid in haar stem.

'Saundra Naylor.' Ze heeft een diepe, volle stem die past bij haar donkere huid. Ik zie hoe haar hand onder de tafel rust op haar dikke buik. Ze is minstens veertig. Ze wil me niet aankijken.

'Marianne Donnelly, Belle Jimenez, Saundra Naylor,' zeg ik. De herhaling houdt de aandacht van de groep gevangen en versterkt mijn geheugen.

'Kunthea Rath.' Ze beantwoordt mijn glimlach niet, maar ze is niet bang om me aan te kijken en te knikken om me te laten weten dat het werk dat we samen gaan doen haar ernst is. Ik kan niet zien hoe oud ze is. Ze is klein en fijngebouwd net als ik, ze heeft een nette, hoge stapel boeken voor zich op tafel liggen.

'Wat is dat nou voor een naam?' laat Belle Jimenez zich ontglippen. 'Kunt Rat!'

Ik denk niet dat Belle weet hoe agressief ze klinkt. Haar glimlach is breed en warm, maar haar grofheid snijdt als een mes. Toch mag ik haar wel, misschien omdat ze zulke lange vingers heeft en zo'n ondeugende glimlach.

'Kunthea Rath,' zeg ik. 'Cambodjaans, zeker?' Ik kijk naar Kunthea om bevestigd te krijgen wat Nancy me verteld heeft toen we over de aard van het Centrum spraken.

Kunthea knikt.

'Ik vind het een mooie naam.'

'Hm,' zegt Belle en ze bedoelt: ik vind het een idiote naam.

Ik wil mijn hand op Kunthea's arm leggen maar ze is te ver weg. Ik kijk haar vriendelijk aan en hoop dat ze Belle een kans zal geven.

Velma Langley, de volgende vrouw, zou twintig kunnen zijn of vijfendertig. Ze klinkt Jamaicaans, maar ik realiseer me dat ze best van een ander West-Indisch eiland kan komen of van een plaats waar ik nog nooit van gehoord heb.

Ik knik en glimlach gereserveerd. 'Velma Langley,' zeg ik.

Er zijn twaalf leerlingen in deze klas. Ik deel een artikel uit dat ik in Ann Arbor geschreven heb over de geschiedenis van vrouwenarbeid in Amerika. De vrouwen volgen me een tijdlang, min of meer, als ik het hardop voorlees; zo hoort het op school en zij willen goede leerlingen zijn. Dan vraag ik of iemand anders het wil lezen. Er hangt spanning in de lucht, alsof er plotseling een geluiddichte muur wordt opgetrokken en ik de enige ben die mijn eigen woorden hoort. Niemand meldt zich. Ik besluit maar te blijven lezen, ik zou willen dat er iemand was die zei dat het een stom artikel is, zodat ik tenminste kan reageren op een stem.

Nancy heeft me gewaarschuwd, het zijn langzame lezers. Maar ze zijn allemaal zo alert op elke beweging die ik maak, op de veranderingen in toonhoogte in mijn stem, dat ik dat maar moeilijk kan geloven.

Als ik de helft van de leerlingen had, zou ik deze vrouwen individueel kunnen benaderen en horen wat ze nu werkelijk graag zouden willen doen. In plaats daarvan zeg ik: 'Jullie zouden je eigen artikelen kunnen schrijven. We zouden kunnen beginnen met een interview met vrouwen die interessant werk hebben.'

'Dat is vervelend,' mompelt Belle Jimenez, na een lange tien seconden stilte.

Saundra Naylor zegt: 'Hmm.' Daarmee heeft ze mijn voorstel naar de prullenmand verwezen.

De rest zit daar met neergeslagen ogen, ze vermijden mijn blik terwijl ik met vermoeide stem het artikel uitlees. Ik zeg dat ze kunnen gaan. Ik pak mijn papieren bij elkaar en voel dat ik een zere keel krijg.

Marianne Donnelly loopt met me mee terug naar het kantoor, ze wil telefoneren. 'Hoe vind je ons?' vraagt ze.

Ik hoop dat haar vraag een beetje vriendelijk bedoeld is, niet alleen maar een test. Toch ben ik blij met haar reactie. 'Ik zou liever een kleinere groep willen hebben,' zeg ik. *Hoe kun je lesgeven zonder je uit te putten – en de meeste leraren hebben tweemaal zo veel leerlingen als ik. Is het mogelijk om blij een klaslokaal te verlaten?*

'Wacht maar tot november,' zegt Marianne, 'dan is de helft verdwenen.'

Ik ben thuis. Ik moet opstaan uit mijn gemakkelijke stoel, ik moet de kip die ik vanmorgen heb gemarineerd in de oven zetten, de aardappelkugel van gisteren opwarmen en wat broccoli koken.

Ik vang een glimp op van mijzelf in de spiegel en ben verbaasd; ik vóel me zo eenzaam, maar ik zie er goed uit, op mijn gemak. Ik leg de kleren klaar die ik morgen aan wil trekken: een marineblauwe rok en een korenblauw t-shirt, met een lage hals. Ondanks mijn instemming met Maries uitdaging – ik moet een stempel drukken op de wereld – zijn mijn kleren zo nétjes.

In mijn ogen ligt vastberadenheid en ook veel droefheid. Ik heb geen vrienden in deze nieuwe stad en ik kan zelfs mijn eigen moeder niet bellen om daarover te zeuren. Ik laat die gedachte voortsudderen als ik zit voor een hele, prachtig gebraden kip, aardappelkugel, broccoli gesauteerd in olijfolie en knoflook – en de radio.

Waarom kook ik altijd genoeg voor drie of vier mensen?

Ik word wakker met mijn armen om een van de met dons gevulde kussens die mama me gaf toen ik ging studeren. De kleine knoopjes aan de voorkant van mijn lange onderbroek voelen aan als een sensueel spoor. Ik voel mijn huid onder die knoopjes bewegen. Mijn hand glijdt over mijn borsten en het tintelt. In de badkamer zie ik een nieuwe rode berg die op het punt staat uit te barsten op mijn wang. Ik voel me zo kwetsbaar.

Op school zeg ik tegen mijn leerlingen: 'Schrijf "Ik ben degene die" boven aan een blanco bladzijde. En blijf schrijven tot je onderaan bent.' Het is een oefening die Marie kortgeleden suggereerde voor mijn dagboek. De kamer is net een keuken vol stoom, hij wordt heet en zwelt op terwijl iedereen schrijft. Ik kijk alle vrouwen aan als ik het werk ophaal; iedereen kijkt terug en laat me weten dat hun werk respect en zorg behoeft.

'Ik ben degene die bemind wil worden,' heeft Belle geschreven. 'Ik ben degene die hulp nodig heeft maar het niet laat merken.'

'Ik ben degene die wil schrijven over haar leven,' heeft Marianne geschreven, 'vanaf het moment dat ik mijn moeder heb verloren toen ik tien jaar was.'

'Ik ben degene die alsemaar bidt tot de Here,' zegt Saundra. 'Want dat heeft mijn opoe gedaan en zij heb mij opgevoed.' Hazel Cotton, die zelden komt, tweeëntwintig jaar oud, met een allerliefst ondeugend figuurtje dat door een zwangere buik alleen maar wordt geaccentueerd, schrijft: 'Ik ben degene die een dochertje kreig. Dus wil ik vehaaltjes voor haar sgreiven.'

'Ik zou jullie verhalen graag willen lezen,' schrijf ik in de kantlijn en ik begin bijna te rillen als ik denk aan het vertrouwen dat ze me geven. 'Schrijf alsjeblieft terug.' Deze vrouwen willen de verhalen opschrijven die ik wil lezen, begrijp ik – verhalen die vertellen wat het betekent om vrouw en moeder te zijn.

Oktober 1982,
Lieve Hannah,

Denk de hele tijd aan je.
Ik weet zoals gewoonlijk niet wat ik schrijven moet. Erg boos, erg gefrustreerd, erg leeg. Zou graag onze zinvolle relatie willen hervatten. Kan er niet tegen als je schrijft, kan er niet tegen als je niet schrijft. Begrijp dat je me niet nodig hebt en ik kan geen enkele deur openen, daarom trek ik me terug.
Vraag me af of jij die leegte die ik voel hebt gevuld of de deur voor altijd hebt gesloten. Kan alleen maar wachten. Kan je onverschilligheid niet verdragen. Kan niet zijn wat jij wilt dat ik ben. Kan alleen maar mezelf zijn. Hoop dat je niets van je creativiteit, je frisheid, je

verlangen om bemind te worden en te beminnen hebt verloren.
Ik ben hier, zoals altijd,

mama

Ze lijdt. Dat is duidelijk. En ze schrijft alsof ik degene ben die is begonnen met niet te praten. Het klinkt net of ze niet weet dat ik ook lijd. Drie avonden achter elkaar bel ik Seattle. Elke keer neemt Norm op en zegt dat ze slaapt.

'Maar het is bij jullie nog maar vier uur in de middag. Kun je haar niet wakker maken?' vraag ik hem ten slotte. 'Ik denk het niet,' zegt hij. 'Ik vertel haar wel dat je gebeld hebt, wees maar niet bang.'

'Wil je haar zeggen dat ik graag met haar wil praten?'

'Zeker,' zegt hij. 'Maar ze wil niet met jou praten.' Norm klinkt geïrriteerd omdat ik hem gestoord heb. Ik besef dat ik niet veel van hem kan verwachten; misschien kon ik dat wel nooit – hoewel ik hem al die jaren papa heb genoemd.

'Hoor eens,' zeg ik, wanhopig, 'ik wil alleen maar even hallo zeggen.' *Hallo. Ik heb je brief gekregen. Ik loop ermee rond in mijn dagboek. Ik geef les en ik vind het heerlijk.*

'Hannah,' zegt hij, 'ik zal het haar zeggen. En het spijt me, maar ik weet echt niet of ze wel met je wil praten.'

Ik kom thuis van Bread & Circus net op het ogenblik dat mijn buurvrouw de deur uitkomt. 'Hallo,' zegt ze, in onze schemerig verlichte hal, 'ik ben Annie Kingston.'

Ze is lang – waarschijnlijk minstens een meter zeventig en waarschijnlijk achter in de twintig. Ze heeft lang, steil blond haar en een vriendelijk Scandinavisch gezicht.

'Hallo,' zeg ik en ik zet mijn boodschappen neer voor mijn deur zodat ik behoorlijk kennis kan maken. 'Ik ben Hannah Felber. Ik kom uit Michigan, ik ben hier nog maar net.'

'Welkom,' zegt Annie warm. Haar jurk is gemaakt van een zijdeachtige bruine stof die haar omhult als een Romeinse toga.

'Wat een mooie jurk,' zeg ik. *Maar ze heeft glimmend roze lipstick op.*

'O, dank je wel,' zegt ze. 'Hij is Marokkaans. Ik hoor dat je uit Ann Arbor komt. Waarom ben je hier gekomen?'

Ik kijk naar haar op, me zeer bewust van mijn kleine gestalte, mijn donkere ogen en krullen, mijn keurige marineblauwe rok en witte bloes. 'Ik geef les,' zeg ik. 'Op het Wilde Vrouwen Centrum.'

'Wauw,' zegt Annie. 'Dat klinkt fantastisch.'

Ik knik eventjes. 'Ik vind het leuk,' zeg ik. 'Tot dusver.'

'Mm,' zegt Annie. Ze strijkt met haar hand door haar haar, ze begint bij haar voorhoofd. Het treft me dat zo'n aparte vrouw een tic heeft; en ik vind haar daardoor aardig.

'Wat doe jij?' vraag ik.

'Ik ben aan het toneel,' zegt ze. 'Ik speel bij de ART – het American Repertory Theatre. Ik ben op weg naar een repetitie.'

We horen mijn telefoon rinkelen. Als ik me haast om de deur open te maken nemen we vlug afscheid.

'Hannah?' zegt oma, terwijl ik het licht in de keuken aandoe. 'Waarom heb je me niet gebeld?'

'Het spijt me,' zeg ik, niet omdat ik het meen, maar omdat het beleefd is. 'Het was allemaal zoveel. Mijn lessen zijn begonnen.'

'Wat bedoel je met zoveel?'

'Ik heb ongeveer vijfentwintig leerlingen die prachtige verhalen te vertellen hebben,' zeg ik. Het is vermoeiend om oma dat uit te leggen, net als mijn lange dag. 'Maar niet alle opdrachten die ik hun gegeven heb hebben ze goed uitgewerkt. Ik probeer ze opdrachten te geven die creatiever zijn dan: "Wat heb ik in de vakantie gedaan", begrijp je?'

'Wel, welke verhalen wil jij lézen, Hannah?'

'O, oma, dat weet ik niet,' zeg ik en ik trek mijn rechterschouder op en hou de telefoon tegen mijn oor zodat ik beide handen kan gebruiken om de boodschappen op te ruimen. Ik wil met het eten beginnen. 'Ik wil verhalen lezen over hun leven. Ze komen uit allemaal verschillende landen en een groot deel van hen heeft kinderen.'

'Nou,' zegt ze, 'je houdt toch zoveel van familiefoto's? Doe dan iets met familiefoto's.'

'Wat dan?' Ik hoor zelf de geïrriteerde toon in mijn stem.

'Ik weet het niet, Hannah. Vraag of ze een familiefoto willen beschrijven zodat iemand die de echte foto niet kent hem zich voor kan stellen,' dringt oma aan, mijn irritatie negerend.

'Misschien,' zeg ik. Om de een of andere reden wil ik haar de voldoening niet geven – hoewel het een fantastisch idee is.

'Wat heb je te verliezen?' vraagt oma.

'Goed, oma. Ik heb al gezegd dat ik het zal proberen.'

'Nee, je zei "misschien",' snauwt ze terug.

'Zeg oma, ik heb net mijn nieuwe buurvrouw ontmoet.' Ik wil van onderwerp veranderen. 'Ze heet Annie Kingston. Ze is actrice.'

'O?'

'Ja,' zeg ik, 'en ze lijkt heel aardig.'

'Wel, dat is fijn, Hannah.'

'Ja,' zeg ik, 'dat vind ik ook.'

'Doe je ogen dicht,' zeg ik. 'Stel je een foto voor van je familie en beschrijf die voor iemand die hem nooit heeft gezien.' Ik geef alle vrouwen een vel papier en ik merk dat het al stil is in de kamer – een bewijs dat de opdracht in goede aarde is gevallen.

Estelita Cabrao, die in twee maanden maar tweemaal in de klas is verschenen, fluistert me toe in gebrekkig Engels: 'Niet schrijf.' Ze komt van de Kaapverdische eilanden, bij de kust van West-Afrika, waar Portugees gesproken wordt. Ik weet niet hoe lang ze al in Boston is, maar aan het krabbeltje boven aan haar blad papier zie ik dat ze in het Engels nauwelijks haar naam kan schrijven. 'Heb je hier een vriendin?' vraag ik, want ik vraag me af hoe ze bij mij terecht is gekomen. Ze heeft zeeën van tijd nodig.

'Niemand kent me,' zegt ze. Ze heeft grote grijze ogen die niet helemaal dichtgaan. Haar lichaam – zacht en vrouwelijk – schijnt te drijven in droefenis.

'Kom na de les maar bij me op kantoor,' zeg ik. 'Ik wil wel een tijdje met jou alleen praten.'

Maar ze komt niet.

Het is een zaterdagmiddag in maart. Ik lees Joan Chases nieuwe roman During the Reign of the Queen of Persia en ik maak een stoofpot van bruine rijst met prei, terwijl ik zo nu en dan wat dansoefeningen doe in de huiskamer. Zonnestralen blijven nu een paar uur per dag op mijn kleed liggen. De vloer is mijn minnaar. Ik geef mijn gewicht aan de planken, rol en strek in het gouden licht. Aan het begin van de maand heeft de vrouw van wie ik de flat in onderhuur had hem aan mij overgedaan. Dus ben ik nu de trotse bewoner van een flat met huurbescherming in Cambridge, Massachusetts.

De telefoon gaat. Ik krijg nog steeds niet veel telefoontjes, zeker niet op zaterdagmiddag.

'Hannah?' zegt een bekende stem.

'Ja.'

'Met Ellen Katzman.'

'O, Ellen, hallo!' zeg ik. Ellen woonde ongeveer een blok van Karens familie vandaan. Op school zat ze een klas hoger dan wij. Ze ging naar Georgetown University om politieke wetenschappen te studeren.

Ik hoorde van Karen dat ze in Washington was gebleven nadat ze afgestudeerd was en dat ze een baantje had gekregen op het kantoor van een senator. Karen mocht op de vloer van haar huiskamer oefenen toen ze auditie moest doen voor haar dansgezelschap, bijna twee jaar geleden. Karen had daar een nieuwe vriend en het ging ook heel goed tussen haar en haar moeder. Ik was niet verbaasd dat we elkaar steeds minder vaak zagen. Ik wist alleen niet hoe ik haar moest zeggen dat ik haar nodig had om tegen te praten – tot dusver had ik altijd háár gesteund.

'Ik heb slecht nieuws,' zegt Ellen somber.

'O,' zeg ik en ik zoek in mijn bureau onder de erker naar de nieuwe plaat van Phoebe Snow die ik net heb gekocht en ook op mijn eettafel, vol papieren voor school.

'Karen heeft donderdag zelfmoord gepleegd.'

'Oooo,' zeg ik en ik leg mijn vrije arm om mijn gezicht en hoofd, alsof ik mezelf wil beschermen tegen een klap. Ik kreun diep uit mijn buik, laat me dan op de grond vallen, hurk neer en wieg mezelf.

Ellen wacht zwijgend tot ik weer kan praten.

Ik kom overeind. 'Hoeveel weet je?' vraag ik.

'Ze had het net uitgemaakt met haar vriend en ze verdiende eigenlijk niet genoeg om van rond te komen. Ze ging in een huis wonen met een paar andere dansers in Maryland, ongeveer een maand geleden. De laatste keer dat ik met haar gesproken heb, ongeveer een week na haar verhuizing, zei ze dat ze het gevoel had dat er geen réden was voor haar depressies. Ze kwamen niet van een concrete, aanwijsbare plaats – en voor dat geheimzinnige was ze bang. Ze heeft een briefje achtergelaten waarin ze schrijft dat de therapeuten naar wie zij toeging haar gevoelens niet geloofden. Ze probeerden haar ervan te overtuigen dat het goed met haar ging.'

'O God, Ellen, weet je dat wij daarover gepraat hebben toen we nog op school zaten? Maar daarna voelde ze zich beter.'

'Ik weet het,' zegt Ellen. 'Bij dat dansgezelschap hielden ze van haar. Ze deed het heel goed. Maar toen maakte ze het uit met Chris en toen brak er iets – hoewel zij het zelf heeft uitgemaakt. Ze zei dat ze van hem hield, maar dat ze wist dat het niet goed voor haar was om bij hem te blijven.'

'Hoe is ze gestorven?' vraag ik terwijl ik met het telefoonsnoer naar de tafel loop, zodat ik kan gaan zitten.

'Uitlaatgassen,' zegt Ellen, bijna fluisterend, 'in haar garage.'

Ik sla dubbel en laat mijn hoofd tussen mijn knieën vallen, ik hou de telefoon zo goed mogelijk vast. Ik zie Karen slapend in de gassen, rustig. *Maar giftige gassen mismaken je gezicht, ze zou er niet rustig uitzien.*

'Zo STOM!' roep ik en ik ga plotseling rechtop zitten. 'Hoe heeft ze zo STOM kunnen doen!'

'Er is nog iets,' zegt Ellen. 'Ze is vrijdag begraven. We hebben het allebei gemist.'

Plotseling ruik ik iets branderigs: ik ben de stoofpot vergeten. De onderste laag is hard en verkoold. Ik weet dat er, hoe hard ik ook boen, in deze pan altijd donkere plekken zullen blijven met de omtrekken van rijst en bonen.

Als Ellen en ik afscheid hebben genomen besef ik dat ik de deur uit moet. Ik trek mijn gevoerde vest aan en loop naar de Charles. Op de brug in Mass. Avenue, waar de metro overheen loopt, kan ik net zo hard jammeren als ik wil; niemand zal me horen.

'Mevrouw Caplan? Met Hannah, Karens vriendin.'

'Ooo, Hannah,' zegt ze. 'Hannah.' Als ze begint te snuffen, doe ik mee.

'Ellen Katz heeft me gebeld,' zeg ik, hoewel ik er zeker van ben dat ze allang weet wie me van Karens dood heeft verteld.

'Jij was Karens beste vriendin. Haar allerbeste vriendin.'

Ik weet niet of ik die naam nog wel verdien na al die jaren dat ik nauwelijks haar vriendin was, maar ik protesteer niet.

'Het spijt me zo,' zeg ik. 'Ik zal haar zo missen.' *Ik had altijd gedacht dat we weer bij elkaar zouden komen. Ik wist alleen niet wanneer.*

'Oui,' zegt ze. Ik merk dat ze haar tranen verdringt. 'Ben je nog in Boston? Dat is het laatste wat ik gehoord heb.'

'Ja,' zeg ik.

'Ik had je moeten bellen,' snikt mevrouw Caplan. 'Ik had je moeten uitnodigen voor de begrafenis.'

'Het hindert niet,' zeg ik. 'Ik ben blij dat we nu praten.'

Ze is een hele poos stil, dan vraagt ze wat ik doe.

'Ik geef hier nog steeds les in schrijven. Ik vind het prettig werk.'

'Dat is mooi. En hoe is het met je moeder?'

Haar vraag doet me pijn. Karen moet het haar verteld hebben. Ik ben blij dat mijn verdriet nu naar buiten kan komen. Ik vind het zelfs goed dat mevrouw Caplan weet dat mijn relatie met mijn moeder ook niet ideaal bleek te zijn. Maar wat zal het gevolg zijn als ik haar vertel hoe moeilijk ik het heb met mama? 'Dat is niet veranderd,' zeg ik zacht. 'We praten nog steeds niet met elkaar.'

'Ooo,' kreunt ze, alsof dit nieuws haar pijn doet op dezelfde plaats die Karens dood inneemt. 'Het spijt me erg om dat te horen.'

Ik verberg mijn tranen niet. 'Mevrouw Caplan,' zeg ik, 'ik heb gebeld om u te troosten. Maar nu troost u mij.'

'Dat gaat soms zo. Zeg, noem me maar Becky, goed?'

'Oké,' zeg ik.
'En hou contact met me. Dat kun je doen om mij te troosten.'

'Oma,' zeg ik, en ik vind het zelf een beetje vreemd en idioot dat ik haar bel voor acht uur 's morgens, terwijl ik me klaarmaak om naar school te gaan, 'jij leeft al tachtig jaar. Vertel me eens, hoe spelen mensen dat klaar?'

Het is een maand na Karens dood en ondanks het feit dat ik van mijn werk hou, deze week twee gedichten heb geschreven, een buurvrouw heb die ik aardig genoeg vind om haar te eten te vragen, word ik elke nacht om drie uur wakker en kan niet meer slapen. Er zitten jeukende, rode striemen op mijn oogleden. Ik blijf er maar aan denken hoe mama tegen me lachte bij de bushalte in Cleveland, vlak nadat ik Marie had ontmoet en Norm weer werkte – twee jaar geleden. 'Ik respecteer je niet langer,' zei ze de volgende dag. 'En daarom respecteer ik mezelf niet meer.' Elke morgen word ik wakker met die herinnering. En als de telefoon op zaterdagmiddag gaat raak ik in paniek: het kan wel iemand zijn die afgrijselijk nieuws heeft.

'Wel,' zegt oma, kennelijk blij dat er iemand is die naar haar mening vraagt, 'mijn moeder speelde het beter klaar dan enig ander mens die ik heb gekend. Ze praatte met het kind van wie ze een miskraam had gehad, vóór mij. Vitl, noemde ze haar.'

'Wat bedoel je?' vraag ik.

'Precies wat ik zeg. Mijn moeder praatte met Vitl. Zij stelde vragen, Vitl antwoordde.'

'Maar Vitl was dood! Ze is nooit geboren.'

'Ja.' Oma schijnt te denken dat zulke gesprekken logisch zijn en praktisch bovendien. 'Hoor eens,' zegt ze, 'wanneer je je niet moet haasten naar je werk zal ik je meer over haar vertellen.'

'Dat lijkt me goed,' zeg ik.

'Ik kan je over Vitl vertellen en over mijn moeder, zelfs over Celia.'

'O,' zeg ik vlug en ik voel iets als tederheid voor oma in mij opkomen. Ik zie de schaal met druiven op mijn keukentafel en stop een tros in mijn lunchpakket.

Ik hang de telefoon op en snak naar armen die me omhelzen en vasthouden. De armen van een man. Als ik de buitendeur opendoe en de koude novemberlucht naar binnen waait, voelt mijn lichaam aan als een pot waarin vuurvliegjes gevangenzitten. Ik zoem, ik ben elektrisch, ik zou een raket kunnen afvuren.

8

1926 ❧ 1941

Channa

De eerste keer dat ik Moe zie, denk ik aan de kozak die zijn fles wodka in het graf van mijn grootmoeder gooide. Hij komt op dezelfde manier mijn huis binnen als die soldaat op bubbe Sarahs begrafenis. Hij zegt niet veel, maar hij heeft een boodschap. Als Ida zegt: 'Hij wil met me trouwen,' zie ik dat ze graag verliefd op hem zou willen zijn. Maar dat is ze niet. Daar lijdt ze onder.

Als Meyer hoort dat Moe Zeitlin van de loodgieterszaak in het centrum met Ida wil trouwen, zegt hij natuurlijk dat hij nog nooit zulk goed nieuws heeft gehoord. Ja, ze wordt er niet jonger op, ze is al vierentwintig. En die Moe heeft een goedlopende zaak. Meyer is socialist. Maar als hij een man met geld in zijn zak ziet denkt hij: *is klug, is sjein, i men ken gut singn*. Die man is slim en knap, hij kan waarschijnlijk ook goed zingen.

Het is waar, vlak na hun huwelijk koopt Moe een groot huis om Ida een goed Amerikaans leven te geven. Ik ben er zeker van dat hij weet dat hij met een echte dame is getrouwd. Maar hoewel Ida zegt dat hij een leren boek heeft waarin hij gedichten opschrijft, kan ze haar tederheid niet aan hem kwijt. Hij koopt een wasmachine voor haar en voor mij ook. Hij is hier niet geboren, net zomin als Meyer en ik, maar hij leest en schrijft Engels en hij verdient veel geld. En hij heeft een goed hart. Maar dat heeft het te druk. Er zit te veel peper in. Te veel zout.

Ik zie dat Ida, om met hem te kunnen leven, voor zichzelf een bolster maakt, als van een walnoot.

Ik denk dat ik lang genoeg geleefd heb om te weten dat een goed Amerikaans leven nachtmerries kent, net als elk ander leven. Het vreemde is, dat de uitslag onder mijn navel verdwijnt zodra Ida Celia heeft. Ik kreeg die uitslag ongeveer een week nadat ik bij de abortusdokter was geweest. Het zag er elke morgen uit als een vlek aardbeienjam als ik wakker werd en Meyer weer niet had verteld wat ik gedaan had. 'Wat is er toch?' vroeg hij ten slotte, met zulke lieve ogen dat ik wist dat ik het kon zeggen.

'Het is een kaart van mijn verzonken hart,' zeg ik en ik vertelde het hem. Hij knikte. Mijn man begrijpt het lot van vrouwen. Ik dacht dat die liefde mijn uitslag zou doen verdwijnen maar mijn buik bleef rood gloeien. Elk middel dat je maar kunt bedenken heb ik geprobeerd – komkommers, havermout, klei. Niets hielp. Tot Celia was geboren.

Zij heeft geen vlekje, dat kind, niet één. Maar haar armen en benen zijn zo mager en haar ogen zo donker en bang. Als ik naar haar kijk vraag ik me af of ik de angst zie van meer dan een klein meisje.

Meyer en ik en ook Mollie gaan elke sjabbes bij Ida eten. Het is nu negentieneenenveertig. We weten allemaal dat de tijden in het oude land voor de joden niet gunstig zijn. We weten het omdat het in de lucht hangt, niet uit de Amerikaanse kranten die de mannen lezen of van de radio.

Die avond sta ik naast Ida terwijl ze haar sla wast. 'Mijn buurvrouw Judy Finkus zegt aldoor dat de Duitsers nu een manier hebben gevonden om van alle joden af te komen. Ze hebben kampen opgericht, de nazi's. Geen werkkampen, maar dodenkampen. Ze maken slaven van de joden. De mensen moeten hun eigen graf graven, dan geven de Duitsers ze een douche met gifgas of ze schieten hun geweer af, en gooien de lijken in het graf, sommigen leven nog.'

Ida's stem weegt nu evenveel als haar sla. Ze wast die niet, ze legt de vuile bladeren zomaar in haar slabak.

'Ze heeft het uit The Forward, mevrouw Finkus. Die leest ze elke dag.'

'Ja,' zeg ik. Ik heb het allemaal al eens eerder gehoord. 'Bij de slager vertelde mevrouw Shapiro me over handen die uit de raampjes van treinen steken en smeken om lucht of water dat nooit komt.'

Wat moet ik met zulk nieuws? Ik denk aan mijn vriendin, Ania Davidson, we speelden op sjabbes samen in Koretz, voor ik naar Amerika ging. Haar vader was onze rebbe. Vlak nadat Mollie was geboren hoorde ik dat de kozakken zo hadden huisgehouden in Koretz, dat alle joden daar naar Kiev verhuisden. De Davidsons ook. En wat gebeurt er nu met Ania en haar familie? Daar denk ik aan.

'Misschien is er geen God,' zegt Ida. Ze draait zich om, zet de sla op tafel en onze ogen ontmoeten elkaar. 'Vraag je Vitl weleens wat ze denkt van de oorlog en wat God bezig is te doen?'

'Natuurlijk,' zeg ik, 'ze zegt: "Blijf praten. Blijf je vragen stellen. Blijf voelen wat je voelt."'

Ida begint haar braadpan te boenen. 'Dat is geen antwoord op mijn vraag,' zegt ze.

Mijn ogen dwalen rond. Tot ze blijven rusten op Celia. Ze is nu tien jaar oud. Ze staat in de andere kamer naar ons te kijken, haar kleine oortjes horen alles. Ik lach een beetje tegen haar en steek mijn arm uit om haar naar me toe te trekken. 'Mama,' zegt Ida net op dat ogenblik, 'zou je een blik tomaten uit de kelder willen halen?'

Celia gaat met me mee. Als we bijna de trap af zijn trekt ze aan mijn hand en fluistert: 'Wat doet God?'

Ik begin met een soort antwoord, maar daar is Moe, hij leunt tegen Ida's wasmachine. Hij heeft zijn armen over zijn borst gekruist. In zijn ene hand heeft hij een fles. Ik weet wat er in die fles zit. Ik weet ook dat het geen enkele zin heeft om het voor Celia te verbergen – waarschijnlijk heeft ze dit al honderdmaal gezien. Hij heeft een hemd aan met korte mouwen en de boord staat ook open. Ik denk: *kein ahore*, moge het boze oog mij niet treffen, wat een spieren heeft die man.

'Ha!' zegt Moe. 'Ik kan je over God vertellen, Celia! God is God. Maar whisky is iets wat je kunt drinken!' En in die stille kelder begint hij te lachen – net als die soldaat vroeger thuis vanuit zijn dikke buik.

Ik kan Celia geen plaats geven waar ze zich kan verbergen – een plaats waar ik haar kan vasthouden en sussen. Ook al is haar lichaam nog zo mager, ze is te groot om naar boven te dragen naar een rustige kamer zonder dat iedereen vraagt: wat nu? Er zou opschudding van komen. En ik moet de tomaten nog halen. Maar nu lijkt het wel alsof Celia nauwelijks kan lopen. Halverwege de trap buig ik me over haar heen. Dan ga ik op een tree zitten en knuffel haar. Meer kan ik niet doen.

'Weet je, Celia,' schreeuwt Moe, 'een goede jood moet zoveel drinken dat hij het verschil niet ziet tussen Mordechai en Haman.'

Alleen met Poerim, denk ik, niet half december! Dan zie ik een rode plek op Celia's been – haar linkerbeen, boven de knie, vlak onder de zoom van haar jurk.

'Moe Zeitlin is Moe Zeitlin!' roept hij en hij zingt in zichzelf. 'Moe Zeitlin is een goede jood!'

Ida hoort hem, ze komt naar de trap. Met het licht achter haar ziet ze eruit als een donkere geest. *'Der bitterer tropn,'* zegt ze. 'Hij heeft whisky.'

'Ja,' zeg ik. We zwijgen een ogenblik. Ik streel Celia's hoofd en haar rug, stijf als een plank. Ik vraag me af hoe ze aan die uitslag komt, die ziet er net zo uit als die van mij na mijn abortus.

Ida ziet er zo rustig uit, zelfs in de schaduw. Met mijn armen om Celia heen denk ik aan de tijd dat Ida kwam, mijn eerste kind dat leefde. Ik was zo blij dat zelfs mijn tatte weer begon te lachen. Maar als ik haar meenam naar mijn bank bij de rivier herinnerde Vitl me aan dingen die anders waren dan dit dromerige geluk. 'Zelfs al leeft het kind,' zei ze, 'dan is het toch algauw te groot om te dragen. Nu is ze voor jouw armen, zeker. Maar een kind blijft niet altijd een kind.'

Dus toen Ida klein was leerde ik om voor haar te zorgen als voor een boom op straat. Ik besteedde aandacht aan haar, ik bewonderde haar. Ik besloot dat ik zou geloven dat ze zou krijgen wat ze nodig had in stormachtige dagen. Ik prentte mezelf in dat haar leven in Gods hand lag.

Vanaf toen ze heel klein was en ik weer zwanger, van Mollie, voelde ik dat Ida me niet nodig had zoals andere kinderen. Zelfs voor ze woorden kon vormen, kon ze dat op me overbrengen. 'Hoor eens, we zijn allebei vrouwen. We zullen elkaar helpen.' Dat was maar goed ook. Met al die kinderen die ik tenslotte toch kreeg kan ik me niet voorstellen hoe ik het gered zou hebben zonder dat volwassen meisje.

Nu heeft ze Moe als man; ze heeft Rita – die zit te popelen om haar moeders huis te verlaten; en Celia – een knap gezicht en een bang hart. We hebben ook die verschrikkelijke oorlog om ons druk over te maken. Ik weet niet wat ik haar kan geven, Ida. Maar Celia is degene op wie ik mijn ogen richt – zoals ik eens mijn ogen richtte op de oceaan.

'Wat is dat voor een uitslag op Celia's been?' vraag ik Ida, als we weer in de keuken zijn.

'Ik weet het niet,' zegt ze. 'Het is er al een tijdje, net een vlek. Ik heb er twee dokters naar laten kijken. Ze zeggen allebei dat ik me geen zorgen hoef te maken.' Ida praat als een rivier die zich net bevrijd heeft van het ijs. 'Ik zag Celia eens met een koude doek erop,' zegt ze, 'maar ze wil er niet over praten. Als ik het haar vraag, zegt ze dat ik haar met rust moet laten. Dus laat ik haar met rust. Soms denk ik dat het weg is, dan zie ik het weer. Ik zeg tegen mezelf: "Los kochn bis oif sjabbes." Dat zei jij toch altijd, ja?'

'Ja,' zeg ik, 'ik zeg het nog steeds.'

'Maar mama,' zegt Ida, en de tranen stromen langs haar wangen, sinds ik met Moe getrouwd ben heb ik geen sjabbes meer gevierd.'

Ik haal een zakdoek onder mijn jurk vandaan en geef haar die. 'In je hart,' zeg ik, 'kun je sjabbes vieren.'

Fun krume sjiddoechem arois glaikliche kinder. Uit kromme huwelijken komen rechte kinderen. Rita, ons eerste kleinkind, is praktisch, net als Ida. En ze weet wat ze wil, net als haar vader. Ik zie hoe ze nu al aan haar toekomst denkt. Als ik naar

Rita kijk hoop ik dat we onze achterkleinkinderen nog zullen zien.

En Celia. Ik heb nog niemand ontmoet die niet vond dat Celia het mooiste kind was dat hij ooit had gezien. Ze ziet eruit als een gebeeldhouwde pop, met een huid zo roze als de hemel voor de zon opkomt. Alsof ze uit een andere wereld komt, waar alles om haar heen zacht is.

Als ik bij een baby ben, zit ik stil en mijn hart wordt warm. Ik voel hoe de wereld draait. Ik hoor de rust die vermengd is met gebrul, alsof je een schelp tegen je oor houdt. Wel. Zo voel ik me als ik bij Celia ben, zelfs nu ze wat ouder wordt. Vitl zegt dat Celia alleen maar wil dat ik bij haar zit met mijn eigen gedachten – terwijl zij daar zit met de hare. Het maakt Ida zenuwachtig om zo te moeten zitten, denk ik.

Maar ik vind het heerlijk om bij Celia te zitten. Zomers zitten we op Ida's achterveranda. Ik schommel, in een rieten stoel. Celia strekt haar benen uit over de houten vloer en ik kijk naar haar terwijl zij naar de braamstruiken achter het huis kijkt. Het lijkt wel een oerwoud wat daar groeit. De struiken zijn zo dicht dat die grond waarschijnlijk nooit een straaltje zon ziet, zelfs niet in de winter, als de takken kaal zijn.

Celia zit uit te kijken naar iets. Ze vind het niet prettig als iemand haar aanraakt zonder dat ze daarvoor permissie heeft gegeven, weet je, zelfs ik moet dat niet doen. Ik heb het gevoel dat er iets groots brandt in haar porseleinen poppenlichaam en dat ze niet weet wat ze daarmee aan moet. Ze heeft legers, klaar om ten strijde te trekken, in dat porseleinen poppenlichaam.

Het doet me pijn. Vooral omdat ik niet weet wat ik doen moet. Het enige wat ik kan doen is pijn lijden. Ze doet me denken aan de oceaan, Celia, en de manier waarop ik ernaar keek, terwijl hij in werkelijkheid naar mij keek. Ze doet me denken aan de golven die klein en rustig waren. Omdat ik weet dat ze daaronder woest zijn.

Elke Pesach geef ik de meisjes een kwart dollar om een ijsje te halen op de markt om de hoek. 'Laat de buren het niet zien,' zeg ik, wanneer ik het geld in hun handen stop. Want op deze feestdag is ijs niet kosjer. Maar ik wil ze een geheim geven, iets eenvoudigs om met elkaar te delen.

'Ik heb geesten,' zegt Celia op een dag als ze bij mij thuis is en me helpt bij het maken van *latkes*, aardappelkoekjes.

'O ja? Geiten?' zeg ik. 'Hoe heten je geiten, *bubbele*?'

'GEESTEN,' zegt ze; alsof ze voelt dat alles in haar kleine lichaam treife is, onrein. Ze schreeuwt en haar huid trekt glad – alsof geesten aan weerszijden van haar gezicht aan haar vel trekken.

Ach, mijn kleine Celia. Als een *jesjivajongen* komt ze de kamer binnen –

schuw. Ze zet nooit haar handen op haar heupen en tuit nooit haar lippen, zoals Ida doet als ze kwaad is. Rita kan dat ook heel goed. Celia is een schoonheid om te zien, ze draagt zulke mooie jurken dat zelfs de dochter van de tsaar er een puntje aan kan zuigen. Maar Celia is kwaad genoeg, denk ik, om iemand te doden. Ze schreeuwt zo hard: 'GEESTEN!'

Ik ben blij dat ze het zegt. 'Ooo, geesten!' zeg ik. 'Geesten! Kom, vertel me eens wat over die geesten, Celia!'

'NEEEE,' zegt ze.

Wat is er met haar aan de hand? Ik wou dat ik het wist. Ze doet als een kip zonder kop, ze rent tussen leven en dood. Ach! Ik moet gek zijn om zoiets te denken. Ik wil haar een *glet* geven, een knuffel. Maar ik wil haar niet ook nog eens bang maken. 'Het is goed, Celia,' zeg ik. 'Ja, geesten, goed. Ik heb ook geesten die me komen opzoeken. Je vertelt me maar over de jouwe wanneer je dat wilt, anders niet.'

Ze wordt rustig. Maar ze staart me aan met een blik die je je niet voor kunt stellen. Die blik zou een gangster wel willen kopen, hij zou kunnen dienen als kogelvrij vest.

Het moederzijn geeft Ida veel zorgen. Rita geeft er niet zoveel om wat haar ouders denken. Ze heeft vriendinnen die ze aardig vindt en ze denkt al over een eigen gezin, anders dan Moe en Ida en Celia. Ida maakt zich zorgen of ze zo'n kwetsbaar meisje als Celia wel genoeg kan beschermen – ze wil zelfs niet dat haar eigen moeder haar een kus geeft. Wat Ida ook probeert, Celia rolt met haar ogen. Ida zit erover in dat ze bij haar dochter geen goed kan doen. Niet nu Moe zo gek is.

Op een avond gaan Mollie en ik er eten, een paar maanden nadat mijn lieve Meyer gestorven is. Moe schreeuwt tegen Ida. Als de sirene van een ambulance die kapot is en niet kan ophouden. 'Je hebt geen gemakkelijke man om mee te leven,' zeg ik als we even alleen zijn in de keuken en een gebroken glas oprapen dat een van de meisjes heeft laten vallen. 'O, *a froi ken fertrogen a gantse welt* – een vrouw kan de hele wereld verdragen,' zegt ze, '*arein gerechent dem soton* – de duivel inbegrepen.'

Ze zegt dat zo stoer. Waar haalt ze die stoerheid vandaan? En dan zie ik dat ze zo doet omdat ze niet weet wat ze anders moet doen. Omdat ze niet weet hoe ze moet praten tegen een kind dat hel en hemel in zich verenigt, in de buik van haar zachte lichaam. Celia heeft ogen zo donker dat ik soms denk dat ze uit de andere wereld komen. Ze speelt soms met het kind van de buren, dat is goed. Maar waar geniet Celia van in deze wereld? Waar is haar plaats? Ik wed dat Ida dat ook wil weten; van Moe weet ik niet wat hij weet.

'Wat ik ook doe, het is nooit goed,' zegt Ida. 'Niet voor Moe. Niet voor Rita. Niet voor Celia.'

'Als er geen goede weg voor haar is,' zeg ik, 'is er misschien ook geen slechte.'

Ik leg mijn hand op haar arm. Ze huilt; ik denk dat ze zich schaamt. 'Het is een marteling, mama. Wie weet waarom? En ik ben al net zo geworden als Celia, ik schrik als mensen me aanraken.'

Ik tuit mijn lippen, ik knik, ik neem mijn hand weg. Ik wil dat ze weet dat ik zo'n dag als deze toch kan overleven.

9

1986

Hannah

Hoewel het jaren geleden is dat ik die colleges over mythologie aan de universiteit van Michigan heb gevolgd, denk ik nog vaak aan Demeter en haar dochter Kore, wier naam veranderde in Persephone toen Hades haar meenam naar de onderwereld. Alsof het altijd gebeurt – ongewild – zegt de dichteres Adrienne Rich in haar boek Uit een vrouw geboren. Moederschap als belevenis en institutie: 'Het verlies van de dochter is voor de moeder, en het verlies van de moeder is voor de dochter de essentiële tragedie van vrouwen.'

Misschien doe ik echt niets verkeerds.

Nu heb ik een gedicht dat brandt in mijn handen: 'Persephones klacht'. Het is vreemd dat ik word geïnspireerd door de Griekse mythologie – en niet door een verhaal uit de bijbel. Ik ben niet Grieks, ik ben joods. Maar misschien kunnen Demeter en Persephone me helpen om mijzelf en mijn moeder te begrijpen. Misschien zelfs Karen en haar moeder.

Drie jaar geleden stierf Karen. 's Nachts zie ik haar vaak voor me. Het gezicht dat ik zie is bijna altijd het versteende, met genoeg woede om een vulkaan te doen uitbarsten; maar voorlopig spreekt die berg niet. Wil niet spreken.

Ik heb vorige maand Becky Caplan gebeld, Karens moeder, en zij vertelde me dat ze zich had aangesloten bij een groep ouders wier kinderen zelfmoord hebben gepleegd. Het helpt haar.

Is er een groep voor dochters van moeders als mama?

'Je bent een non!' zegt Ava. Ze heeft me net de hand gelezen terwijl ik wacht op Benjamin Katz, een jongen van de middelbare school die werkt achter de balie van Bread & Circus. Hij moet een prijsje op mijn aardappelsla plakken.

'Hannah is jóóds!' roept Ben. Het is hun routinegrapje, het geeft me een gevoel van huiselijkheid. Soms verheug ik me er zelfs op. En Ava zit er niet heel erg ver naast, om eerlijk te zijn. Mijn verhouding met Hal Riley is vier jaar geleden.

Ik ga naar de film met Annie, mijn buurvrouw, eens in de paar maanden heb ik een afspraak met mannen van het theater aan wie zij me heeft voorgesteld. Ze houden hartstochtelijk veel van hun werk en dat trekt me wel aan, maar ze drinken zo veel bier als we samen zijn. Ik weet niet hoe ze werkelijk zijn. Ik vroeg Annie of ze geen man kende die niet zoveel hoefde te drinken op zijn eerste afspraakje, die zou ik wel graag willen ontmoeten. Tot dan zal ik blijven leren om vrouw te zijn – een vrouw alleen.

Elk jaar ga ik een paar maal op bezoek bij oma en tante Mollie en ik sta erop dat er oude foto's op hun keukentafel liggen als ik kom; ik noteer onze familiegeschiedenis op de achterkant van die foto's. Ik breng mijn dagen door met les geven, boodschappen doen, naar huis gaan om te slapen of te schrijven en dromen van vrede – met mijzelf, met mama, met Karens gezicht.

Intussen word ik elke morgen een uur te vroeg wakker, zodat ik in bed kan blijven liggen, niets doen. Soms schrijf ik een droom op of een regel van een gedicht. Ik kom thuis na mijn werk en mijn boodschappen, zet Bachs *Suites voor Cello* op (ik heb geen televisie, ondanks de opmerking van een van mijn leerlingen dat ik daardoor 'buiten de werkelijkheid sta'), kook iets waar ik wat van over kan houden voor de volgende dagen en lees de verhalen van mijn leerlingen of een roman terwijl ik eet.

De laatste tijd eet ik geen suiker meer, naar aanleiding van een boek dat ik gevonden heb in de Bread & Circus. Misschien ben ik wel aldoor zo moe van die suiker; misschien worden mijn krampen tijdens de menstruatie er erger door. Toen ik oma vertelde dat ik het uit mijn dieet had geschrapt, zei ze dat ik haar aan opa deed denken. In de jaren veertig besloot hij dat hotdogs en salami gevaarlijk waren, zelfs de kosjere variant. 'En het bleek dat hij gelijk had,' zei oma, maar ze voegde eraan toe: 'Ik geloof niet dat suiker me ooit kwaad heeft gedaan.' Ik voel me een beetje idioot dat ik dat basiselement van de Amerikaanse voeding heb geschrapt; maar toen ik het Marie vertelde zei ze dat een dieet zonder suiker me zal dwingen mezelf goed te voeden. Dat idee spreekt me wel aan.

Tweemaal per jaar schrijf ik een verhaal van vier pagina's voor de bijlage van Wild Women's Stories in de *Tab*, het Cambridge weekblad; we drukken vijfduizend extra exemplaren en zetten ze af in kiosken en supermarkten. Ik kom altijd mensen tegen die zeggen dat ze onze laatste bijlage zo mooi vonden en dat ze verlangen naar de volgende.

Als ik snak naar vriendschap ga ik naar New Words, de vrouwenboekhandel op Inman Square, of de Grolier, die poëzie verkoopt op Harvard Square. Als ik geluk heb kom ik iemand tegen die ik ken. Als een vreemde en ik naar hetzelfde boek kijken raken we soms in gesprek.

Ik weet dat ik ben doordrenkt van verdriet en dat ik geen goede vriendin kan zijn. In het centrum zeg ik niet veel over mijzelf tegen mijn leerlingen, maar ik hoef mijn somberheid niet voor hen te verbergen. We schijnen het erover eens te zijn dat droefheid gepermitteerd is, zolang we ons werk maar doen.

Ava staart naar me alsof ik een geheim ben dat ze niet kan ontsluieren. Benjamin knipoogt. Ik denk dat hij me wil laten merken dat hij me sexy vindt. *Wat kan ik zeggen? Dat ik een kluizenaar ben? Dat ik vaak intens eenzaam ben? Dat ik een hoop rommel moet opruimen?* In plaats daarvan glimlach ik, haal mijn schouders op en zeg: 'Bedankt, jongens.' Ik stop de aardappelsla die ze me gegeven hebben in mijn handtas.

Ik zie hoe de seizoenen elkaar afwisselen. Ik merk hoe de winter aarzelt, daarna hoe de lente invalt. Ik zie roest op auto's, de nuances van grijs en licht in de lucht. Ik zie welke kleren mijn leerlingen dragen – rode truien, helblauwe T-shirts, zwarte jacks. Ik merk wat voor bui de caissière in de winkel heeft. Ik hoor de buren ruziemaken in de flat beneden. Mijn verdriet om Karens dood en mijn moeders afwezigheid hangt als een zwart net in de lucht, het vangt de stemmingen en kleuren van mijn omgeving op die ik anders misschien gemist zou hebben.

Als ik met mijn boodschappen van Bread & Circus naar huis loop, zie ik vaak een oude man van een jaar of zeventig, die naar zijn flat in Harvard Street loopt. Hij is kleiner dan ik en rond als een ton. Hij draagt altijd een donker pak en een hoed met een brede rand zoals mijn grootvader die misschien heeft gedragen in de jaren vijftig. Ik vraag me af waar hij vandaan komt. Hij heeft nooit iets bij zich. Soms is zijn vrouw bij hem. Ze is ook klein, een beetje minder rond dan hij. Ze draagt bruine laarzen die eruitzien of ze zo uit het oude land komen – of van een voetspecialist. Ze draagt die laarzen met een jurk en een schort in de zomer of een blauw mantelpak in de winter. Ze loopt met haar handen op de rug. Zijn handen hangen langs zijn zij.

Ik weet dat ze joods zijn en ik ben er zeker van dat zij dat ook van mij weten. Het komt door de manier waarop ze me toeknikken, heel eventjes.

'Annie,' zeg ik in de telefoon. Ik klop niet op haar deur, ik bel haar als ik haar wil spreken. Door haar rollen is ze vaak tot een of twee uur in de nacht op, dus slaapt ze zolang ze kan – meestal deelt een andere acteur of een assistent haar bed. Annie vindt dat alleen slapen niet 'beschaafd' is. Ze vertelde me dit kort nadat ik hier kwam wonen, voordat een van ons wist hoe lang ik alleen zou slapen.

'Ik heb niet met iedereen séks,' zei ze en ze vertelde toen over de dood van haar ouders bij een auto-ongeluk toen ze twintig was en het korte huwelijk dat daarvan het resultaat was omdat ze niet alleen wilde wonen in het huis dat ze geërfd had. Het hield nog geen jaar stand. Toen verkocht ze het huis en gebruikte het geld om af te studeren aan de toneelschool.

'Hallo,' zegt ze in de telefoon. Ze heeft mijn stem herkend; ze lijkt klaarwakker.

'Als je hier komt,' zeg ik, 'kun je de stem van mijn moeder horen. Ze heeft een boodschap ingesproken op mijn antwoordapparaat!'

'Echt waar? Een boodschap? Wat wil ze?'

'Ach, zoals gewoonlijk,' zeg ik nonchalant. 'Ze wil me alleen maar zeggen dat ze van me houdt en dat ze niet met me wil praten.'

'O Hannah,' zegt Annie zacht. 'Als ik jou over je moeder hoor ben ik soms blij dat de mijne dood is.'

Tegen de tijd dat ze de hal is overgestoken kan ik niet meer verbergen dat mijn hart is gebroken. Op mijn eigen drempel sta ik mezelf toe om te huilen op Annies schouder... ik voel de warmte van haar zachte borsten en laat me dan door haar leiden naar mijn antwoordapparaat waar mijn moeders stem op staat.

Hallo, hier mama. Ik ben blij dat je een antwoordapparaat hebt, want ik wil een monoloog afsteken. Ik hoorde van oma dat je het goed doet in je baan. Ik bel om je te zeggen dat ik trots op je ben. En dat ik van je hou. Ik zie geen reden voor jou om me terug te bellen.

Na mijn werk en mijn dagelijkse bezoek aan Bread & Circus lees en typ ik de verhalen van mijn leerlingen, dan fotokopieer ik ze bij Classic Copy op weg naar mijn werk. In de klas lezen de vrouwen hun verhalen hardop voor.

VRAGEN AAN MIJN MOEDER
door Sharon Hamilton

Toen ik zeven jaar oud was vertelde mijn grootmoeder me voor het eerst over mijn moeder. Ze vertelde me hoe lief en mooi ze was – net als ik.

Dat zeg ik niet om op te scheppen. Mijn grootmoeder zei dat mijn moeder 's avonds met me op de veranda ging zitten en heel lang voor me zong. Maar de dingen veranderden toen ze mijn broertje kreeg, want hij stierf toen hij nog maar heel klein was. Mijn mama werd een beetje gek, ze liet ons in de steek voor een man uit het Zuiden die niet eens de vader van mijn broertje was.

Ik praat nog weleens met haar over de telefoon. Niets speciaals, gewoon over vriendjes en of ik er al een heb. Eens praatten we wel veertig minuten. Ik zou die telefoonrekening van haar weleens willen zien!

De laatste keer dat we met elkaar praatten was er een moment dat mijn mond droog werd. Mijn moeder vroeg me of ik haar kon vergeven wat ze me had aangedaan. Ze vroeg me haar niet te haten, haar nog een kans te geven.

Ik wist niet wat ik moest zeggen. Plotseling begon mijn hart steeds harder te kloppen, alsof iemand me achternazat met een geweer. Ik kon zelfs mijn mond niet opendoen. Toen ik haar geen antwoord gaf zei ze: 'Is de kat ervandoor met je tong of wil je me geen tweede kans geven?'

Eindelijk deed ik mijn mond open en ik zei: 'Mama, ik zal je een tweede kans geven, maar je moet je excuses aanbieden aan mijn grootmoeder. Ze zegt dat ze van je houdt, maar ze is gekwetst omdat je haar in de steek hebt gelaten.' Ik zei tegen mijn moeder dat ik haar zou vergeven als zij haar excuses aanbood aan haar moeder, want die was degene die gekwetst was.

Deze zomer ga ik naar haar toe in het Zuiden. Het is nu vijftien jaar geleden. En ik heb een paar vragen die ik haar ga stellen.

Wat heb je gedaan nadat je uit Boston wegging?

Dacht je toen aan mijn grootmoeder en mij?

Hou je nog van ons?

Ben je trots dat ik je dochter ben?

Wil jij wel maïskoekjes met me bakken zoals ik doe met mijn grootmoeder?

Zelfs met mijn nieuwe dieet is mijn gezondheid niet al te best. Elke dag na mijn werk ben ik uitgeput, ik neem elke maand een paar dagen vrij om thuis uit te rusten. De leerlingen die ik dit jaar lesgeef hebben een harde bolster. Zelfs na vier weken moet ik ze nog smeken om te praten. Maria Casiano vertelde me vandaag dat ze niet van de les hield omdat ze niet graag dacht en dat komt omdat er dingen zijn waaraan ze niet graag denkt.

Op papier zijn de verhalen van de vrouwen rijk en onthullend. Maar in het bijzijn van anderen is de klas verdeeld in zwijgende en opstandige vrouwen. Ik weet niet waar en hoe ik een brug moet bouwen. Er vindt geen discussie plaats. Ik denk dat ik de stilte wel kan verdragen en zelfs de vijandige blikken die ze me toewerpen als ik vragen stel over wat we gelezen hebben; maar ik snak naar vriendschap.

Elke dag kom ik thuis met een hese stem en ogen die bijna dichtvallen. Ik sleep me de trappen op naar mijn flat en trek de telefoon eruit tot vijf uur, zodat ik ongestoord kan slapen voor ik het eten klaarmaak. Slapen lijkt een onderdeel van mijn werk, alsof ik de dag dan verwerk en weer krachten genoeg opdoe om een halfuur aan mijn eigen gedichten te werken voor ik de verhalen van mijn leerlingen lees, een rooster maak voor de lessen van de volgende dag en de kleren uitzoek die ik ga dragen.

Ik heb uitslag op mijn onderarmen. Annie zegt dat het eczeem is en dat een dokter me waarschijnlijk cortison zal geven. Dat weet ze omdat haar moeder het had. Ik wil geen cortison, hoewel het soms zo jeukt dat krabben een erotisch genot is. En soms heb ik er helemaal geen last van. Nadat ik geslapen heb is het beter.

Intussen eet ik: gebakken aardappels, gesauteerde broccoli, dikke sneden roggebrood met boter, een half pond gekookte zalm. Ik ben bang dat ik zal afvallen als ik niet aldoor eet. Ik ben al zo magertjes. Waarom zou een man mij willen hebben? Er is nauwelijks iets om in te knijpen.

Mijn lippen zijn begonnen NEE te zeggen tegen al dat voedsel.

Mijn maag zegt: vul me. Help me. Vul me totáál.

Ik neem het *American Heritage*-woordenboek van de plank en zoek *teuta* op, de Indo-Germaanse stam van 'totaal'.

'Teuta' betekent 'stam'. Het komt van de Teutonen. Het latijnse 'totus' betekent alles, helemaal, en van teuta 'van de hele stam'.

Komt mijn verlangen – naar voedsel, naar gewicht – voort uit de wens om tot een stam te behoren? Maak ik deel uit van de stam van de Wilde Vrouwen? Zijn oma en Mollie en ik een stam?

Ik lig op de tafel bij de chiropodist, het onderste gedeelte van mijn rug brandt van de stijfheid – alsof het hitte opslaat. Nadat ik vier dagen achter elkaar niet had kunnen werken gaf ik eindelijk toe dat mijn lichaam me in de steek laat en belde ik deze man. Nancy Sullivan zegt dat hij haar geholpen heeft. 'Ben je danseres?' vraagt hij. 'Je hebt er wel het lichaam voor.' Hij is een grote, sterke man, gefrustreerd omdat hij, ondanks mijn kleine gestalte, mijn rug niet kan kraken. 'Kleine vrouwen,' verzucht hij, 'zijn soms moeilijk.'

'Als kind heb ik gedanst,' zeg ik. 'Nu houd ik het maar bij de vloer van mijn huiskamer. Ik hou niet van de choreografie van een ander.'

'En Contact Improvisatie?'

'Wat is dat?' vraag ik.

'Het lijkt een beetje op een mengsel van moderne dans, tai-chi en worstelen,' zegt hij. 'Meestal wordt het met zijn tweeën gedaan. De partners spelen met gewicht – zij laten de impuls van het gewicht de dans bepalen. Er wordt geen muziek gespeeld. De dansen zien eruit alsof er een choreografie aan ten grondslag ligt, maar ze zijn altijd geïmproviseerd. Mijn zuster doet het,' zegt hij. 'Ze was een turnster en in Contact kan ze vliegen zoals ze deed toen ze nog een kind was en ze kan mannen optillen die net zo zwaar zijn als ik.'

'O,' zeg ik, oprecht geïnteresseerd – en op dat moment kraakt hij mijn rug.

Ik schrijf me in voor een klas voor beginners en leer de danswetten van zwaartekracht, frictie, impuls. In een van mijn eerste Contactbijeenkomsten dans ik met een man die Jason heet. Ik denk dat hij van mijn leeftijd is, misschien een paar jaar ouder. Zonder moeite tilt hij me boven zijn hoofd en laat me rusten op zijn schouder. Ik voel me als een vlieger in de lucht tot hij zegt: 'Hannah, je geeft me je gewicht niet.' En daar, terwijl ik vlieg naar het plafond van de conversatiezaal van een kerk op Harvard Square, besef ik *dat ik mijn gewicht niet geef hoewel ik volkomen ondersteund wordt*. Ik laat mijn vierennegentig pond op Jasons schouder rusten.

'Iedere cel in je lichaam bevat water,' zegt hij. 'Daardoor krijg je een zwáár lichaam.'

Hij zet me op de vloer en zegt: 'Duw me. Anders is het net alsof ik in mijn eentje dans. En laat je gedachten niet afdwalen terwijl we elkaar aanraken!'

Ik zou verliefd kunnen worden op Jason, op zijn verbale helderheid, zijn perfecte spieren, zijn paardenstaart. Maar hij is homo.

Op een namiddag laat in de winter ga ik de kerk twintig minuten nadat de les is begonnen binnen. De zaterdagzon dringt door de schuine ramen. Ik zie een man op zijn rug liggen op de houten vloer naast de radiator. De rust die hij zichzelf gunt, de streling van zijn handen over de houten vloer treft me. Ik maak de veters van mijn laarzen los, trek vlug mijn jas en mijn sokken uit. *Met die man wil ik dansen.*

Ik neem niet de moeite om opwarmingsoefeningen te doen. Ik ga naar de man toe en blijf staan met mijn voeten tien centimeter van zijn knieën. Hij is een Japanner, van mijn leeftijd, niet veel groter dan ik. Ik blijf daar twee minuten staan, misschien vier, ik kijk dezelfde kant op als hij. Langzaam heft hij zijn linkerknie op, de knie die het dichtst bij mij is en leunt ermee tegen mijn linkerkuit. Voorzichtig druk ik terug en ik blijf drukken, tot de vingertoppen van mijn linkerhand omhoog komen in een boog die mij naar de grond drukt – terwijl zijn linkerhand rond zijn lichaam draait en daarna langs het mijne.

Bijna een uur lang bewegen we in een vloeiend ritme van gewicht en aanraking, duwend en spelend alsof we onder water zijn. *Vervang je ambitie door nieuwsgierigheid.* Dat heeft Jason me verteld en nu ervaar ik het misschien. Onze dans eindigt doordat we gewoon, zonder erbij na te denken, afstand van elkaar nemen. Ik kijk in de treurigste ogen die ik ooit heb gezien, ik wil onze trance niet door woorden verbreken.

Ten slotte doe ik het toch. Hij heet Kiyo. Hij heeft een zwaar accent en als we over Harvard Square naar Grendel's Den lopen om te eten, moet ik hem vaak vragen om zijn woorden te herhalen. Maar ik voel dat hij me begrijpt. Hij woont in San Francisco. Hij is in Boston voor een computerconferentie.

Hij vertelt me dat zijn vader, een ingenieur, betrokken was bij de aanval op Pearl Harbor en daarna zijn eerste vrouw en twee kinderen verloor bij het bombardement op Nagasaki. Hij trouwde opnieuw – met Kiyo's moeder – en werd stapelgek. 'Hij sloeg mijn moeder vaak,' zegt Kiyo, als we terugkomen van de saladebar en beginnen te eten. 'Erg slecht voor mij.'

O God, denk ik. Ik kauw langzaam op mijn sla, het spijt me dat we zo vlug van de gratie van de dans in oorlogsverhalen terecht zijn gekomen.

'Mijn vader was teleurgesteld,' zegt Kiyo. 'Ik had geen ambitie. Andere jongens wel.' Kort nadat hij was afgestudeerd pleegde zijn vader zelfmoord.

Ik knik alsof zijn verhaal een geschenk is, aanvaard het en weet dat ik nu aan de beurt ben. Ik vertel hem dat mijn moeder weigert met me te spreken; en dat ik door een verhaal dat mijn grootmoeder me vertelde ben gaan denken dat mijn moeders leven – en misschien zelfs haar besluit om het contact met mij te verbreken – het gevolg is van de dood van haar eerste vriend, die het concentratiekamp overleefde omdat hij het seksuele troeteldiertje was van een nazi-officier. Ik vertel hem over Karen en haar zelfmoord. Ik vertel hem dat ik gedichten schrijf en dat ik lesgeef op een vrouwencentrum.

Kiyo knikt. Hij is Japans, ik ben joods. We zijn allebei kinderen van een oorlog die eindigde voor wij geboren waren. Terwijl we daar zitten in het restaurant realiseer ik me dat we geen van beiden afscheid willen nemen. Ik nodig hem uit met mij mee naar huis te gaan, wetende dat ik hem misschien zal uitnodigen in mijn bed als we daar eenmaal zijn. Ik vind zijn belangstelling voor mij aangenaam en ik zou graag meer van hem willen weten.

Algauw liggen we in bed als ineengestrengelde slangen, we vervolgen onze sensuele dans. Zijn vingers raken me aan alsof ze vragen: *wie ben je?* Als ik hem aanraak gaat hij achterover liggen, alert als een klein kind dat net zijn ogen kan richten en kan zien.

Dan begint hij me te kussen – als een uitgehongerd beest voor een stuk vers vlees. 'Wacht,' zeg ik en ik keer me af van zijn honger. 'Dat is te ruw.'

Kiyo's gezicht versteent. Ik wil niet dat hij zich afkeert, ik wil niet dat hij denkt dat ik hem afwijs. Maar ik voel aan zijn armen, nu slap, dat dat is wat hij denkt.

'Je wilt niet paren,' zegt hij.

'Vannacht niet,' zeg ik, bijna in tranen omdat ik zo eerlijk ben tegen een man van wie ik spoedig afscheid zal nemen. 'Ik wil alleen dat je me in je armen houdt.'

Kiyo zucht. 'Ik heb het nog maar tweemaal gedaan,' zegt hij. 'Met jou dacht ik, misschien weer.'

Ik lig alleen op mijn kussen, ik voel een vreemde mengeling van afkeer en medelijden. Toen we dansten in de kerk was hij zo buitengewoon teder en gracieus. Nu in mijn bed wil hij met grote happen de liefde bedrijven. 'Seks zou niet goed zijn,' zeg ik. 'Niet voor mij.' Kiyo vindt me ongetwijfeld een raadsel. Ik heb hem verteld dat het bijna vier jaar geleden is dat ik met iemand heb gevrijd.

'Ik begrijp het niet,' zegt hij. 'Je hebt een kans om lief te hebben en die neem je niet.'

'Ons contact is sénsueel,' zeg ik, 'niet seksueel.'

'Wat bedoel je?' zegt hij.

Ik zucht. Ik vind het prettig om zo ondervraagd te worden. 'Ik weet eigenlijk niet wat ik bedoel,' zeg ik. 'Ik hou van de manier waarop we gedanst hebben. Maar ik heb geen zin om te vrijen.'

'En,' zegt Kiyo, 'over twee dagen verdwijn ik voorgoed.'

'Dat weet ik.' Ik vertel hem niet dat ik eraan twijfel of ik wel van iemand kan houden. We zitten allemaal zo vol fouten, zo vol geschiedenis waar we geen weg mee weten.

10

1941

UIT DE ANDERE WERELD

Leah

geboren omstreeks 1869-1938

De mensen met hun voeten op de grond zeggen dat het 1941 is. Ik tel niet meer. Maar vier winters geleden kwam ik in de andere wereld. En ik mis het gesleep met water beslist niet.

Wel, ik besluit eens te gaan kijken bij mijn kinderen in Riga. Mijn schoonzoon Menachem Weinberg, de man van mijn Masja, werkt nog steeds als dokter. En hij is de vice-president van de Choral-synagoge in de Gogolastraat. Hij heeft het druk. En hij is zenuwachtig geworden. Zijn kinderen en Tamara's kleinzoons gaan allemaal naar joodse scholen maar hij weet dat de Duitsers in Riga komen en ik denk dat hij geen uitweg ziet.

De *chevre keddisje*, onze begrafenisonderneming, is verboden. Ik word duizelig, dat zeg ik jullie, als ik kijk naar mijn volk dat zijn doden niet kan eren.

Over de weg naar Riga komt een stoet Duitsers, met tanks. Maar meneer Iljitsj, onze huisbaas uit Dvinsk, marcheert met ze mee. Ja, er zijn ook andere Russen die met de nazi's mee marcheren. *Meneer Iljitsj! Wat bent u aan het doen?*

Ach! Hij wil de overwinnaars van dienst zijn! Met zijn vrienden breekt meneer Iljitsj de deur van het huis van mijn Masja open. Menachem ligt in bed – waarschijnlijk heeft hij in geen twee dagen geslapen. Hij kwam net thuis van een familie die ziek lag met de koorts. *Ach, nee!* Ze duwen Menachem het bed uit met hun geweren. Ze schoppen hem, waar Masja en mijn kleindochter Ruchl bij staan. Nu schoppen ze mijn kleinzoon Asjer – die nog maar net bar mitswa heeft gedaan! De hele familie moet lopen. Meer dan tweehonderd joden moeten naar de synagoge lopen.

'*Es ist sjrecklech kinder meins,*' fluister ik. 'Dit is afschuwelijk, mijn kinderen, heel erg. *Ich wil dir nit farlozn.* Maar ik ben bij jullie. Ik zal jullie niet verlaten.'

Ik weet dat Masja me hoort, maar ik denk niet dat ze me gelooft. Ze is in zo'n toestand dat ze geen ruimte in haar hoofd heeft voor de woorden van haar moeder.

Wei is mir. Ik vraag me ook af waar Jesjia's kinderen uit zijn eerste huwelijk en hun gezinnen zijn. In de mensenstroom is het moeilijk om hen te vinden. 'Tamara!' roep ik. 'Chava!' Maar ik zie ze niet en ik hoor niets terug.

Nu worden de mensen de sjoel binnengeduwd. *Als lucifers in een klein doosje,* denk ik en ik herinner me een buurman uit Dvinsk, meneer Rosenblum, die in een lucifersfabriek werkte – en op dat ogenblik zie ik *dat de hele synagoge in lichterlaaie staat.* Direct vanuit het Godshuis *gaan mijn kinderen schreeuwend omhoog.* De Russen van Riga staan erbij te kijken. En zij kijken als de nazi's een vrouw neerschieten die niet in de sjoel terecht is gekomen. Ik wou dat die hond zijn geweer ook op mij richtte. Dan bedenk ik dat dat niets zou uitmaken. Want ik ben al in de andere wereld.

De zon gaat onder, de zon komt op. De zon gaat onder, de zon komt op. De nazi's en hun Russische vrienden maken een getto voor de joden die in Riga zijn overgebleven. Het heeft een muur, dus niemand kan eruit. Daar zie ik Tamara met haar gezin, ze zoeken etensresten. Ik zie Perle Fineberg, de dochter van mijn nicht Kajla die eens een oogje had op Mosje. Nu heeft ze een klein jongetje in haar armen. Ze kan hem zelfs geen kroes water geven.

Op een dag in november halen ze tienduizend joden uit het getto en laten ze naar het bos lopen. Reb Mendel Sack is erbij, de rabbi van Asjers jesjiva. De nazi's richten hun geweren. Het is als hagel in een veld met rijpe tomaten, hun kogels laten niemand staan.

Een week later hebben ze twee dagen nodig om de rest van mijn volk te vermoorden. Vijftienduizend mensen in twee dagen. De joden die over zijn in Letland sturen ze naar Kaiserwald – een concentratiekamp noemen ze het.

Ik hang boven Riga, boven de lijken van mijn kleinkinderen, mijn oude vrienden en buren. Ik hang boven het bos, waar ik eens heen ging met Daniel toen hij nog klein was, boven het bloed van onze rabbi, boven het bloed van Masja en Menachem. Als een wolk die te dik en te zwart is om op te stijgen hang ik daar.

Ik wacht tot ze bij me komen. Ik wacht. Er *gebeurt niets.*

Als een ziel sterft door vuur of kogels, gaat die dan langs een andere weg naar de andere wereld?

Of gaat die naar weer een andere wereld?

Als je dood bent, dan ben je dood. En ik zie Duitse jongens en hun moeders hier in de andere wereld. We zijn allemaal dóód. Ik word er duizelig van.

'Ga naar Amerika,' zegt Rivke Plotkin tegen me. 'Daar heb je nog familie.' Wil je niet zien hoe het leven verdergaat?'

Já. Ja, ik wilde altijd al het paleis zien waar mijn Mosje in woont en zijn vrouw en zijn dochtertjes, mijn kleindochters waar ik nooit blintzes voor heb kunnen bakken. En boven Amerika kan ik ook een oogje houden op Raisl en Daniel. Dus ik ga.

Het huis van mijn zoon is zo groot, dat kun je je niet voorstellen. Vier kamers alleen om te slapen! Een meisje uit een gojs land, Ierland, woont op zolder en helpt Ida, de vrouw van Mosje. Dat is een probleem als je rijk genoeg bent om in een groot huis te wonen, denk ik – je moet rijk genoeg zijn om iemand te betalen die je helpt om het schoon te houden. Als ze warmte willen draaien ze een knop om, gemakkelijk. Ida heeft een fornuis dat hard en zacht kan branden, ook door een knop om te draaien. Moe heeft een auto die hij opdraait met een sleuteltje. Als een keizer zit hij in zijn auto, gemakkelijk. Dokters kunnen vlug bij je zijn in zulke auto's en ze hebben ook een telefoon om de dokter te roepen; ze kunnen naar New York City bellen als dat nodig is.

Stel je voor – ze noemen het een toilet – een mooi porseleinen ding op elke verdieping van dit huis, dat spoelt alles weg. Ik bedoel álles!

Dan zie ik de kandelaars die ik Raisl heb meegegeven op de eettafel staan, een grote met de hand gemaakte tafel die Mosje uit Frankrijk heeft laten komen.

Hij is mooi, die tafel. Misschien heeft een echte koning daaraan gegeten. Ik weet nog dat ik Raisl die kandelaars gaf om mee te nemen naar Amerika. Toen ik met Jesjia trouwde heb ik ze van mijn moeder gekregen. En zij had ze van haar moeder. Toen ik ze aan Raisl gaf bedoelde ik dat zij ze mocht houden. Maar nu zie ik dat zij ze aan Mosje heeft gegeven, zoals ze haar leven voor hem heeft gegeven.

Ach. Ik zie mijn dochter alleen zitten in haar kleine kamertje, ze zit daar maar. Ze zit soms bij een radio, zo noemt ze dat, en luistert naar muziek. Ze bakt challe voor Ida en voor een paar buren, om wat geld te verdienen. Het geld voor de huur krijgt ze van Mosje. Daniel, haar zoon, is in het Amerikaanse leger gegaan. Uitgerekend naar Japan. Hij schrijft haar soms. Raisl. Ze zit alleen. Ik vraag me af of ze het prettig vindt als ik vriendelijk op haar neerkijk.

En Mosje – hij verdient geld, hij heeft een gezin, maar sjabbes is hij vergeten, volkomen. Wie heeft een rustdag nodig, denk ik, als je vingers hebt die op knoppen kunnen drukken en kunnen toveren, gemakkelijk, altijd even gemakkelijk. Ja, en als er iets vreemds gebeurt, als je bijvoorbeeld niet direct licht krijgt of hete lucht – wel, als je dan doet alsof de wereld vergaat vinden de mensen dat normaal; alsof dat een klacht is waar God onmiddellijk iets aan moet doen.

Het is geen wonder dat ik niets van Mosje hoor. Met elektriciteit, water uit een kraan, een auto, waarvoor zou een jongen dan zijn moeder in de hemel nodig hebben? Met al zijn Amerikaanse geld is Mosje gaan denken dat hij ook niets van God nodig heeft. Alsof hijzelf Heerser van het Heelal is. En Ida, zijn vrouw – ze hoeft zich niet druk te maken om warmte en water, ze hoeft er niet voor te werken. Maar o! Ze heeft zorgen genoeg om dat grote huis van haar op orde te houden en om te zorgen dat Mosjes boeken in orde zijn – zorgen en werk waar ze geen plezier aan beleeft. O ja, ik zie dat ze het moeilijk heeft.

Elke morgen (op sjabbes ook, dat hoef ik jullie niet te vertellen) neemt Mosje Ida mee en in zijn auto rijden ze over gladde wegen naar zijn zaak. Hij neemt een gladde weg zonder bomen, snel. Het wereldnieuws hoort hij op de radio. Drie of vier keer per dag luistert hij naar die doos, verhalen van overal vandaan. Maar die mannen in die doos vertellen hun verhalen zonder gevoel. Hij heeft een radio in zijn auto, in zijn zaak, naast zijn bed. Maar toch kent hij de verhalen van Ida en van zijn dochtertjes niet. En hij praat zeker niet met mij, om te horen wat ik te vertellen heb. Je hebt geen elektrische kabels nodig om de stem van je eigen moeder te horen! Maar Mosje is een Amerikaanse zakenman geworden. Ik vermoed dat hij anders denkt. In zijn zaak werkt hij als een krankzinnige, hij speelt de baas over mensen. Hij doet me een beetje denken aan de officieren van de tsaar.

En de twee meisjes. De oudste, ze noemen haar Rita, is zaftig, een beetje mollig. Leuk om te zien. Maar ze heeft zich al in haar hoofd gezet dat ze haar vader niet mag. Ze is nog maar twaalf of dertien, en ze praat tegen hem alsof ze denkt dat hij dom is. Ha! Ze weet niets van het leven van Mosje toen hij klein was, hoe hard hij gewerkt heeft zodat zij kon leven als een koningin. De andere, Celia, is een beetje mager. Ze komt de kamer binnen als een engel, schuw. Maar onder haar huid gloeien hete kolen. Ik maak me zorgen om haar. Een onschuldige met veel vuur, noem ik haar. Ik zie niet hoe ze haar voeten op de grond kan houden.

Rita is sterk; maar over Celia maak ik me ongerust. Grote, grote ogen heeft ze. En haar gezicht is zo zacht, dat kun je je niet voorstellen. Celia heeft het gezicht van een Amerikaanse prinses, die niets weet van het boenen van kleren in ijskoude rivieren, van weken met alleen maar aardappels, van kozakken die joodse mannen meenemen.

Ida is een goede moeder, een goede kokkin. Een *ballatisje* – keurig. Maar meestal werkt ze in Mosjes zaak. Hij zorgt ervoor dat zij geen keus heeft. Dus blijven de kinderen thuis met die Ierse vrouw.

Ze hebben in dit huis allemaal hun eigen kast, met meer kleren dan ik kan tellen. Dat zint me niet. Het is natuurlijk prachtig dat mijn Mosje geld heeft om zo veel kleren voor zijn vrouw en kinderen te kopen, allemaal in een andere kleur. Maar over een jaar is alles te klein. Dan moeten de meisjes weer nieuwe kleren hebben. Ze raken gewend aan zulke overdaad. Zeker, zeker, het ziet ernaar uit dat Mosje genoeg geld heeft voor altijd, maar wie zal zeggen of dat waar is? Het maakt me erg zenuwachtig. Als je zo veel dingen hebt, denk je dat je God – of wie dan ook – niet om hulp hoeft te vragen.

Ach, wat weet ik er ook van? Ik ben dood. Maar voor God heb ik woorden.

Het is bijna Chanoeka, in december, en de kinderen hebben binnenkort wintervakantie. Rita zit in de hoogste klas, Celia in de vijfde. Meisjes die naar school gaan – dat is een schok voor me. Maar eigenlijk is alles een schok voor me. Ik zie dat Rita broodjes met ham eet met een gojse vriendin die naast haar woont. Er staat in bijna elk huis in deze straat een muur vol boeken van heb ik jou daar. Een grammofoon speelt muziek. Ida, de rijkste vrouw die ik ooit heb gekend, is niet gelukkig. Geen sikkepitje gelukkig.

Eerlijk gezegd is het erg moeilijk om die dingen te begrijpen.

Hier word je niet ziek, want je hebt geen lichaam. Maar misschien begrijpen jullie het: dat wat ik zie geeft me een verschrikkelijk vieze smaak in de mond en het stinkt, iets wat blijft hangen en dat je niet kwijt kunt raken. Ik ga even terug naar Riga. Ik zie nu geen lijken, maar ik weet dat mijn kinderen geen nette begrafenis hebben gekregen. De gojim die eens onze buren waren hebben alles wat ze wilden uit onze huizen gehaald. Ik krijg een duizelig, misselijk gevoel over me – omdat zo veel mensen blij zijn dat de joden weg zijn.

Ik ga terug naar Amerika. Mijn oog valt op Celia. Ze is tien jaar. Ze geven voor haar een feest – en dat is weer een verrassing voor mij. Een feest, ter ere van de verjaardag van een meisje, met gebak en cadeautjes. Ida's zusters komen en zullen voor haar zingen. Maar bij Celia kan er geen lachje af.

Er is iets mis.

Op een avond zie ik dat Celia haar kleren voor de volgende dag uitkiest. Dan stapt ze in haar bed, zo groot dat wij er met zijn drieën in hadden kunnen slapen en ook nog omrollen. Ida komt binnen, geeft haar een klopje op haar hoofd, zegt 'welterusten'. Als Celia het licht uitdoet krijg ik weer dat gevoel, er is hier iets mis. Er is hier iets treife. Niet kosjer.

Haar kamer is donker, maar ze heeft haar ogen open en draait haar hoofd naar de deur. Met kleine, stijve rukjes draait ze haar hoofd, alsof de duivel in haar kamer is. Ze heeft een eigen dekbed en dat klemt ze om zich heen. Krampachtig ligt ze onder dat dekbed.

En wie komt daar binnen? Mijn Mosje. Hij gaat op het bed zitten. 'Waar is mijn suikerdotje?' Hij lacht als een clown. 'Waar is mijn kuchen?' Maar Celia lacht niet. Nee, haar gezicht wordt hard, en ze trekt haar nachthemd stijf om zich heen. Er staan gele bloemen op dat nachthemd, maar ze houdt het zo krampachtig vast dat haar gezicht een steen wordt. Niet mooi.

Bijna zeg ik iets. Bijna zeg ik: 'Kom schatje, kom bij me zitten.' Maar ik weet dat ze nog banger zou worden als ze mij hoorde. En dan gaat Mosje naast haar liggen, onder haar donzen dekbed. Celia's ogen zijn wijd opengesperd, zelfs haar oogleden doen niets om haar te bedekken. Ze ligt zo stil, ik zie niet dat ze ademt.

Ik hoor mezelf denken: laat ik maar teruggaan naar Riga. Maar het is te laat. Mijn ogen zijn open, net als die van Celia.

Mosje slaat zijn armen om mijn kleindochter heen alsof ze zijn vrouw is! 'O kom, mijn lieve meisje,' zegt hij.

Hij weet niet dat dat niet goed is voor Celia, dat het niet goed is dat een vader zijn dochter zo vasthoudt. En dan, wat een schánde, dan wordt zijn geslacht stijf. *Zijn piemel wrijft over Celia's been.* 'MOSJE!' roep ik. *'Her uf! her uf!* Stop! STOP! Zie je de angst niet in het lichaam van dat kind? *Sjoin her uf!* Hou NU op, zeg ik!' Maar hij hoort me niet. Hij hoort me helemaal niet. 'Celia, liefje,' zegt hij en hij drukt zich weer tegen haar aan.

Voor Celia is het alsof ze haar in het graf hebben gelegd, onder een laag aarde. Haar kleine lichaam wordt zowel zwaarder als lichter. Ze probeert aan zijn armen te ontsnappen. Maar Mosje merkt dat niet eens.

'Zo'n lief meisje,' zegt hij weer. 'Ik zou je wel willen opeten.'

'MOSJE!' Ik schreeuw zo hard dat de wind gaat waaien. De deur van Celia's kast slaat dicht. Maar de enige die weet dat ik het ben is mijn moeder, die is ook hier in de andere wereld. Ze komt bij me in de kamer.

Ida's moeder, Channa, denkt dat ze wakker wordt uit een nachtmerrie. Maar alles wat ze zich voorstelt en vreest vanuit haar bed in Cleveland, Ohio, is wat ik zie gebeuren vanuit de andere wereld.

Ida is in haar keuken, ze maakt een tsjolent die ze zal bakken als zij en Mosje morgen thuiskomen uit de zaak. Voor ze de uien hakt worden haar ogen wazig van de tranen, ze weet niet waar die vandaan komen. Ze kan eventjes niets zien, maar ze heeft een mes in haar hand om uien te snijden. Als Rita in de keuken komt om een glas melk te halen voor ze naar bed gaat, vindt Ida zichzelf gevaarlijk – een blinde vrouw met een mes. 'Ga maar aan tafel zitten,' zegt Ida knorrig. Fluisterend scheldt Rita haar eigen moeder uit.

Celia's ogen zijn nu gesloten, haar lichaam lijkt op een oude steen. Mosje knijpt in haar wang, zo hard dat die rood wordt. Hij denkt dat hij haar gewoon welterusten wenst maar zijn piemel ligt *op haar been! Ziet hij dan niet dat ze daardoor dood wil gaan?*

Eindelijk stapt Mosje uit Celia's bed, dan gaat hij de kamer uit. Ze doet het licht weer aan en gaat aan haar toilettafel zitten. Ze staart in de spiegel. Celia heeft zo'n mooi gezicht en haar dat als een kinderhand om haar vinger krult. Een huid die glanst als maanlicht. Ze kijkt naar haar eigen woede. Dan komt Rita de kamer van haar zuster binnen en zegt: 'Wat doe jij nog op?' Celia zegt niets, maar ze doet het licht uit, sluit haar deur en gaat haar bed weer in.

Ik voel me smerig als ik zie wat er van mijn zoon geworden is.

Wat heb ik verkeerd gedaan? Waarom heeft Mosje nooit geleerd om zijn vrouw en dochters te respecteren?

Heb ik, toen ik Raisl vroeg om bij die kozak te gaan liggen, Mosje de keus ontnomen om te leven en op een fatsoenlijke manier te leven?

Ik mag dan dood zijn, maar ik heb geen plaats om iets te verbergen. Mijn zoon niet, mijn schande niet.

De volgende avond zie ik dat Mosje naar Celia's kamer gaat en de deur open-doet terwijl zij voor de spiegel zit. Ze heeft een jurk aan, sokjes, schoenen – hoewel het bedtijd voor haar is. Haar haar, dat ze die morgen zelf heeft ge-vlochten, hangt in twee vlechten achter haar oren. Ze vangt de blik van haar vader meteen op wanneer hij haar deur binnenkomt. In haar spiegel kijken ze elkaar aan alsof ze niets anders zijn dan ogen, ze wachten op wat er zal gebeu-ren.

Misschien zou ik haar kunnen vragen om hier bij ons te komen. Ik hoor mezelf dat zeggen. Maar dan denk ik: nee. Ik kan in haar buurt blijven. Dat is alles.

Mijn gedachten, wei is mir. Ze zijn een chaos geworden omdat ik heb gepro-beerd te begrijpen waar Mosje geleerd heeft zo krankzinnig te zijn. Of is dat de prijs van de vrijheid voor een Amerikaanse prinses wier vader leeft omdat zijn moeder zijn zuster vroeg bij een soldaat te gaan liggen? Ik herinner me dat Jesjia zei: 'We bestuderen de thora niet om antwoorden te krijgen, maar omdat er vragen zijn die ons tergen, die onze hoofden breken. Dan kunnen er diepere gedachten binnenkomen.' Worstelen met God, noemde hij dat. *Maar niemand hier bestudeert de thora.*

Oi! Ik maak mezelf ongelukkig. Ik ben bang om in de toekomst te kijken, dat kunnen jullie je wel voorstellen. Ik kan alleen bij dit meisje blijven. Ik geloof niet dat Celia iets voor me voelt, maar wat weet ik ervan? Ik voel iets voor haar. Voor haar wil ik dichtbij zijn. Ik heb natuurlijk ook gevoel voor Mosje. Ik ben nooit vergeten dat hij toen hij klein was ons zijn verjaardagstaart gaf om ons gezin door de winter te helpen. In Amerika leerde hij Engels en werkte hij zich op. Maar ik zie ook dat het hem moeilijk valt zijn zuster te vergeven wat ze voor hem heeft gedaan, wat ik haar vroeg te doen. Ach. Ik ben Mosjes moeder. Ik heb hem het leven gegeven. Toen heb ik hem een belangrijke keuze afgenomen. En kijk nu eens.

Misschien kan Celia, als ik blijf, haar pijn overleven.

Nu staat ze bij haar toilettafel en staart in de spiegel met een blik die haar doet lijken op een machtige koningin.

Mosje komt binnen zoals altijd met zijn gedachten wie weet waar. Maar zodra hij binnen is, ziet hij dat deze avond anders is. Ze houdt zijn blik vast met haar gestaar in de spiegel. God! Wat een getormenteerde schoonheid is Celia!

Mosje zegt niets. Hij kijkt haar alleen aan, in haar heldere ogen. Celia trekt de la van haar toilettafel open en haalt er een scherp mes uit, het moet uit Ida's keuken komen. Langzaam brengt ze de punt, met het kleine handje dat leert schrijven, naar haar gezicht, ze drukt die tussen haar ogen! *God zij geloofd*. Ze laat hem weten dat ze zelfmoord zal plegen als hij niet ophoudt met zijn bedspelletjes.

Na een kort ogenblik begrijpt Mosje het. Zijn gezicht verschrompelt als dode groente en hij knikt langzaam. Even slaat hij uit schaamte zijn ogen neer. Hij heeft Celia de blik geschonken die ze wenste, denk ik, de blik die weet dat ze de waarheid heeft gesproken.

11

1953 ❧ 1967

Celia

geboren in 1931

in Cleveland

De middag voor mijn zevende afspraakje met Leonard Gottlieb. Ik ben een-entwintig jaar, heb gestudeerd, heb geen man en geen plannen voor de toekomst. Het is zomer, 1953. Ik ben gekleed in nauwe jeans en een blauwe trui met een witte streep langs de v-hals. Ik kam mijn haar naar voren, borstel het tegen mijn borst, verdeel het in drieën voor een vlecht. Ik wil er voor hem leuk uitzien. Leonard is een lieve man. Misschien is hij dé man voor mij.

Ik denk eraan hoe hij de oorlog heeft overleefd. Toen Karl Heydrich op hem afkwam voor seks fantaseerde Leonard dat de nazi een muzikant was en hij een muziekinstrument – soms een cello, dan weer een hoorn. Dat deed hij om te overleven. En vreemd genoeg bleef hij van muziek houden.

Ik sta mijzelf de wens toe dat hij me ten huwelijk zal vragen: ik denk dat we aan elkaar verwant zijn.

Toen ik dat auto-ongeluk kreeg was ik bijna elf. Ik werd wakker in het ziekenhuis met een grote afkeer van moeder en vader en geduld om te wachten op de verre dag dat ik alleen zou kunnen wonen. Zelfs met al die gebroken botten slaagde ik erin een ingewikkelde doolhof te construeren die mij beschermde tegen hun aanraking.

Leonard denkt, anders dan de meeste overlevenden, dat zijn beulen eerder dom dan wreed waren. Hij weet, net als ik, de dochter van Moe Zeitlin, dat je soms geen andere keus hebt dan de overgave. Als wij trouwen denk ik, in die ogenblikken vol verlangen waarin ik mijzelf zie in de spiegel, zullen we een huis hebben waarin de enige muren de muren zullen zijn die je kunt zien.

Om vijf uur begroet vader Leonard bij de deur. Als Leonard hoort dat moeder hulp nodig heeft biedt hij die aan. Hij is een kaffer, vader. 'Je bent zo mooi als een vrouw,' zegt hij tegen Leonard. 'De vrouw met wie je trouwt boft, ze krijgt een goeie huisvrouw aan je!' Ik weet dat hij mijn vriend even erg heeft gekwetst als de nazi's deden. Dat kan iedereen zien aan Leonards lange donkere wimpers die rusten over zijn gesloten ogen.

Als we wandelen in Cain Park durf ik Leonards hand te pakken. Maar ik kan die niet blijven vasthouden, omdat ik geen woorden heb om hem te troosten. Ik trek mijn hand terug. Misschien merkt hij het niet. Hoewel hij zonet is beledigd door mijn vader – en misschien door mijn eigen ambivalentie over aanrakingen – schijnt Leonards tederheid voor mij op te borrelen uit een bodemloze bron. Maar ik heb een nieuw gevoel: ik wil niet trouwen met iemand die zo kwetsbaar is.

Ik heb een man nodig die mijn vader aankan.

Behalve mijn grootmoeder Channa was Leonard Gottlieb waarschijnlijk de eerste van wie ik bewust hield. En zeker is, dat hij de eerste was bij wie ik me genoeg op mijn gemak voelde om een flink stuk van de dag mee door te brengen. Ik luisterde graag naar hem als hij viool speelde, ik hield van zijn luide orkest – hoewel ik dat maar eenmaal heb gehoord. Toen hij zich ophing, kort na onze laatste afspraak – misschien omdat ik wist dat hij mijn afwijzing had gevoeld en dat ik een rol had gespeeld in zijn dood – dreef ik de gevoelens voor hem uit mijn lichaam. Als water dat je uit een spons knijpt, om de spons weer nuttig te maken. Ik besloot ook om alles wat er over was van het meisje in mij uit te drijven. Ik kneep dat er allemaal uit – moeders passiviteit; vaders uitbarstingen; tante Roses onverklaarbare, gesloten gestaar; Channa met haar manier om de verhalen uit me trekken die ik binnenhield; en de foto's in de kranten van de uitgemergelde lichamen die de oorlog hadden overleefd. Ze waren meer dood dan levend, die mensen en ik was zo mager dat we op elkaar leken. Ik trok me terug in mijn kamer.

Mijn vaders uitbarstingen (net als zijn periodieke weigering om te praten) waren denk ik het gevolg van het feit dat hij wist dat hij de familie die hij achter had gelaten niet kon helpen. Eens, vlak voor mijn eindexamen, zag ik hoe vader naar me keek toen ik een sigaret uit mijn tas haalde en die opstak. Ik wist dat hij het verafschuwde dat ik geld uitgaf aan zo'n nutteloos iets, en hij verafschuwde de geur ook. Ik inhaleerde toen zo diep als ik maar kon: zonder een woord te zeggen kwamen we toen overeen dat mijn leven míjn keuze was. Het is een keuze die ik mijn hele leven in stand heb gehouden, een keuze waar hij noch mijn moeder iets aan kan veranderen.

Met Leonard had ik ook succes: voor het grootste deel vergat ik hem.

Toen mijn grootmoeder stierf, een jaar of twee na Leonard, was ik een tijdje wanhopig. Ik was afgestudeerd in pedagogiek, maar ik had geen zin om les te geven. Rita en mijn vriendin Natalie waren getrouwd en begonnen een nieuw leven. Ik woonde nog bij mijn ouders. Ik zat in mijn kamer, soms urenlang te breien of te lezen. Channa was het enige familielid dat ik echt vertrouwde. Ze had mijn verhalen aangenomen alsof het robijnen waren en ze zwijgend bewaard. Toen ze stierf was ik in zekere zin blij – omdat de verhalen die ze uit me had getrokken met haar verdwenen in het graf. Niemand zou ooit horen wat ik haar verteld had.

En toen wilde moeder dat ik naar dr. Bartner ging, een psychiater. Toen ik in zijn kamer was besefte ik dat ik verlangens had en wensen en dat ik die kon vervullen! Ik was niet gebonden aan het huis van mijn ouders en de grillen van mijn vader. Ik begreep dat ik niet volwassen zou worden als ik in Cleveland bleef. In New York kon ik sandwiches met ham en kaas eten als ik dat wilde, college lopen bij echte geleerden en naar buitenlandse films gaan. Ik dacht dat er volop baantjes waren waaruit ik kon kiezen. Dus ging ik naar New York.

Toen ik Allan Schwartzman ontmoette die in de rij voor een bioscoop stond om een film te zien – of, zoals we later voor de grap zeiden, om míj te ontmoeten – ontbrandde mijn lichaam als een lucifer die je langs een stenen muur strijkt. Als ik in zijn ogen keek kon ik de rest van de wereld uitwissen. Ik verlangde naar de macht om hem te behouden.

De eerste maanden dat we samenwoonden leefden we in een extase. Geen van ons beiden was langer gelukkig geweest dan de tijd die ervoor nodig is om een lekker stuk taart te eten; plotseling kenden we of verwachtten we niets anders dan geluk.

Natuurlijk voelt iedereen zich een deel van de wereld en staat er voor open als hij verliefd is. Maar voor ons was het een wonder. Ik had vóór die tijd nauwelijks gepraat. Vooral sinds mijn ongeluk, maar zelfs daarvoor al leefde ik in een cocon – meer dan vijftien jaar lang. En toen nam Allan me bijna elke dag in zijn armen, keek me in de ogen en zei: 'Heeft iemand je weleens verteld hoe mooi je bent?'

Natuurlijk wel. Maar ik had het altijd afgeschud – het idee afgeschud, de mensen die het zeiden afgeschud. De schoonheid die anderen zagen detoneerde zo met mijn innerlijk leven dat hun commentaar mijn gevoel dat ik afschuwelijk mager en onaantrekkelijk was eerder versterkte.

Wat ik eigenlijk met Allan had was een belevenis van schoonheid. Ik straalde. Ik gaf warmte af en ik wist het. Ik was geen gezelligheidsdier, nee. Ik was nog altijd een schuw muisje. Maar ik lachte met winkeliers, zelfs met mijn ouders. Toen ik terugging naar Cleveland had ik een warme glimlach, zelfs voor Rose. Ik speelde met kinderen als we in de rij stonden in de supermarkt.

Mijn armen begonnen te voelen als die van een boogschutter, gericht op het gouden doel: moederschap.

Mijn verliefdheid op Allan bleef niet, natuurlijk. Dat had ik ook nooit verwacht. Verliefdheid is geen emotie die blijft. Maar Allan was helaas op dit punt een idioot.

Toen ik eenmaal zwanger was, zat ik op de bank en voelde de compleetheid van de koker die ik had geschapen, de kracht van de schoppen van het kind, haar liefkozingen, de precisie daarvan. Ik vond het heerlijk dat mijn buik uitzette en mijn kleren te nauw werden. Ik vond het heerlijk om dik te zijn. Ik sloeg een roze sjaal om ons heen (die Channa me had gegeven voor ze stierf), legde mijn voeten op de bank en liet het kind mijn dag bepalen. De kracht van haar gunst was onbetwistbaar. Hallucinerend.

'Je ontwikkelt een symbiose met hem,' zei Allan met zijn sociaal-werkersstem, 'dat is niet goed.'

'Hmm,' zei ik dan. Hij was gewoon achtergrondgeluid. Ik wist dat het kind een meisje was, een van de weinige keren dat ik iets intuïtief voelde en er volkomen zeker van was. Ik wilde een meisje hebben natuurlijk – om haar naar Channa te noemen.

Totdat ik zwanger was van Hannah, leefde ik met een voortdurende pijn in me – als een voortdurende hoge toon. Ik vroeg me soms af of dat de stem was van God, die me iets wilde mededelen. God betekende natuurlijk niets voor me. Ik geloof niet dat ik ooit in mijn leven heb gebeden. Ik ben haast nooit in een synagoge geweest – alleen om te trouwen, beide keren plichtmatig, in het kantoor van de rabbi. Ik hou niet van ceremonieel. Ik voel me waarachtig niet minder joods als ik garnalen eet of kreeft of een tosti met kaas en ham. Als kind ging ik graag met mijn grootmoeder naar de vrouwenafdeling van haar synagoge. Op het balkon roddelden zij en haar vriendinnen en gaven me complimentjes, terwijl de mannen beneden baden. Ondanks die hoge toon die me maar bleef treiteren is dat balkon de plek waar ik het dichtst bij God was. Ik vind dat niet erg.

Toen Hannah geboren was ging dat gezoem over. Als haar moeder beleefde ik iets wat je een soort gezegendheid kunt noemen. Misschien was borstvoeding wel goed voor haar geweest, maar ik had geen melk. Ik gaf haar de fles met tussenpozen die niet werden bepaald door de klok maar door haar wens. Onze communicatie was verbazingwékkend: voor ze begon te dreinen wist ik dat ze honger had. Toen ze vier maanden oud was, voerde ik haar vaak een beetje pap op mijn vingertop en dan wachtte ik tot ze glimlachte of haar hand op haar mond legde – waarmee ze me liet weten of ze het lekker vond en meer wilde.

Op een bepaalde manier was het voor mij vanaf het begin vreemd – dat dít kind mijn liefde wénste; dat ik bereid was die te geven. Ik was natuurlijk bang dat zij, met haar opmerkelijke gevoeligheid en expressiviteit, van mijn echte gevoelens zou weten, zoals alleen Channa ervan had geweten; en dat zij, anders dan mijn grootmoeder, andere mensen zou vertellen wat ze wist.

Maar ze is een kind, zeg ik bij mezelf. Een baby die niet kan praten. Het inspelen op haar unieke ritmes en verlangens, haar intelligéntie, de voeding, het zien hoe blij ze is aan het eind van weer een dag, haar gekraai omdat ze zich bewust is van onze wonderbaarlijke communicatie – dit is ongetwijfeld een gezegend leven. Tot Hannah kwam had ik geen idee hoeveel liefde ik in me had, hoe ik ernaar verlangde om te zorgen, verantwoordelijkheid te nemen. En ze nam mijn zorg zo vanzelfsprekend aan, onvoorwaardelijk. De liefde van mijn ouders kende altijd voorwaarden. Ik zal nooit het ogenblik vergeten dat ik zag hoe vader moeder een tiendollarbiljet toestak voor tennislessen voor Rita en mij. Toen moeder het aan wilde pakken, trok hij het terug, lachte haar uit en noemde haar hebzuchtig. Ze wist die dag niet in wat voor bui hij was. Dat overkwam haar vaak. En toch wist ik dat hij van haar hield en van mij ook. Misschien juist omdat hij wilde dat we zijn grillen kenden. Ik heb nooit gevoeld dat zij van hem hield – hoewel ze met hem getrouwd bleef. En in de kamer van mijn psychiater gaf ik toe dat ik van mijn vader hield. Ik hield ook van mijn moeder.

Nu, met Hannah in mijn armen, voel ik me eindelijk thuis in de wereld. Ik heb een doel.

Hannah is zeven, ze ziet me 's avonds na het eten roken. Ze weet niet dat tabak gevaarlijk is, in haar onschuld vraagt ze of ze een trekje van mijn sigaret mag. 'Ja hoor,' zeg ik. Ik aarzel geen ogenblik. Zij vindt dat trekje afschuwelijk en ik ben er blij mee. Want nu weet ik dat ze nooit zal roken.

Dan gaat ze naar de derde klas en ze hoort over kanker. Ze komt op een middag thuis terwijl ik aan de keukentafel mijn eenmansversie van bridge zit te spelen, knoopt haar jack los en hangt het op de haak, legt haar papieren op een stapel op tafel. 'Ik wil dat je ophoudt met roken,' verklaart ze. Haar engelachtige gezichtje, omkranst door krullen, ziet er te jong uit voor zo veel ernst.

'Sorry schat,' zeg ik en ik probeer mijn lachen in te houden, 'dat kan ik niet.'
Ze vraagt niet waarom niet, ze kijkt me alleen maar aan. Recht in de ogen.
Ik zucht. Ik zal haar eerlijk moeten antwoorden, dat zal haar schrik aanjagen. 'Ik hou van roken, Hannah,' zeg ik. 'Zo eenvoudig is het. En bovendien ben ik verslaafd. Ik heb bijna twintig jaar sigaretten gerookt. Ik heb ze nodig.'

'Misschien moet je eens een proef doen,' zegt ze. 'Alleen maar voor een paar dagen. Probeer niet te roken.'

'Het lukt niet,' zeg ik. 'Ik heb het geprobeerd. Ik weet dat het slecht voor me is. Maar zodra ik mijn ochtendkoffie op heb, moet ik een sigaret hebben.'

'O, máma,' zegt ze alsof ik een hopeloze dochter ben die ze toch accepteert.

Een paar dagen na dit gesprek gaat ze vroeg naar school. Ze zegt dat ze een speciaal werkstuk hebben. Ik ga zitten met mijn koffie, besmeer mijn toast met roomkaas en bosbessenjam. 'Goed, schat, tot de lunch,' zeg ik. Ik vertrouw haar volkomen, natuurlijk.

Als de koffie op is kan ik mijn sigaretten niet vinden. Er zijn niet veel plaatsen waar ze kunnen zijn: de badkamer, mijn tas, naast mijn bed, de voet van de Stiffel lamp naast mijn breiwerk. Het duurt niet lang voor ik begrijp dat Hannah ze heeft verstopt.

Ik bel onmiddellijk de directrice van de school. 'Er is iets gebeurd,' zeg ik. 'Hannah moet thuiskomen.' Ik zeg dat ze waarschijnlijk na de lunch weer op school zal komen – we wonen maar twee blokken verder.

Als ze de deur binnenkomt, ongewoon timide, zeg ik alleen maar: 'Ter zake. Haal mijn sigaretten.' Als zij ze me brengt in de keuken steek ik er meteen een op. 'Je kunt me de wet niet voorschrijven, Hannah,' zeg ik. 'Ik weet dat roken slecht voor me is. Maar ik doe het graag. Ik ben er zeker van dat je eens keuzes in je leven zult maken die ik niet goed vind. Als je dat doet, zal ik proberen je niet te dwarsbomen.'

Ze zegt: 'Oké,' boos, en pakt haar jas om weer naar school te gaan.

Ik schud mijn hoofd. 'Na de lunch.'

Zij is de enige over wie ik ooit iets te zeggen heb gehad.

12

1986 ✦ 1987

Hannah

Ik word wakker van het lawaai van schoonmakers op straat. Als een zwerm duiven strijken ze deze derde maandag van oktober neer op Inman met een stoet sleepwagens en parkeerwachters, die klaarstaan om het leven van fatsoenlijke burgers in het honderd te sturen. Tegen de tijd dat ik een trui heb gegrepen, een broek heb aangetrokken, mijn sandalen heb gevonden en naar beneden hol, hebben ze de neus van mijn pasgekochte acht jaar oude Toyota al opgetild. Ik zie hoe hij weggesleept wordt, naar Mass. Avenue, met een bon onder mijn ruitenwisser die me minstens vijftig dollar zal kosten.

Het is een ongewoon warme dag. Maar als ik geen taxi neem naar mijn werk kom ik te laat voor de fotograaf van de *Boston Globe*. Ik heb de feuilletonredactrice een paar verhalen van mijn studenten gestuurd en gevraagd of ze die misschien wilde publiceren. Vrijdagmiddag belde de redactrice me op om te zeggen dat ze het een goed idee vond en dat ze een man zou sturen die Jonathan Lev heette om foto's te maken.

In het weekend kocht ik voor de gelegenheid een wijd, korenblauw vest. Het hangt in een comfortabele A-lijn over mijn heupen en mijn zwarte broek. Misschien zeggen de vrouwen wel dat ik er leuk uitzie.

Ik kom de deur van het centrum binnen en zie de fotograaf gehurkt zitten voor een camera op een statief. Hij laat leerlingen poseren op het bankje, de achterkant van zijn hoofd en zijn denim jasje begroeten me als ik binnenkom. 'Ooo!' roep ik. Ik had nog niemand verteld dat we in de krant zouden komen – en ze zullen niet allemaal gepubliceerd worden, ditmaal niet, althans. De fotograaf zou pas om halftien komen en het is negen uur.

Jonathan Lev haalt zijn handen weg van de camera, staat langzaam op alsof hem dat wordt bevolen door een gewapende rover en draait zich om. 'Hallo,' zegt hij vriendelijk. Hij is een jaar of dertig; een paar jaar ouder dan ik. Onder zijn jasje is een grijs rugbyhemd netjes in zijn zwarte broek gestopt. Ik vermoed dat zijn moeder of zijn vriendin hem die bruine kasjmier sjaal heeft gegeven. Hij glimlacht verontschuldigend terwijl hij daar zo staat met zijn armen omhoog, een kop groter dan ik. 'Hannah Felber?' vraagt hij.

Ik knik, ik voel dat mijn onderlip gaat hangen en mijn hart gaat bonzen.

'Mijn redactrice zei dat je me verwachtte.' Er is iets bekends in zijn openhartige glimlach, zijn vriendelijke stem en de manier waarop de bruine sjaal zo elegant om zijn hals hangt.

'Ja,' zeg ik en ik hoor mijn nervositeit. 'Maar ik had mijn leerlingen nog niet verteld dat je zou komen.'

'Poe, wat zijn we vanmorgen gauw op onze teentjes getrapt,' zegt Talitha Whitmore. Ze kruist haar armen over haar volumineuze borsten, legt haar kin op de rechterborst en slaat haar ogen naar me op. Ik weet dat ze denkt dat ik niet goed snik ben, maar geen van haar verhalen wordt gepubliceerd en dat wilde ik haar voorzichtig vertellen.

Jonathan Lev is me aan blijven kijken. Zijn ogen zijn donkerbruin, net als de mijne. Zijn neus is een beetje krom, zijn haar is kort en dik met niet meer dan een zweem van krul. 'Hoe wil je het hebben?' vraagt hij. Hij trok beleefd zijn wenkbrauwen op toen hij die vraag stelde.

'Ik hoopte dat je ons zou fotograferen terwijl we aan het schrijven waren – in ons klaslokaal – boven,' zeg ik en ik ben kwaad op mezelf omdat ik heb opgemerkt dat hij geen ring draagt.

Jonathan bukt zich en vouwt de poten van zijn statief op. 'Laten we dan maar naar boven gaan,' zegt hij.

Dat doen we, met Talitha voorop.

Uit mijn rugzak haal ik een envelop met foto's die een maand na mijn geboorte genomen zijn, ik hoop dat dat de vrouwen inspireert om hun eigen geboorteverhalen te vertellen. 'Foto's van een jonge moeder met haar baby,' zeg ik en ik leg ze op onze ronde tafel.

Celia staat alleen op de eerste foto, ze draagt een geruite rok en een donkere trui. Ze weet dat ze een koningin is: ze ligt op een weelderige sofa, gesteund door kussens, met haar lippen wat verder open dan die van de 'Mona Lisa'. Haar buik is al plat, hoewel ik pas een paar weken daarvoor ben geboren. *Ze is moeder en ze is blij dat ik het kind ben dat ze heeft gekregen. Iedere idioot kan dat zien en dat is het soort geluk dat nooit zal verdwijnen.* Op de volgende lig ik in een keurige wagen die ze door een stadspark in Manhattan duwt. Ze draagt zwarte jeans met smalle pijpen en dezelfde trui die ze op de eerste foto aan heeft. Ze heeft zo veel vuur in haar manier van lopen dat je ziet hoe ze de wind trotseert.

Ik kijk naar die foto's en ik weet: *ze houdt van me. Ze zal altijd van me houden. Wat er tussen ons veranderd is heeft niets met liefde te maken.*

'Doe je ogen dicht,' zeg ik tegen mijn leerlingen terwijl ik me afwend van de foto's, 'en denk aan de dag toen je je eerste kind kreeg.' Elke vrouw heeft minstens één kind. Behalve Rosie Martinez, die zeven maanden zwanger is van haar eerste kind. 'Rosie,' zeg ik, 'luister naar de vragen waarmee je dezer dagen rondloopt. En dan moeten jullie allemaal net doen of Jonathan Lev er niet is en gaan schrijven.'

'Doe jíj maar alsof hij er niet is,' zegt Carol Donnelly. Haar manier van praten doet me denken aan haar zuster, Marianne – uit mijn eerste klas, vier jaar geleden.

De vrouwen giechelen om Carols scherpe opmerking en mijn blos en gaan dan aan het werk. Terwijl Jonathan voorzichtig op een stoel klimt om te fotograferen stop ik de foto's weer in de envelop in mijn tas en loop dan rond de tafel om contact te maken met elk van de vrouwen. Ze werken het hele uur zwijgend door, tot Talitha zegt: 'Jij was een leuke baby, Hannah,' alsof het haar helemaal geen moeite heeft gekost om uit te vinden wat ik verborgen wilde houden.

'Mmmm, mmm,' mompelt Maria Cordiva, 'dit wordt goed. Je moet het maar overtypen.'

Ik ben nu alleen met Jonathan Lev. 'Wie heeft die foto's genomen?' vraagt hij.

'Ik weet het niet,' zeg ik, 'mijn vader, denk ik.'

'Wel, degene die die foto's heeft genomen hield van je moeder.' Hij stopt zijn camera en flitser in een klein zakje.

Ik voel me zo blootgesteld als een film die uit zijn plastic omhulsel is gehaald voor hij ontwikkeld is.

Jonathan zwaait zijn tas op zijn rug en zegt: 'Ik denk dat ik een paar mooie opnamen heb. Lijkt me leuk – het is een aardig onderwerp.' Zijn flitser zit ook in de tas maar ik heb het gevoel dat die me nog verblindt terwijl zijn opmerking – *degene die die foto's gemaakt heeft hield van je moeder* – in de lucht blijft hangen met zijn glimlach.

Ik breng de foto's van mama en mij als baby naar de kopieerzaak, vraag een kopie van de foto die mij het liefst is en stop hem in mijn portefeuille zodat ik er naar kan kijken wanneer ik wil.

Ik kom precies op tijd thuis voor het nieuws van vijf uur. Ik leg mijn boodschappen neer en zet een pan met water op, want ik wil eens *quinoa* proberen, een Zuid-Amerikaans graanproduct dat Bread & Circus in de verkoop heeft genomen. Er staat een boodschap op mijn antwoordapparaat.

Hannah, hier oma. Eh, bel me. De kleindochter van mijn vriendin Sophie Greenberg heeft een aardige man ontmoet via een advertentie, zegt ze. Dus je moet me bellen.

'Wat moet erin staan, oma?' zeg ik als ik zit te eten en haar opbel, – '"Jong meisje dat goed kookt wil maaltijden verzorgen in ruil voor huwelijk en ziekteverzekering"?'

'Waarom niet?' zegt oma.

'Heb jij dat niet van opa gekregen? Dat is niet wat ik wil.' Ik concentreer me op mijn herinnering aan Jonathan Levs profiel terwijl ik met haar praat, ik voel weerstand tegen huwelijk en moederschap, tegen het opgeven van mijn eenzaamheid en schrijversroutine.

'Dat zal wel,' zegt oma. 'Maar die man die Sophies kleindochter heeft ontmoet is niet zoals opa. Hij wast de vaat. Je zou in die advertentie kunnen zeggen dat je een man zoekt met huishoudelijke kwaliteiten.'

Als het verhaal in de *Globe* staat met een foto die iedereen mooi vindt bel ik de krant en laat een boodschap voor Jonathan achter.

Hij belt niet terug.

'Ik zal hem maar vergeten,' zeg ik tegen Annie.

'O ja?' zegt ze en ze kruist haar armen over haar borst, ze imiteert me. 'Die indruk krijg ik niet.'

Twee weken later bel ik weer.

Weer geen antwoord.

Reb Shuman, mijn buurman en Miriam, zijn vrouw, zien mijn foto in de *Globe*. 'We zijn trots op je,' zeggen ze, als we met zijn drieën van Bread & Circus naar huis lopen. We kennen nu elkaars namen. Ik weet dat hij een rabbi is, aangesteld in het oude land, vóór de oorlog. Hun kinderen wonen in Brookline. Ze weten dat ik lesgeef en dat mijn moeder in Seattle woont.

'Vertel me eens,' zeg ik, 'waar komen jullie vandaan?'

'Uit de sjoel,' zegt Reb Shuman.

'Uit de sjóel? Maar dit is Cambridge. Ik dacht dat alle synagogen in Brookline waren.'

'Synagoge Beth Sjalom,' zegt Reb Shuman. Zijn accent is nog altijd zwaar jiddisch, hoewel hij hier al woont sinds het eind van de oorlog. Miriam en hij zijn allebei in Auschwitz geweest. 'In Tremon Street,' zegt hij, 'staat de sjoel. Drie blokken van hier. Je moet eens komen. Wanneer je wilt – je moet komen.'

'Ja,' zeg ik. 'Ik zie wel.'

Op de donderdag voor het Memorial Day-weekend nemen Nancy en ik de trein naar New York voor een literaire conferentie aan de New York University. We brengen onze bagage naar een slaapzaal en gaan dan naar het seminar 'Technieken voor het schrijven van dagboeken in multiculturele klassen'. In de cafetaria, die dienst doet als lobby voor de conferentie, zeg ik tegen Nancy dat ik naar de Lower East Side wil. 'Daar ben ik niet meer geweest sinds ik klein was,' zeg ik, hopend dat ze het zal begrijpen en mij zal excuseren.

Nancy kijkt me verbaasd aan en strijkt dan vriendelijk over mijn hoofd. 'Als je tot na negenen weg blijft moet je het me zeggen,' zegt ze. 'Anders word ik ongerust!'

'Oké,' zeg ik en ik omhels haar en geef haar een paar exemplaren van *Wilde Vrouwen Verhalen* om tijdens de conferentie uit te delen.

Ik ga naar beneden naar de metro en neem de sneltrein naar Delancey Street. Als ik weer boven ben en naar East Broadway loop, maakt elke zuurkraam, elke *Apfelstrudel*, elke vrouw met een *baboesjka* en expressieve handen dat ik opzwel van trots en lach. *Hier hoor ik, alleen omdat ik joods ben. Al die vrouwen zouden van me kunnen houden – of me vervloeken.* In de Garden Dairy Cafetaria eet ik aardappellatkes en drink de accenten en het geschuifel van de oude mensen in. Ik ben hier de enige die jonger is dan zestig en velen knikken om me te laten weten dat ze blij zijn dat ik er ben.

Vrijdagmorgen aan het ontbijt vraag ik Nancy of ik nog een dag vrij mag om door de stad te dwalen. 'Ik heb een familielid dat hier misschien nog woont,' zeg ik. 'Ik wil graag contact met hem opnemen.' Ze gooit een pak havermout-met-kaneel in een kom en schenkt er heet water op. 'En bovendien,' zeg ik, 'krijg ik als ik hier rondloop een heleboel goede ideeën voor het schrijven van artikelen.'

Nancy voelt aan de kraag van haar jadegroene jurk die ze waarschijnlijk bij Talbots heeft gekocht om op de conferentie te dragen. Ze schudt haar hoofd en kan een grijns niet onderdrukken. 'En ik dacht nog wel dat ik een weekend vrij zou hebben van het moedertje spelen,' zegt ze. 'Ga je gang maar, meid. Dit is je geboortestad.'

In de namiddag sta ik bij een telefooncel vlak buiten de Veselka, een restaurant op Second en Ninth. Ik leg de gids voor Manhattan tegen de metalen richel van de cel en sla het boek open. Er staat maar één Allan Schwartzman in. Allan Schwartzman, staat er, LISW.

Het is of het waterpeil in al mijn cellen aan het dalen is, ik raak mijn evenwicht kwijt. Ik hoor de geheimzinnige stem in mijn hoofd zachtjes vragen: *wat moet je hier, Hannah?* terwijl de vinger van mijn linkerhand naar Allans nummer wijst. *Ik wil horen wat hij weet over mama,* antwoord ik. *Verder weet ik het niet. Maar ik moet het proberen.* Mijn rechterhand tilt de telefoon op. Met mijn middelvinger draai ik.

Een man antwoordt met een stem die groot onheil verwacht. 'H-h-hallo,' zegt hij.

'Hallo,' zeg ik. 'Met Allan Schwartzman?'

'Ja.'

'Hebt u een dochter die Hannah heet?'

'Ja,' zegt hij, in paniek, gretig. 'Met wie spreek ik?'

'Met Hannah.'

'Hannah,' kreunt hij, een gekreun als van een muziekinstrument dat ontstemd is. 'Hannah.'

Ik word duizelig, ik leun tegen de wand van de telefooncel.

'Ik heb je zo graag willen ontmoeten,' zegt hij. 'Waar ben je?'

'East Village,' zeg ik.

'Waar precies?' vraagt hij.

'Waarom?' zeg ik, plotseling voorzichtig.

'Omdat ik je wil zien! Ik ben net klaar met mijn patiënten.'

'Je bedoelt nú?'

'Ja,' zegt hij, alsof een ander tijdstip niet mogelijk is.

Ik weet niet wat ik moet zeggen. Ik weet niet of ik hem genoeg vertrouw om hem te zeggen waar ik ben. 'Waar ben jíj?' vraag ik, ontnuchterd door dat besef.

'Union Square,' zegt hij.

Dat is ongeveer twaalf blokken verder. Ik had gedacht dat we alleen maar hallo zouden zeggen door de telefoon. 'Wil je me nú zien?' vraag ik.

'Ja,' zegt hij. 'Hoe lang doe je erover om naar Broadway en Twelfth te komen?'

'Misschien een halfuur,' zeg ik, 'maar ik weet niet zeker of ik je nu wel kan zien.'

'Hoe voel je je schat?' zegt hij. 'Wat gebeurt er?' Zijn vragen zijn zowel lief als opdringerig.

'Ik ben een beetje duizelig.'

'Hmm,' zegt hij.

Grijpt hij naar zijn hart?

'Geef me drie kwartier,' zeg ik vlug en ik hang de telefoon op terwijl ik me afvraag hoe we elkaar zullen herkennen.

Mijn vader staat op de hoek van Broadway en Twelfth Street, hij ijsbeert in een halve cirkel met zijn rug naar me toe. Zijn rug is breed en gebogen. Zijn armen en benen hangen los in de kom. Hij draagt een antracietgrijze broek, een licht-blauw overhemd, open aan de hals, en instappers.

Mijn hart trilt als ik rustig naar het kruispunt loop, en naar mijn vader kijk terwijl hij mij niet ziet. Ik geniet van het ogenblik. Hij is me volstrekt ver-trouwd. Het oude land zit in zijn zwakke en massieve rug, zijn eenzaamheid, zijn schaamte. Terwijl hij gejaagd ijsbeert van links naar rechts zie ik zijn ver-langen om van me te houden.

Ten slotte draait hij in een hele cirkel rond. Ik versnel mijn tempo niet. De avond valt. Onze glimlach licht op, als een offer aan de verduisterende hemel. Allan staat stil als een schijnwerper terwijl ik naar hem toe loop.

We hebben twintig jaar zonder elkaar geleefd. Als we elkaar omhelzen voel ik mijn huid gloeien. We omhelzen elkaar lang, ik begraaf mijn hoofd in zijn borst. Hij heeft een klein buikje, maar ik zou hem niet dik willen noemen. Hij is ongeveer een kop groter dan ik.

'Laat me je gezicht eens bekijken,' zegt hij. Hij neemt mijn hoofd tussen zijn handen en brengt het naar het zijne, dat helemaal rond is. Ik zit klem in zijn greep. Ik geloof niet dat hij dat weet.

Onze ogen vinden elkaar en dwalen langs onze donkerbruine pupillen: wij kennen elkaar.

'Hannah,' fluistert hij, en hij sluit zijn ogen en trekt mijn hoofd onder zijn kin. 'Hannah,' zegt hij. 'Hannah. Hannah.'

Uiteindelijk eist mijn nek een natuurlijker stand en ik doe een stap achter-uit. Allan zegt: 'Ik moet iets eten.'

We gaan naar een delicatessenzaak waar hij een sandwich kan kopen en we kunnen praten. Als hij gehoord heeft dat ik afgestudeerd ben en lesgeef in Cambridge en dat ik geen vriend heb, zegt Allan: 'Vertel me over Celia.'

'Kunnen we daar nog even mee wachten?' vraag ik. Ja, ik ben gekomen om over haar te praten. Maar heeft hij geen vragen aan míj?

Allan kijkt naar zijn sandwich met rosbief om mijn blik te ontwijken. Ze zijn meer dan twintig jaar geleden gescheiden, in 1964, en hebben elkaar sindsdien niet gesproken. Op dit ogenblik besef ik dat hij haar nooit heeft kunnen vergeten. 'Ze was erg mooi,' zegt hij, alsof we allang vertrouwelingen zijn. 'En ze was de meest masochistische vrouw die ik ooit heb ontmoet. Ze genoot ervan om zichzelf iets te ontzeggen. Ze maakte me gek. Ik herinner me een bepaalde avond, misschien een paar weken nadat jij was geboren. Ze had je in bed gelegd. Ze kwam de huiskamer binnen en zei: "Ik zal ooit bij je weg-gaan." En toen liep ze naar de keuken om de borden te wassen of zoiets. Het is waar, ik praatte haar omver. Maar –'

'Wat bedoel je met "ik praatte haar omver"?' zeg ik, geschrokken door de snelheid waarmee hij zijn verhaal vertelt – en hopend op meer.

Ik weet praktisch niets van deze man en *hij is mijn vader*.

'Ik wist toen niet hoe ik met een vrouw moest omgaan op een andere manier dan mijn vader en hij leerde...' Allan stopt midden in een zin. 'Wat heeft Celia je over mij verteld, Hannah?'

'Ik weet dat je ouders uit Duitsland komen en dat je moeder zwanger was van jou toen ze daar weggingen.'

'Weet je ook dat we nooit weg waren gekomen als we langer hadden gewacht?'

Ik schud mijn hoofd, ik wil in die ogen blijven kijken, ik wil op mijn knieën vallen in die delicatessen, hem danken voor mijn leven en dan de bitterheid waarin zijn stem is gehuld wegnemen.

Maar Allan zit weer op zijn rosbief te kauwen en te praten. 'Mijn vader vocht in de Eerste Wereldoorlog voor Duitsland, en hij verdiende goed als accountant. Hij kon zelfs weleens mooie juwelen voor mijn moeder kopen. Ze hadden een aardig huis, in München. Dat verloren ze allemaal en hun broers en zusters en al mijn grootouders stierven in Dachau. Zij verloren alles behalve de kleren die ze droegen toen ze de boot naar Amerika namen. Toen ze hier kwamen was het enige baantje dat mijn vader kon krijgen vlees snijden in een deli, want hij kende geen Engels. Ze waren half krankzinnig toen mijn zuster en ik opgroeiden. Ze hadden geen idee hoe ze van een kind moesten houden.'

Besef je wel wat je zegt? wil ik vragen. *Besef je dat je jezelf beschrijft, je vaderschap voor mij?*

'Je grootvader Moe was geen haar beter,' zegt Allan. 'Maar je moeder, je moeder was de meest verbazingwekkende vrouw die ik ooit heb ontmoet. Ze was zo roekeloos. Ik vertelde haar hoezeer ik haar bewonderde, haar schoonheid, haar gemoedsrust, maar het drong niet tot haar door. Mijn gevoelens waren irrelevant voor haar.'

Ik knik. Ik bewaar die woorden in mijn herinnering totdat ik er een zin aan kan geven in mijn dagboek.

'Gaat het goed met je?' vraagt Allan opgewekt, alsof we oude vrienden zijn.

'Ja hoor,' zeg ik. Ik voel het bloed door me heen stromen alsof het zwaarder is geworden door het gewicht van deze nieuwe verhalen en ik kijk mijn vader ernstig aan. Hij wendt vlug zijn ogen af en vraagt de ober om de rekening.

We rijden naar zijn huis in Westchester, veertig minuten van het centrum. De buitenwijk staat vol bomen en huizen. Dat van Allan lijkt klein, vergeleken met de andere. 'Ik moet je waarschuwen,' zegt hij, als hij de afstandsbediening indrukt en de garage binnenrijdt, 'het is nogal een troep in het huis. Dat is om het tegen inbraak te beschermen.'

Hij moet vergeten zijn wie me heeft opgevoed. Of misschien liet ze de was niet op de eettafel liggen toen zij getrouwd waren. 'Is er ingebroken?'

'Ja,' zegt hij. 'Ik schijn dieven aan te trekken. De laatste keer namen ze mijn transistorradio mee.'

'Waarom neem je geen alarm?'

'Ach, ik huur dit huis. De verhuurder wil het niet betalen. En Judy en ik denken erover om samen iets te kopen.' Judy is zijn nieuwe vriendin, een advocaat met een tienerdochter en zoon. Allan wil ons weleens aan elkaar voorstellen.

Varens en klimop, half groen, half verdroogd, hangen aan het plafond en bedekken het grote raam van de huiskamer dat op de straat uitkijkt. Een versleten bruine bank staat ervoor. Op de eettafel ligt een stapeltje papieren en er staan een paar koffiebekers op.

'Een aardig huis,' zeg ik.

'Ja? Mmm. Mmm. Het is wel gerieflijk.'

Ik bel de slaapzaal van de universiteit en laat een boodschap voor Nancy achter dat ik pas zaterdagmorgen terugkom. Als ik de telefoon ophang valt mijn oog op een lampenkap van gebrandschilderd glas. 'Die heb ik gemaakt,' zegt hij. 'Ik heb een werkplaats in de kelder.'

Ik glimlach. Hij is zo belust op mijn waardering, hij lijkt wel een klein kind.

Ik begrijp waarom Celia en hij een huis hebben kunnen delen. Ze houden allebei van mooie dingen en toch zijn hun huizen slordig. Er ligt een stapel schone sokken op Allans eettafel – dat deed mama ook toen we in Shaker Heights woonden.

'Wat is dat voor een doos? – Op de boekenkast?'

'Je mikadostokjes,' zegt hij, lachend met tranen in zijn ogen.

Ik laat me vallen in een zachte, bruine stoel. Ik blijf het gevoel houden dat ik die man niet echt kan vertrouwen, ondanks zijn tranen, die meer voor de show lijken dan echt. *Het is net of hij slaapt en niet wakker wil worden. En wat wil hij van mij? Misschien zal hij wakker worden als ik het hem recht op de man af vraag.*

'Allan,' zeg ik, op de meest neutrale toon die ik kan opbrengen, 'waarom bleef je niet toen ik klein was?'

'Wel, Hannah, ehh, ja.' Hij begint een stapel papieren op te pakken van een tafeltje dat voor me staat. 'Ik denk niet dat ik veel keus had. Celia wilde me weg hebben. Mijn praktijk was net gestart. Ik had een andere vrouw. Mijn ouders waren stervende, ze maakten me gek met hun eisen.'

Maar was ik niet lief? Was het niet moeilijk om bij me weg te gaan?

'Ik was niet tegen Celia opgewassen,' vervolgt hij. 'Bovendien, jij was in Cleveland. Ik kende daar niemand,' klaagt hij, alsof deze litanie zijn incompetentie goed kan maken – terwijl die er in mijn ogen juist door wordt geaccentueerd.

Ik sluit een minuut lang mijn ogen, misschien wel twee minuten, om de avond te verwerken, om ons met rust te troosten. Die oude stem zegt: *wees voorzichtig, Hannah. Hij mag dan een slappeling zijn, maar slecht is hij niet. Hij heeft je nooit een strobreed in de weg gelegd, je weet niet wat er gebeurd zou zijn als hij je had opgevoed. Maar dat deed hij niet – hij liet je gaan. Dat was misschien maar beter ook.*

Als ik mijn ogen open zie ik dat Allan naar me kijkt, dat hij bang voor me is. Ik wil niet dat onze avond zo eindigt. 'Heb je foto's?' vraag ik.

Die heeft hij. We gaan naar boven, naar zijn werkkamer. Uit de middelste lade van een kast haalt Allan een standaardformaat envelop, verkleurd tot ivoor. Hij tuit zijn lippen als een oude man zonder tanden en geeft me de envelop.

Ik pak hem aan alsof er een parelsnoer inzit. Als ik er de foto's uithaal blijken ze in een lange rij aan elkaar vast te zitten, de perforaties zijn na vijfentwintig jaar nog steeds intact. 'Ze zijn genomen vlak na ons huwelijk,' zegt Allan. 'Moe gaf me de camera als huwelijkscadeau. Ik gebruik hem nog steeds.'

Ik hoor nauwelijks wat hij zegt. Mijn ogen kleven aan de foto's. Celia poseert speels voor de camera als een sensueel fotomodel. Het kan haar niets schelen dat haar loensende ogen te zien zijn. Ze staat boven een meer dat omringd is door bomen, haar handen op een ruwe leuning. Ze draagt een schipperstrui die ze vast zelf heeft gebreid en ze knipoogt – een subtiele, sexy knipoog – waar mijn mond van openvalt.

Op de volgende ligt ze in een groot bed onder ivoorkleurige lakens. Dekens liggen op de vloer. Je ziet haar gezicht glanzen, zelfs achter de hand die een deel van haar mond bedekt. Zuigt ze op een vinger? Een blote schouder piept onder het laken uit.

'Ik had geen idee,' zeg ik.

'Geen idee van wat?'

'Dat jullie zo dol op elkaar waren.'

Allan pakt een andere envelop uit de la en haalt er één enkele foto uit. 'Die heb ik genomen met de zelfontspanner,' zegt hij en hij geeft de foto aan mij.

Celia's gezicht zit onder de *coldcream*. Haar hoofd zit in iets wat eruitziet als een badmuts met een buis eraan – een droogkap uit de jaren vijftig. Allans borst is bloot. Hij draagt een badmuts. In zijn oren heeft hij plastic ringetjes die een douchegordijn omhoog houden. Ze staan naast elkaar, met onverstoorbare gezichten als dat beroemde boerenpaar met de mestvork.

'Die kant van haar ken ik niet,' zeg ik.

'Mmm,' zegt hij. 'Ja. Dat waren leuke tijden.'

'Wat is er gebeurd?' vraag ik. Ditmaal staar ik hem aan.

Hij leunt achterover in zijn stoel en zucht. 'Celia wilde mij hebben, toen we elkaar pas kenden. Nou, en hoe. Dus trouwden we. Ze wilde ogenblikkelijk een kind, maar ik wilde eerst afstuderen, een praktijk opzetten. "Je bent rijk," zei ze altijd – omdat Moe ons geld had gegeven toen we trouwden. Maar ik was er niet klaar voor. "Waarom niet?" vroeg ze. Daar had ik eigenlijk geen antwoord op. Dus toen kregen we jou. Nadat je was geboren staarden we maandenlang alleen maar naar je – urenlang. Weet je, jij was voor ons een wonder, Hannah. Geen van ons beiden had daarvoor veel geluk gekend. We konden niet geloven dat zoiets moois als jij bij ons was, elke dag.

Maar toen kwamen er spanningen. Eens, tijdens een onweer, rende je het huis binnen, langs je moeder heen – zij zat in de portiek. Celia was echt overstuur dat je niet naar haar was toegegaan. Ik probeerde haar aan haar verstand te brengen dat je alleen maar naar binnen wilde, weg van het onweer. Maar ze was doodongelukkig dat je niet naar háár was gegaan. Ze wilde niet met me praten, omdat ik dacht dat het niet zo belangrijk was.' Allan verschuift de pennen op zijn bureau. 'Ik denk dat je zou kunnen zeggen dat het huwelijk verzuurde,' zegt hij, starend naar de stoffige voet van de pennenhouder.

'En toen zei ze op zekere dag dat ze wegging. Als ik haar iets had te zeggen dan kon dat via haar advocaat. Ik was geschokt. En haar advocaat, ik geloof dat hij Safransky heette – wat een oplichter was dat! De eerste keer dat ik bij hem kwam zei hij: "Ik wil de helft van je salaris." Wat een rotzak was dat – een bloedzuiger.'

Door mijn duizeligheid heen voel ik me klaarwakker en toch alsof ik droom. We zitten samen op de bank in Allans werkkamer. Als hij mijn hand pakt en dan zijn arm om mijn schouder legt begin ik te snikken. Ik huil zo hard dat ik nauwelijks adem krijg. Ik heb geen idee van de tijd, maar eindelijk word ik wat rustiger. Allan zegt: 'Je hebt niet echt ouders gehad die met je meevoelden, Hannah. Je bent lang eenzaam geweest.'

Ik knik en begin weer te huilen. 'Ze wil niet met me praten,' zeg ik.

'O Hannah,' zegt hij. Hij streelt mijn schouder en mijn hoofd, geeft me een grote doos Kleenex, gaat dan achterover zitten en kruist zijn armen over zijn borst. 'Ze is nog altijd kwaad, hè?'

Allan is zijn eigen wereld binnengegaan. Ik leg mijn voeten op zijn bank en kruis mijn enkels, de Kleenex houd ik tegen mijn ogen.

'Het is vreemd,' zegt hij, terwijl hij zich naar me omkeert nadat ik even heb gekreund. 'Ik weet niet wat ik voor je moet doen.'

Ik knik langzaam als hij dat zegt – alsof ik daardoor mijn eigen verwarring begrijp.

Allans nek ziet eruit als een donut als hij naar me toe komt om me een nachtkus te geven – hij draagt het gewicht van een enorm hoofd. Ik wil dat hij me omhelst; ik wil het niet.

'We zouden de hele nacht wel op kunnen blijven, schat,' zegt hij. 'Maar ik heb morgen veel patiënten. En een paar ervan zijn moeilijke gevallen. Ik moet slapen.'

Ik ben zo moe dat ik 'oké' zeg.

Ik slaap die nacht op de bedbank in zijn spreekkamer en de volgende morgen brengt Allan me naar de universiteit. 'Ik hoop dat je volgend jaar weer in New York komt,' zegt hij. 'Dan gaan we eten met Judy.'

'Een jaar?' zeg ik, onmachtig om mijn verwarring te verbergen over het feit dat mijn eigen vader een jaar wil wachten voor hij me weer ziet.

Allan staart naar de stad terwijl hij reageert op mijn uitbarsting. 'Het is te veel voor me, Hannah. Ik heb de hele nacht niet geslapen – ik bleef maar denken aan dingen die ik beter kan vergeten. Ik kan het me niet veroorloven om die wonden weer open te rijten.'

Mijn hart voelt als een gebroken vaas. Mijn vader lijkt zo laf, maar hij is tenminste een eerlijke lafaard. 'Ik hoop dat je het begrijpt, schat,' zegt hij, vlugger dan ik zou willen. Ik zou hem mijn begrip hebben willen aanbieden in míjn tijd. Hij haalt zijn portemonnee te voorschijn, geeft me twee biljetten van twintig dollar en forceert een glimlach.

'Nee,' zeg ik, en ik kijk hem woedend aan, klaar om het portier van zijn wagen dicht te slaan. 'Geld zal me niet troosten.'

13

1941

UIT DE ANDERE WERELD

Vitl

miskraam van Channa in 1900

in New York City

Op het ogenblik dat ik begon te schoppen in de veilige zachtheid van mijn moeders warme water, toen ik de spanning van mijn zenuwen voelde veranderen met haar emoties, had ik visioenen van de komende eeuw. In Europa zag ik joden in de modder liggen als karkassen van dieren die door andere dieren waren opgegeten: Duitsers en Russen lagen daar ook. In Amerika zag ik dozen met knopjes en draden op tafels waar eens sjabbeskandelaars en gebedsmantels waren bewaard. Geesten spraken uit die dozen, maar het waren geen geesten van voorouders. Zij spraken door elektrische draden. De mensen hoefden, als ze iets nodig hadden, meestal alleen maar een knop om te draaien; zij wendden zich niet tot God. Veel mensen kenden hun voorouders niet eens. Veel mensen wisten niet eens hoe hun eigen vader en moeder elkaar hadden ontmoet.

In mijn visioenen bedekten de mensen hun bossen en weiden met zwarte teer. Ze prezen hun auto omdat die hen van het begin van de dag tot het eind had gebracht – zoals vrome lieden eens God hadden gedankt. En ze wisten niet eens dat ze God vergeten waren.

De oogleden over mijn kleine nieuwe oogjes blijven gesloten. Ik was bang voor de gevoelens die ik zou hebben in een menselijk lichaam als mijn visioenen uitkwamen. Ik had er geen vertrouwen in dat ik de eenzaamheid zou kunnen verdragen. Ik vreesde dat ik de liefde voor God zou verliezen, dat ik mijn zintuigen zou afsluiten, doof en blind zou worden.

Maar als ik naar de andere wereld ging en de twintigste eeuw van grote afstand bekeek, zou mijn ziel blijven leven. Ik geloofde dat ik mijn vertrouwen in de goedheid van het heelal zou kunnen behouden.

Van hieruit is het gemakkelijker. Ik zie cycli, lange afstanden tijd. Niet echt tijd – maar golven, als in water. Getijden die rustig verlopen, getijden die roerig verlopen, mensen op de grens van geluk, dan verward en gewond omdat iets vertrouwds dat ze kenden veranderde. Ik zie bewegingen op aarde in hun geheel, de zin en het ritme, nuances die bij elkaar passen.

Misschien is het een belediging om iemand een droom te geven en hem dan weg te halen – zoals ik deed toen ik mijn moeders buik verliet. Maar hier in de andere wereld kan ik haar steunen. Ik praatte haar door jaren heen waarin ze twijfelde aan haar eigen beslissingen. Na haar abortus kreeg ze vuurrode uitslag in de vorm van een vuist vlak onder haar navel. Meer dan tien jaar lang jeukte het. Het ging maar niet weg. *'Red sich arop fun hertsen,'* zei ik tegen haar. 'Praat het van je af. Zwijg niet tegen me daarover.'

Ze deed het. Ze huilde tegen me alsof haar hart zou breken – om het kind dat ze had laten gaan, over haar zorgen voor al haar kinderen. Toen Celia kwam ging die rode vlek eindelijk weg.

Maar toen Celia geboren was begon mijn moeder te voelen dat er iets niet goed was in het huis van Moe en Ida. Het huis was vol comfortabele dingen en er was altijd meer dan genoeg te eten. Maar als Channa er binnenging dacht ze: *er brandt iets. Er brandt iets in Celia.* En ze wist niet wat ze eraan moest doen. Al haar pogingen om de brand te blussen zou hem alleen maar op een andere plaats weer doen oplaaien. Maar toen wist ze ook, net als wij hier, dat sommige branden niet bedwongen kunnen worden. Ze moeten gewoon doorbranden tot ze bij iets anders komen. Je moet gewoon manieren vinden om met de hitte te leven.

Van haar man en van buren die jiddische kranten lezen hoort Channa verhalen over ovens die gevuld zijn – met ménsen.

Het hart van mijn moeder is te zwaar en te heet. Als metaal. Op een morgen terwijl ze voor het keukenraam borden staat af te drogen en de wingerd ziet op de schutting tussen haar huis en dat van de buren kijkt ze omhoog, naar mij.

'Is het waar,' zegt ze, 'dat alle vrienden die ik in Koretz heb achtergelaten in treinen zitten zonder water – op weg naar ovens waar ze vergast worden? Dat voor mijn ogen Celia wordt gemarteld door haar eigen vader?'

'Ja.' Ik moet het wel zeggen. En 'Het is nog erger dan je denkt.'

'Wat moet ik doen?' vraagt ze.

Wat zegt een ziel zonder gevoelens tegen iemand met een lichaam? 'Hij die kinderen heeft in de wieg doet er goed aan vrede te sluiten met de wereld,' zeg ik.

Ze rolt met haar ogen.

'Voel wat je voelt,' zeg ik. 'Sluit vrede met jezelf. Zeg wat je denkt, blijf het zeggen. Blijf de vragen stellen die branden in je hart. Blijf je kinderen vragen hoe het met ze gaat. En hou ondertussen de sjabbes in ere en vergeet niet God te prijzen, ook al lijken Zijn wegen vreemd. Dit alles,' zeg ik, 'kan tot het goede leiden.'

Misschien klink ik overtuigend, maar ik ben degene die deze woorden nodig heeft. Ik ben degene die troost behoeft.

'Adem maar rustig in en uit,' zeg ik.

Channa's ogen worden sterk en hard. Ze richt ze naar buiten. Ze droogt haar borden niet meer. Ik ben bang dat ze zich in haar woede van mij af zal keren. Maar ze vraagt: waaróm? Waarom gebeurt dit?

Alsof ik kijk naar een akker met maïs door te veel hitte en gebrek aan water verdroogd, zie ik groepen joden de gaskamers binnengaan, hun armen hangen als verlepte kolven op zwakke stelen.

'Er zijn geen woorden voor,' zeg ik. 'Sluit je mond voor de woorden die het zeggen en je hart voor een poging om het te begrijpen.'

Channa gelooft in me; maar dit zint haar niet. Ze trekt een grimas om me dat te laten weten – dat na al die jaren waarin ik haar heb gezegd dat ze moet blijven praten het niet goed is om nu tot stilte te manen.

'Ik heb geen woorden,' zeg ik. 'Sommige dingen kun je niet verklaren.'

Ik besef mijn eigen hulpeloosheid. Terwijl de mensen daar staan in lange rijen, naakt, kijkend naar een hemel gevuld met sneeuw, te zwak om te dromen van een warme stoofpot of de zomerzon, lijkt alles wat ik haar nu vertel zinloos.

Die mensen – ik heb het gevoel dat het mijn broeders en zusters zijn – hebben hun verlangens verloren; en toch drijft een kracht hen voort. Ik staar ernaar.

Ik kijk naar de aarde en zie iets wat lijkt op een rivierbedding, gevuld met bloed en beenderen. Nu twijfel ik aan wat ik zo-even mijn moeder heb gezegd. Ik heb hulp nodig van God zelf.

Channa droogt haar laatste bord af. Ze loopt naar Moe, hij zit bij zijn radio. 'Als je hart breekt van wat je op die radio hoort,' zegt ze, 'schrijf dan aan je president Roosevelt. Geef geld aan je joodse wereldcongres – zij proberen een paar mensen te redden. Maar *losine Celia! Laat Celia met rust!*'

Moe vertrekt geen spier. Channa weet dat hij een royale cheque kan uitschrijven, dat misschien ook wel doet; maar iets in hem is afgesloten, afgestompt. Dan loopt ze naar boven, naar Celia. Het meisje zit op haar bed met de baldakijn, als een prinses met geen plaats om heen te gaan. 'Ik weet wat ik weet,' zegt Channa. 'Dus waag het niet om te zwijgen. Je moet praten over wat je vader doet. Je moet het van je af praten!' Celia kijkt hoe haar grootmoeder tobt, haar ogen zijn wijdopen, ze zegt geen woord.

'Jullie zijn een deel van het geheel,' fluister ik tegen iedereen. 'Elk klein deeltje van een puzzel is belangrijk. Als je je afgesloten voelt, eenzaam – dat hindert niet... Je blijft deel van het geheel.'

Ik heb die goede woorden voor mezelf nodig. 'Omhels alles wat je kent,' zeg ik. 'Iedereen heeft de macht om een ander te vernietigen; en iedereen heeft de kracht om te helen.'

Dan hoor ik mezelf denken: *Hitler en zijn mannen zijn ook gewond, zij maken ook deel uit van het geheel.*

Wel, ik weet nu tenminste dat mijn moeder naar me luistert. Ze kijkt naar me op alsof ik mesjokke ben. Gek.

14

1987 ❦ 1988

Hannah

'Waarom heb je hem in vredesnaam gebeld?' vraagt oma. We hebben ons zondagse telefoongesprek.

'Omdat hij mijn váder is.'

'Dat is geen reden.'

'Wat bedoel je met "dat is geen reden"?'

'Noem iets vaderlijks dat hij ooit voor je heeft gedaan, Hannah. Eén ding.'

Ik moet proberen hier zo gauw mogelijk vanaf te komen. Ik heb niets van Allan gehoord sinds ik terug ben in Cambridge en dat verwacht ik ook niet. 'Hij heeft met me gepraat,' zeg ik. 'Dat is meer dan je van sommige andere ouders kunt zeggen.'

'O zeker! Nu praat hij. Nu je volwassen bent. Je was niet bepaald een gemakkelijk kind, weet je. En je was erg duur.'

'Voor zover ik weet,' zeg ik, trots dat ik zulke grote woorden uit mijn eigen mond hoor, 'heeft niemand voor mij erg veel hoeven op te offeren.'

'Daar ben ik niet zo zeker van,' zegt oma.

'O Ida,' zeg ik zuchtend en ik weet dat ze me niet wil kwetsen – het is het onderwerp dat haar irriteert. 'Ik wilde alleen maar weten hoe hij is.'

'Dat zal dan wel.'

'Ik verwacht niet veel van hem. Dat heeft hij me wel aan mijn verstand gebracht. Dus je hoeft er niet nog eens op te hameren. En ik wil geen ruzie met je maken, zeker hier niet over.'

'Dat zal wel,' zegt ze weer.

'Bovendien,' zeg ik, 'heb ik ander nieuws.'

'O?' zegt ze. Ze bedoelt: ik wacht. Oma vindt het altijd fijn om nieuws van mij te horen. Ik denk dat ze het vreemd zal vinden wat ik haar ga vertellen; ik hoop dat ze er ook blij mee is.

'Ik verander mijn naam,' zeg ik.

'Je verandert je náám?' zegt ze. 'Ben je mesjokke geworden?'

'Het is niet mesjokke,' zeg ik.

'Hoe ga je jezelf dan noemen?'

'Hannah Fried,' zeg ik, zachtjes, ik geniet van de klank van de namen die bij elkaar passen.

'Dat was mijn moeders naam. Voor ze trouwde.'

'Dat weet ik.'

'Zoiets heb ik nog nooit gehoord. Een meisje dat de naam aanneemt van haar overgrootmoeder.'

'Ben je het er niet mee eens?' vraag ik.

'Dat wil ik niet zeggen,' zegt oma, blijkbaar verbaasd over zichzelf. 'Ik moet er alleen een tijdje over nadenken.'

Mijn moeder noemde me Hannah Lynn Schwartzman toen ik werd geboren, in het Mount Sinai-ziekenhuis aan Fifth Avenue in New York City. Schwartzman kwam van mijn vader – letterlijk betekent het zwarte man. In het oude land kozen de joden die namen om het boze oog af te weren. Als je zwarte man heette, dachten ze, zou de duivel je wel met rust laten.

Heel vernuftig om jezelf of iemand van wie je houdt te beschermen met een naam. Toen ik zes jaar was luchtte ik op een zaterdag bij mijn tante Mollie. Ik keek naar haar kippensoep – en vond de vermicelli te lang. 'Je bent een *hanna pesll*,' zei ze toen ik erover klaagde, een drein. En toen sneed ze mijn vermicelli met zo veel zorg en liefde dat ik wist dat ze blij was om mij aan haar tafel te hebben.

Als opa Moe me plaagde wist ik niet wat hij wilde, ik wist alleen dat ik er een hekel aan had. Meer dan eens stak hij zijn sterke arm naar me uit en zei: 'Kom hier, jongetje.'

Ik was nog maar vier jaar en het feit dat ik jongetje werd genoemd maakte me razend. 'Nee nee nee nee nee nee nee nee nee nee!!!' schreeuwde ik tegen hem totdat ik er zeker van was dat hij zou ophouden. Na mijn gegil keek ik naar zijn gezicht en dat van mijn moeder ernaast. Zij waren sprakeloos, vol ontzag dat mijn jonge kracht als vrouw zijn geplaag had gestopt.

Ik was een méisje. Ik was geen jóngen. Maar zelfs toen wist ik dat ze onder het geplaag en de stilte die ons allemaal gevangen hield, van mij hielden.

Mijn moeder zei dat ze wist dat ik een meisje was toen ze zwanger van me was. Mijn tweede naam, Lynn, kwam bij haar op op weg naar het ziekenhuis.

Hannah was het belangrijkste deel. Het is de gewoonte van Oost-Europese joden om een kind te vernoemen naar iemand die zeer geliefd was. En Channa was de vrouw zonder wie, zo vertelde mama me, ze haar kinderjaren niet zou hebben overleefd. Mama kon Channa's dood alleen maar verwerken omdat ze besefte dat ze een kind kon krijgen en dat naar haar kon noemen.

Dus mijn geboorte vervulde mijn moeders wens. En in de ogen van mijn grootmoeder Ida – Channa's oudste kind – en Mollie en hun andere zusters en broers en mijn moeders zuster Rita kon ik zien hoeveel ze van haar gehouden hadden. Vanaf mijn vroegste jeugd voelde ik hoeveel geluk ze vonden in de herinnering aan Channa, die bij hen opkwam als ze mijn naam noemden. Mijn familie leek een beetje verloren toen ze dood was. De tegenstrijdigheden in hun eigen ziel werden duidelijker nu zij er niet meer was, ook al had ze al hun geheimen mee het graf in genomen. 'Ik kon geen kwaad bij haar doen,' zei mijn moeder altijd. En dan opende een warme glimlach haar gezicht en knipoogde ze tegen me.

MIJN MOEDER NOEMDE ME DAISY
door Daisy Cochran

Toen mijn moeder zwanger was van mij, ging ze picknicken met mijn vader. Hij plukte een stuk of tien madeliefjes en maakte een halsketting voor haar. De dag dat ik geboren werd was heet. Die bloemen lachten.

Op een dag toen ik negen jaar oud was, vlak voor mijn stiefvader me adopteerde en ik Hannah Felber werd, zat ik gehurkt in de afdeling biografieën van mijn schoolbibliotheek. Helen Keller, Abraham Lincoln en Mark Twain waren mijn favorieten. De boeken voelden vertrouwd aan in mijn handen, de banden waren zacht van ouderdom, elke bladzijde was als een grasspriet die ik kon aaien. In dat donkere hoekje besefte ik dat ik een schrijfster was en dat ik het pseudoniem Hannah Fried zou gebruiken. Fried was Channa's meisjesnaam.

Ik vertelde het mijn moeder, zij moest erom glimlachen en toen vergat ik het. Norm adopteerde me, ik kreeg zijn naam. Mijn moeder gooide al onze filmpjes weg waar Allan op stond; op oude schoolrapporten en de geboortekaartjes die nog over waren schrapte ik Schwartzman door. Boven die strepen schreef ik Felber, zo netjes als ik kon.

Februari 1988. Het is oma's vijfentachtigste verjaardag. Rita en haar man Lester zijn er zonder Neil en Jay. Neil is effectenmakelaar geworden, hij heeft een zoontje en een dochtertje; Jay is accountant en heeft een dochter. Ik kan niet zeggen dat ik verbaasd ben omdat ze niet komen, maar ik vind het jammer, voor oma. Celia is alleen uit Seattle komen vliegen, want Norm houdt niet van familiebijeenkomsten. Mollie komt eten, met tante Evelyn en de dames van oma's mahjongclub.

Ida draagt een fuchsiarode Missoni-jurk die mijn moeder en Rita voor haar verjaardag hebben gekocht. 'Het is een felle kleur, oma,' zeg ik. 'Hij staat je prachtig.'

'Dank je wel,' zegt ze, alsof ik een dienstmeid ben die haar haar ochtendkoffie met een broodje heeft gebracht. We horen hoe mama en Rita het zilver en de servetten klaarleggen voor het buffet. Tante Rita vertelt trots over haar kleinkinderen, die net naar school zijn gegaan; mama pocht dat de markt in Seattle alle dingen heeft die iemand maar kan wensen. Ik voel de luchthartigheid van hun geprat, ze zijn het erover eens dat ze geen onderwerpen moeten aansnijden die een van hen kunnen kwetsen. Mama en ik zijn gereserveerd, we knikken elkaar beleefd toe als we in dezelfde kamer zijn. We weten dat onze dans nauwlettend in de gaten wordt gehouden.

Oma en ik zijn in de keuken, vlak voor haar vriendinnen komen. Bij Sands deli hebben we een schotel gerookte zalm besteld, gerookte heilbot, cornedbeef, schijfjes tomaat en augurken, manden vol *bagels* en sneden roggebrood; kleine schaaltjes roomkaas en mosterd en een grote met aardappelsla. Om de schotel te versieren schep ik geblancheerde sperziebonen in een vinaigrette die ik heb gemaakt van citroensap, olijfolie en Franse mosterd. Als ik een ongekookte sperzieboon op het aanrecht zie liggen bijt ik erin.

'Eet jij sperziebonen ráuw?' zegt oma.

'Mm,' zeg ik, 'is daar iets mis mee?'

Oma's lippen sluiten zich als een aster in de avond. 'We hebben vreemde snuiters in de familie,' zegt ze en ze loopt de keuken uit.

Met een brede glimlach schep ik de geblancheerde bonen in de vinaigrette, schudt mijn hoofd uit bewondering voor Ida, voor haar spraakgebruik, wrang als een citroen.

We blijven hier drie dagen. Mama logeert bij oma; Rita en Lester zijn in een hotel. Ik ben bij Mollie. Ik slaap op het tweepersoonsbed dat van Channa was tot ze stierf. Ik wed dat zij ook onder de lichtgele lakens heeft geslapen. Na het feest zeggen Rita en Lester dat ze een uitnodiging hebben van een neef; mama zegt dat het de enige avond is waarop ze haar vriendin Henrietta kan ontmoeten. Ik ben eigenlijk opgelucht dat ik nu rustig de tijd heb met oma en ik bied aan om af te wassen – als mama Mollie thuis wil brengen. De lippen van mijn moeder sluiten zich net als die van oma toen ze zag dat ik een rauwe boon at. 'Goed,' zegt ze.

Nadat ik heb afgewassen ga ik op een van de gebloemde banken zitten in oma's grote huiskamer. Ze zit in haar oorfauteuil, die is overtrokken met blauw-wit gebloemde stof. We zitten daar alleen maar. Ik weet niet of ze zich moe voelt, verlaten of blij. 'Ik vind je vriendin Ruth aardig,' zeg ik, 'wier man net is gestorven.'

'Ja. Dat is een goede vrouw.'

'Hoe ken je haar?'

'Van kaarten, mahjong. Hannah, zou jij wat ijs voor me kunnen halen? Ik heb een vieze smaak in mijn mond.'

'Natuurlijk,' zeg ik en ik sta op en haal het.

'Dank je wel,' zegt ze. We zitten daar zwijgend terwijl ze eet, dan zet ze het schaaltje op het tafeltje naast haar. Goden met een Grieks profiel zijn in de mahoniehouten poten uitgesneden – mijn grootvader heeft die tafel meegenomen uit Europa voor de oorlog.

De telefoon gaat in de keuken en ik neem op. Het is Daniel Zeitlin, de zoon van Rose. Hij is gepensioneerd, hij woont in Buffalo waar hij een zaak had in medische hulpmiddelen. Hij is nog altijd dankbaar dat opa hem heeft meegenomen naar Amerika en hij belt oma elk jaar op haar verjaardag. Ik breng de telefoon met het lange koord naar oma in de huiskamer.

'Zijn dochter is zwanger,' zegt ze en ze geeft me de telefoon om terug te brengen naar de keuken. 'Maar ze is niet getrouwd.'

Ik haal mijn schouders op.

'De tijden veranderen,' zegt oma. 'En het is fijn voor Daniel dat hij een kleinkind krijgt.' Ze staat op om haar schaaltje af te wassen en vraagt me dan of ik haar wil helpen met uitkleden. Ze is tevreden over haar verjaardag, geloof ik.

Mama komt terug van Henrietta net als ik op het punt sta om weg te gaan. Ze straalt als ze haar jas uittrekt en die op een stoel legt. Mijn moeder is niet iemand die haar kleren ophangt. 'Ze is fantastisch,' zegt mama, 'zoals altijd.' Ik weet niet of mijn moeder tegen oma en tegen mij praat, of dat ze doet alsof ik er niet ben. 'Ze is haar eigen antiekzaak begonnen,' zegt Celia. 'In haar kelder.'

'Wat is daar zo fantastisch aan?' vraagt oma.

'O, ze heeft zulke prachtige schilderijen, echt uitzonderlijke aquarellen. Ze heeft ze gekregen van een student die bevriend is met de zoon van haar buren.' Ik vind het fijn als ik mijn moeder kunst hoor bewonderen en ik vraag me af wat ze zou zeggen over mijn Demeter en Persephone-gedichten, hoewel ik weet dat ze ze niet zal willen lezen.

'Waarom heb je er dan niet een meegenomen als ze zo mooi zijn? Ik kan best nog een schilderij gebruiken.'

'Wel moeder, ik weet niet of ze wel jouw smaak zijn.' Haar stem klinkt plotseling timide, alsof het haar kwetst dat oma niet beseft dat ze een interessante vriendin heeft.

'O. Heeft ze geen andere schilderijen dan?' vraagt oma. 'Heeft ze geen schilderijen voor mij?'

'Ik wist niet dat je schilderijen wilde hebben,' zegt mama fluisterend. Ze gaat op het tweepersoons bankje zitten en steekt een sigaret op.

Ida klemt weer haar lippen op elkaar. Ik wil wedden dat ze weer een vieze smaak in haar mond heeft gekregen. 'Je had aan mij kunnen denken,' zegt ze.

Ik zit op de bank en volg de tweestrijd, gespannen omdat mijn moeder er is. 'O oma!' Ik spuw het er bijna uit. 'Wat ben jij egoïstisch!'

Ida zakt weg in haar koninklijke stoel. Ze schikt haar blauwe sjaal over haar schouders. Ze lijkt kleiner en groter, allebei tegelijk.

'Dat meent ze niet zo, mama,' zegt Celia en ze loopt naar oma toe en legt een hand op haar elleboog.

Nu ben ik helemaal in de war. *Wie is er nu kwaad op wie en waarom?*

'Ze meent het wel,' zegt oma. 'Ze meent het.' Ze probeert haar tranen te bedwingen maar ze rollen over haar wangen.

Ik bied mijn excuses niet aan. Ik blijf op de bank zitten en kijk uit het raam. Ida staart naar Leahs portret, dat mijn opa een jaar of vijftig geleden boven de schoorsteenmantel heeft gehangen. Na een minuut of vijf, waarin ik een beetje spijt heb, maar toch eigenlijk overwegend boos ben, verlaat oma zwijgend de huiskamer. Nu zijn mama en ik alleen, mijn maag krimpt ineen. Ik houd mijn ogen gericht op het oude, onverlichte kerkhof aan de overkant van Ida's huis. Ik hoor hoe Celia een lange sliert rook uitblaast. 'We zijn allemaal slachtoffer,' zegt ze, 'op de een of andere manier.'

'Zou je iets met me willen drinken?' vraagt mama aan de telefoon. Mollie en ik zijn net klaar met eten. Ik ben in haar huiskamer, ik zit te broeden op een nieuw gedicht en zie hoe het licht verdwijnt op de binnenplaats. Mijn hart wordt warm door mama's uitnodiging, maar dan sluit het zich af. We hebben de beleefdheid in acht genomen door dit weekend nauwelijks met elkaar te spreken. Nu is het haar laatste avond hier.

'Ja,' zeg ik en ik vraag me af wat ze bedoelt met 'iets drinken'. Kan het alcohol zijn? Afgezien van een klein glaasje van Manischevitz op Pesach heb ik mijn moeder nooit alcohol zien drinken. En hoewel mijn kookrepertoire is uitgebreid ben ik niet dol op wijn.

We ontmoeten elkaar in de bar van de Ramada Inn vlak bij 1-271 en Chagrin. Er brandt een kaars op elk tafeltje, het is er schemerig. De stoelen zijn van bruin fluweel. Mama's hand beweegt langzaam, als een sierlijke vogel met een last, ze haalt de sigaretten uit haar tas. Ze steekt er een op. 'Een screwdriver,' zegt ze tegen de serveerster en ze stopt de lucifers weer in haar tas.

'Tomatensap,' zeg ik. In de tijd dat de serveerster onze bestelling opneemt en de drankjes brengt zeggen we geen van beiden een woord. Ik staar naar de kaars. Mama kijkt naar het meubilair en naar de muur met dranken achter de barkeeper. Ik ben niet vaak in zo'n tent geweest – een bar. We vallen hier uit de toon.

Mama neemt een slok van haar cocktail en schraapt haar keel. 'Ik zou opnieuw willen beginnen,' zegt ze.

Ik knik langzaam, ik weet niet goed wat ze bedoelt. Ik ben bang om het te vragen en ik zou mijn rechtervoet graag op de stoel willen zetten en mijn been onder me trekken maar ik weet dat het het beste is om hier netjes te zitten, met beide voeten op de grond.

'Ik zou alles willen vergeten wat er is gebeurd sinds je weg bent uit Cleveland,' zegt ze.

Ik weet dat ze een vredesaanbod doet. Jarenlang heb ik gezegd dat dat alles was wat ik wilde. Maar hoe kan ik vergeten dat we al die tijd niet hebben gepraat? 'Ik weet niet of ik dat wel kan, mama,' zeg ik.

We zwijgen weer. Ze neemt snelle trekjes van haar sigaret. Ik drink mijn tomatensap. De bar is donker, als het binnenste van een baarmoeder. *Mijn geheugen is te goed en te actief om zeven pijnlijke jaren te vergeten. Zou ze bedoelen dat we elkaar moeten vergeven?* Mijn beide handen, boven op elkaar, omklemmen mijn kleine glas. Op dit ogenblik is dat alles waar ik houvast aan heb.

'Ik wil graag weer een gezin vormen, Hannah,' zegt ze. 'Dat is wat ik vraag.'

'Dat wil ik ook,' zeg ik. En dat is waar. Maar ik weet niet wat ze bedoelt met 'gezin', wat ze van me verwacht. 'Ik weet niet waarop ik kan rekenen,' zeg ik.

'Ik wil op je vertrouwen zonder afhankelijk van je te zijn.'

Ik ben nog steeds in de war. 'Wat betekent dat?' vraag ik, zo vriendelijk als ik kan, maar ik hoor de scherpte in mijn stem.

'Precies wat ik zeg.'

Ik voel me alsof we een schaakspel spelen, zonder dat er een koning te veroveren valt. Met mijn strategie wil ik mijn integriteit bewaren. En ik voel me een monster aan die tafel, met een kracht waarvan ik niet weet of ik die wel kan beheersen. Mijn moeder zit een halve meter van me af, haar kracht is niet groot, ze is dertig jaar ouder, ze omklemt een slanke, nieuwe witte Pall Mall.

'Ik moet mijzelf zijn, mama. Zelfs als dat betekent dat ik dingen zeg of doe die jij niet prettig vindt.'

'Dat is liefhebben,' zegt ze, 'wat ik eronder versta.' Ik geloof echt dat ze probeert me te bereiken, zoals ik haar. Maar er staat iets in de weg. *Als we hiermee doorgaan ontdekken we misschien wat het is.*

Ik knik, langzaam, zwaar. Mijn glas is bijna leeg. Het schijfje citroen zwemt nu in een klein plasje rood sap. Ik kijk naar mama's zachte bruine ogen en zie, misschien voor het eerst, hoe bang ze is. 'Ik heb kortgeleden een beslissing genomen,' zeg ik. 'Die wil ik met je delen.'

'Ga je gang.'

'Ik heb mijn achternaam veranderd in Fried,' zeg ik. Ik verwacht niet dat ze het idee direct prachtig vindt; maar ik hoop dat ze het fijn vindt dat ik me zo verbonden voel met oma Channa, haar liefste familielid. 'Weet je nog dat ik als kind –'

'Mijn God,' valt ze me in de rede, 'ik stel me een beetje voor je open en jij probeert me te vernietigen.'

We vervallen weer in een dodelijk zwijgen. In mijzelf voel ik een vreemde, onbehaaglijke macht. Minuten gaan voorbij. Ik wou dat ik me kon omdraaien, maar de leuningen van de stoel verhinderen dat. Ik wil dat ze ziet wat ik zie. Ik wil dat ze ziet hoeveel ik van Channa hou en hoeveel ik van haar hou.

Als mama de serveerster roept voor nog een screwdriver krimpt mijn hart ineen. *Ze wil dronken worden.* Afgezien van de zoete wijn die ze op Pesach drinkt zijn dit geloof ik het tweede en het derde drankje dat ik mama heb zien drinken – het eerste was op de bruiloft van mijn neef Neil, tien jaar geleden. Ik besef dat ik nu weinig anders kan doen dan haar in het oog houden.

Ze neemt een grote slok en zegt: 'Je wilt geen deel uitmaken van mijn gezin.'

'Dat is niet waar,' zeg ik, en ik praat zo zacht dat we geen aandacht trekken. 'Hannah is de naam die jij me gegeven hebt, naar je grootmoeder. Ik neem haar meisjesnaam aan omdat ik hou van alle verhalen die jij en oma en tante Mollie me over haar hebben verteld, over onze matrilineaire lijn.'

'Ik weet niet wat dat betekent, "matrilineaire lijn".'

'Het betekent –'

'Nee – nee – ik wil het niet weten. Ik kan het niet.' Ze neemt een lange trek van haar sigaret. 'Hou op.' Haar stem is zwak en wanhopig. Ik besef dat mama niet onoverwinnelijk is zoals ik altijd heb gedacht. Vooral niet als ze wordt geconfronteerd met mijn eigen wilskracht.

Norm Felber is goed voor me geweest, maar hij is niet mijn vader, help ik mezelf herinneren. Felber is niet mijn echte naam. Ik voel me ook niet verbonden met de naam Schwartzman. Ik zwijg. Ik slurp het tomatensap uit mijn glas en zuig op het schijfje citroen. Ik zal niet zwak worden, hoewel dat betekent dat ik mijzelf koud maak.

'Mijn God,' zegt mama, alsof ze mijn gedachten leest. 'Je denkt dat je het zonder een vader – zonder een man kunt redden!'

'Dat is níet wat ik zeg.' Alhoewel ik het héb gered zonder mannen. Ik zou graag iets met een man willen, als het de goede man was. Ik zeg dit bijna hardop; maar het zou haar kunnen kwetsen, net als alles wat ik zeg. Dus zwijg ik.

We gaan de bar uit en lopen door de winteravond naar onze auto's. Mama strijkt een lucifer aan voor weer een sigaret en inhaleert alsof ze hoopt dat de tabak haar nieuwe vitaliteit zal geven. Als ze met haar lucifer door de lucht zwaait om hem te doven ben ik plotseling wanhopig dat we elkaar niet omhelzen en dat ik haar vredesaanbod heb afgeslagen.

Mijn moeder gaat een dag eerder weg dan ik. Als ik vanuit Mollies huis bel om afscheid te nemen zegt oma dat ze buiten is om een sigaret te roken, ze zal mama zeggen dat ze me terug moet bellen. Maar het volgende telefoontje is van Ida. 'Wat doen we met het eten?' vraagt ze.

'Bedoel je dat je met me wilt eten?' vraag ik. Ik begrijp dat mama is weggegaan zonder me te bellen en ik voel me een beetje ongemakkelijk over mijn laatste opmerkingen tegen oma.

'Natuurlijk, Hannah! Waarom vraag je dat?'

'En Mollie dan?'

'Dat kan me niks schelen!' snauwt oma. 'Ze kan mee-eten! Maar ik dacht dat je je laatste avond bij míj zou zijn.'

Oma heeft mijn grove opmerking over haar egoïsme vergeten of vergeven. Misschien allebei. 'Goed,' zeg ik en ik verberg mijn verbazing. 'We halen je op om halfzes.'

'Goed,' zegt ze. 'Zeg, Hannah, Celia is weg. Wat is het probleem?'

Nu ik word geconfronteerd met oma's harde stem voel ik me genoodzaakt mijn zegje te zeggen. 'We hebben niet veel vriendelijkheid gehad, de laatste dagen,' zeg ik, 'ik dacht dat je nog kwaad op me was.'

'Ik was kwaad!' zegt ze. 'Maar dat zijn allemaal ouwe koeien.'

Ik blijf die nacht bij oma, ik slaap naast haar in grootvaders oude bed. Als ik 's morgens mijn koffers pak om terug te gaan naar Boston geeft oma me twee biljetten van twintig dollar. 'En,' zegt ze, 'ik heb nog wat anders voor je.'

Ze brengt me naar de keuken, naar haar kast – vol met papieren zakken uit de supermarkt, waspoeder, planken vol ingeblikte tonijn, zalm en hele tomaten. Ze buigt zich over de wereld van de kast. 'Ach,' zegt ze. Ik kan voelen hoe haar lippen omkrullen. 'Wat een troep. Hier. Pak eens aan.' Ze geeft me een lompe pot die ik nog nooit eerder heb gezien. 'Wat een lelijk ding,' zegt ze. 'Ik weet niet waarom ik het bewaard heb.'

'Ja, waarom?'

'Hij was van mijn zuster Bessie. Ik heb hem vorig jaar gekregen toen ze stierf.'

'Kun je er iets mee doen?' vraag ik.

'Nee.'

'Geef hem dan weg.'

'Goed. Zet hem maar op het aanrecht.'

Terwijl ik dat doe vist ze een grote houten kom onder de zakken uit. Het hout is oud en goudbruin. 'Die was van mijn moeder,' zegt ze. 'Ik dacht dat jij die misschien wel zou willen hebben.'

'Wauw,' zeg ik, 'wat mooi.'

'Ja. Weet je, ik kan de gefilte fis proeven die ze in die kom roerde. Die gaf ze mij als ik niets anders kon eten.'

'O?' zeg ik. 'Wanneer was dat?'

'Toen Celia dat ongeluk kreeg. Dat was een moeilijke tijd – voor iedereen.' Ik sta stilletjes met de kom in mijn handen terwijl oma verder zoekt in haar kast. 'Zet hem maar bij je bagage. Gebruik hem in goede gezondheid. En help me om al die zakken weer in te ruimen.'

Ik glimlach haar toe. 'Dank je wel,' zeg ik. 'Het is het mooiste cadeau dat je me kon geven. Vooral dit weekend.'

De kom lijkt een geschenk van Channa zelf, als een toestemming dat ik haar naam heb aangenomen. Ik zet hem naast me neer terwijl ik in de bus zit naar het vliegveld en ik heb het gevoel dat ik een reisgenoot heb.

Liza Bailey leunt met haar zij tegen mijn rug, laat haar hoofd op het mijne rusten. Liza is net zo groot als ik maar molliger. Ik buig langzaam voorover, ik verheug me over de kracht en zachtheid van haar lichaam als ze haar boven-lichaam op mijn rug rolt en toestaat dat ik haar voorzichtig optil. Als haar voeten weer op de grond staan, laat ze zich langs me heen glijden – alsof ik een boomstam ben. Dan ben ik ook op de vloer en we rollen over elkaar heen als apen.

Liza is voor in de veertig, ze is therapeute op een lagere school in Cambridge. Ze heeft twee kinderen, tieners. Als onze dans voorbij is rusten we samen uit. Ik geniet van de tederheid van haar grote, moederlijke handen op mijn hoofd en rug, laat mijn vingers rusten op haar korte, grijze, sluike haar.

'Hmmm,' zegt Liza. 'Dat was heerlijk.'

'Ja,' zeg ik. Haar woorden hebben onze trance verbroken. Ik ga rechtop zitten, ik bedenk dat ik nog wel een keer kan dansen voor ik naar huis ga. Op de rand van het podium waar we allemaal onze tassen en jassen neerleggen, heb ik het geklik van een camera gehoord. Jason heeft voor het begin aangekondigd dat er een vriend van hem kwam die ons zou fotograferen, als we daar geen bezwaar tegen hadden.

Ik kijk op en zie dat het Jonathan Lev is, de fotograaf van de *Globe* die mijn telefoontjes nooit heeft beantwoord; wiens opmerkingen me ertoe gebracht hebben contact te zoeken met mijn vader. Ik stop mijn hoofd weg achter Liza's buik.

'Is er wat, kind?' vraagt ze.

'Mmm,' zeg ik. 'Ik ken die fotograaf.'

'Hij lacht naar je.'

'Mmm,' zeg ik weer, zenuwachtig omdat die man me wat doet – terwijl hij niet eens mijn telefoontjes heeft beantwoord.

Ik kijk lang genoeg op om te zien dat hij naar me staart.

Ik kijk wat ik aanheb – een wijd wit t-shirt met een lage hals over een zwart topje en een slobberige paarse broek die net niet tot mijn enkels komt. Mijn haar heb ik naar achteren getrokken en in een knot gedraaid. Tegen mijn nek en oren voel ik krullen die ontsnapt zijn. Langzaam sta ik op uit mijn nest met Liza en zeg hem goedendag.

'Hallo,' zegt Jonathan warm. Ik wist niet dat hij zo verlegen was. 'Hannah Felber, nietwaar?'

'Dat was het,' zeg ik. Ik zie hoe intens hij naar me kijkt en dat hij dezelfde bruine sjaal draagt als toen hij mijn klas fotografeerde. 'Ik heb mijn achternaam in Fried veranderd.'

'Ben je getrouwd?' vraagt hij. Die mogelijkheid schijnt hem teleur te stellen – denk ik.

'Nee,' zeg ik. 'Ik heb de meisjesnaam van mijn overgrootmoeder aangenomen.'

'O,' zegt Jonathan. Hij zet zijn camera neer en gaat op het podium zitten, alsof hij me wil duidelijk maken dat hij een lang gesprek in de zin heeft. 'Dat klinkt als een goed verhaal.'

Ik glimlach zelfgenoegzaam. 'Ja.'

'Het is prachtig om je te zien dansen. Je maakt fantastische bewegingen.'

Als hij geen heel goede reden had om me niet terug te bellen, dan wil ik dit niet horen. 'Dank je,' zeg ik, kortaf.

'Ik moet jou bedanken,' zegt hij.

Ik hou mijn hoofd vragend scheef, ik moet mezelf bekennen dat ik die man niet heb afgeschreven.

'Een paar maanden nadat ik jou en je leerlingen fotografeerde lunchte ik met mijn moeder. Ze woont niet ver weg – in Concord, maar we zien elkaar niet vaak. Gewoonlijk zijn die contacten erg ongemakkelijk – we zijn allebei nogal zwijgzaam. Maar wat jij met je klas deed inspireerde me om haar te vragen over mijn geboorte.' Ik ga ook op het podium zitten, aan de andere kant van Jonathans camera. 'Mijn moeder had een miskraam – een meisje – na mijn broer, voor ik werd geboren,' vervolgt hij, 'en dat heb ik nooit geweten. Nu weet ik het. En het heeft me echt geholpen dat ik het weet en mijn moeder ook. We kunnen nu veel beter met elkaar opschieten.'

'Dat is fijn,' zeg ik.

'Bedankt,' zegt hij en hij blijft in mijn ogen kijken.

Vraag zijn telefoonnummer, zegt die oude stem in mijn hoofd.

Waarom? vraag ik.

Gewoon het nummer, zegt de stem, wanhopig.

'Zullen we onze telefoonnummers uitwisselen?' vraagt Jonathan. 'Misschien kunnen we eens naar een film gaan.'

'Goed,' zeg ik en ik onderdruk een glimlach. 'Maar jij hebt het mijne al. Ik heb het aan je secretaresse bij de *Globe* gegeven toen ik opbelde om te zeggen dat ik de foto die je van onze klas hebt genomen mooi vond.'

'Echt waar?' zegt Jonathan. Hij trekt zijn wenkbrauwen op. 'De maand nadat ik die foto's genomen heb ben ik weggegaan. Ik herinner me niet dat ik die boodschap heb doorgekregen.'

Ik zeg alleen maar: 'Mmm.'

'Tjee,' zegt hij, 'sorry hoor.'

Ik heb het gevoel dat het hem echt spijt. 'Excuus aanvaard,' zeg ik en ik glimlach vriendelijk en pak de blocnote die ik altijd in mijn tas heb.

15

1941

Channa

Celia is bijna in de andere wereld. Daar ligt ze, helemaal in het gips, ons sjeine meidl. Alles is gebroken en bedekt met dat gips. Haar nek is ook gebroken. De dokters zeggen dat ze stil moet liggen. Ze waarschuwden Ida en Moe dat ze weleens zou kunnen sterven. En we mogen haar niet aanraken. Alleen door het gips wordt ze aangeraakt. Het doet me denken aan mijn armen die pijn deden en los van mijn lichaam schenen te zijn toen ik mijn kind Vitl niet kon vasthouden.

Als ik naar Ida kijk, ach. Het is zo zwaar voor een moeder als ze zichzelf niet aan haar kind kan geven. De Heilige geeft een moeder de zwaarste taak als hij haar niets te doen geeft.

Wat is er gebeurd?

Het was een paar dagen nadat ze me had verteld van die geesten. Meneer Griffin, Ida's buurman, reed achterwaarts de oprit af en hij zag Celia niet. Ze speelde met een ander meisje, op straat, hoewel Moe natuurlijk tegen haar schreeuwde dat ze dat niet mocht doen vanaf het ogenblik dat ze woorden begreep. Ik heb Ida ook tegen de meisjes horen zeggen dat ze nooit op straat mochten spelen. Wel, die dag nam Celia een sprong vlak bij meneer Griffins Chevrolet, net toen hij startte. Celia zat zo vol bloed, Ida zei dat het leek op het bloed van een bevalling – in de sneeuw.

Ze brak een heleboel botten. Haar nek is het ergst zegt de dokter. Haar ene arm is helemaal plat – alsof een slager een pannenkoek van kalfsborst heeft gemaakt. Haar ogen zijn gekruist. Schele ogen, noemen ze dat. Als je je kan voorstellen dat alles gebroken is, dan kun je je haar wel voorstellen.

Ida praatte nooit veel, maar nu doet haar zwijgen me denken aan het zwijgen van Celia. Ze zit alleen maar bij Celia's bed, met haar ogen altijd open en een zwaar hart. Zeker, ze heeft twee kasten voor haar jurken en mantels, meer vazen dan bloemen en schilderijen in alle kleuren van Frankrijk. Maar, zegt ze, 'ze geeft geen moer' om al die dingen.

Ida, mijn door God gezegend kind. En Celia. Ik weet dat die dokters wonderen kunnen verrichten met haar botten. Maar. Die geesten die ze heeft – daarvoor hebben de dokters niets.

Het is negentieneenenveertig. Laat in december. Nu lezen mijn Meyer en Moe de kranten alsof het eten is dat ze in geen drie maanden hebben gezien. Elke dag lezen ze zo. 'Om te weten te komen wat er met de joden gebeurt, moet je zoeken,' zegt Meyer, 'als een geleerde.'

Ik denk, als je niet weet wat er in het oude land gebeurt, zijn je oren doof geworden voor de wereld en je ogen blind. Niemand krijgt meer een brief van daarginds. En mijn Vitl, met wie ik nu al veertig jaar praat, zegt ook niet veel. Of ik weet niet hoe ik naar haar moet luisteren. Ik ben er zeker van dat ze weet welke dingen er gebeuren. Maar als ik vraag naar het oude land begint ze te praten over mijn kleindochter. 'Celia moet kiezen,' zegt Vitl. 'Of ze wil leven of wil sterven.'

'Dat weet ik,' zeg ik. En ik vertel haar ook, daar in haar hemel: 'Ik vind dat jullie in de andere wereld ons hier een beetje moeten helpen. En jullie in de andere wereld moeten ook beslissingen nemen: willen jullie haar hier bij ons, of daar bij jullie? Als je een kind van tien voor zo'n keuze stelt,' zeg ik tegen Vitl, 'dan moet je haar ook helpen.'

Maar over Ania Davidson zeggen we geen woord. Ook niet over Kiew, of Lodz, of Riga. Dat van Koretz weet ik al. Het is pas Koretz geworden in ongeveer 1910, door de kozakken. Nu zijn er geen joden meer over op dat kleine stukje land.

Ik laat mijn ogen op Celia rusten. Zij is een mysterie. Ze had meer comfort in haar leven dan ik als jonge moeder kon wensen voor mijn kinderen. En het schijnt haar niet te kunnen schelen dat ze een leven heeft als een prinses. Wel, nu is ze in stukken gebroken. Nu kunnen we haar rust geven.

Ik kijk onder de dekens terwijl ze slaapt om een blik te werpen op de uitslag op haar arm, die nooit is weggegaan. Hij zit tussen haar polsje en haar elleboog, bleekrood, hij doet me denken aan het licht van een kaars op een stormachtige avond.

Misschien zal Celia deze nacht blijven leven.

16

1988

Hannah

'Becky?' zeg ik in de telefoon, eindelijk verzoend met het feit dat ik haar bij haar voornaam noem en niet mevrouw Caplan. 'Met Hannah.'

'Hannah Fried?' vraagt ze. 'Wat fijn dat ik je stem hoor.'

Ik houd de telefoon tegen mijn oor en zie Karens gezicht in de draden tussen Cleveland en Boston; als ik hoor hoe lief haar moeder tegen me is begin ik bijna te huilen. Ik vraag me af of Karen onze vriendschap goed zou vinden. Ik vraag me af waardoor Becky overeind wordt gehouden. Ik weet dat ze nog steeds naar die hulpgroep gaat. En Joe, haar zoon, woont nog steeds in Californië, maar hij en zijn vrouw hebben vorige winter een dochtertje gekregen, Andrea. 'Als ik haar hoor huilen op de achtergrond wanneer ik met Joe praat,' zegt Becky, 'voel ik me gelukkig.'

De laatste keer dat ik in Cleveland was waren de Caplans in Californië; we hebben een paar maanden geen contact gehad. 'Hoe gaat het met je?' vraagt Becky. Maar ik hoor nog steeds wanhoop in haar stem, ook al is Andrea er nu. Ik denk dat dat nooit overgaat.

'Wel,' zeg ik, me afvragend of het niet te veel is gevraagd van haar aandacht. 'Ik ga volgende zondag eten met een man die Jonathan heet.'

'Echt waar? Wie is het?'

'Hij is fotograaf,' zeg ik. 'Ik heb hem twee jaar geleden ontmoet toen hij een foto nam van mijn klas voor de *Boston Globe*.'

'Dat klinkt goed.'

'Mmm. Maar weet je, ik weet niet of dit nu een afspraakje is of niet.'

'Dat hindert niet. Eet maar lekker. Je hoeft niet over de rest van je leven te beslissen als je aan het eten bent.'

'Ja,' zeg ik, en ik knik, 'zo is dat.'

'Laat me horen hoe het gegaan is, hè? Als jij een aardige man ontmoet, Hannah, dan wil ik dat horen. Dat zou me zo gelukkig maken.'

Twintig minuten voor Jonathan Lev en ik hebben afgesproken kom ik bij het India Palace in Central Square. Het is vroeg in april, een zondagavond, nog koel genoeg om warm ondergoed te dragen. Ik draag een rayon broek met een klein motiefje van groene en witte bloempjes – hij is een beetje wijd en boven mijn enkels ingenomen; een groen jersey hemd met een lage hals en een vormeloos, zwart jack dat net over mijn middel valt. Ik heb de mouwen opgerold boven mijn polsen.

Mijn haar is nu kort, ik laat het om de drieënhalve week knippen, daarom groeit het van achteren nooit lang genoeg om te krullen. Denise Porch, een zwarte vrouw van midden twintig, die zich kleedt in felle kleuren, met ceintuurs en tassen die altijd bij elkaar passen, nam me vorige week van onder tot boven op en zei: 'Het enige wat jij nodig hebt is een beetje lipstick.' Annie houdt ook van mijn nieuwe stijl. 'Eerst,' zei ze, 'paste alles wat je droeg precies. Dit is mondainer. Losser.'

De ober brengt me naar een tafeltje en ik zit met mijn gezicht naar de deur. Ik bekijk het menu en vind iets van mijn gading; dan haal ik Denises folder uit mijn tas. Ik redigeer een van haar verhalen voor onze krantenbijlage, die over een paar weken verschijnt.

JESUS, DE VRIEND VAN MIJN BROER
door Denise Porch

Vorige week op de verjaardag van mijn grootmoeder, aten we Kentucky Fried Chicken. Mijn broer Kevin nam een vriend mee, Jesus. Zij leren allebei voor monteur. Jesus heeft een baardje, net als de echte. Hij keek aldoor naar me onder het eten. Hij zegt niks, maar hij kijkt en kijkt.

Hij leert mijn meisjes een liedje.

Ik ben niet gek. Ik zie dat hij er goed uitziet. Ik zie dat hij me aardig vindt. Ik kijk terug. Dan wacht ik tot hij me belt. Maar hij belt niet. En ik denk, ik moet Kevin vragen naar Jesus. En dat betekent dat iedereen weet dat ik op hem val.

'Ik denk dat veel vrouwen zo'n verhaal kunnen vertellen,' had ik eerder in de kantlijn van Denises verhaal geschreven. 'De manier waarop jij het vertelt maakt me nieuwsgierig naar hoe het verdergaat. Wil je je naam veranderen en de namen van Kevin en Jesus, als we dit publiceren?'

'Laat de namen maar,' schreef ze vorige week terug. 'Want Jesus belt. Vaak.'

Als ik opkijk zie ik Jonathan naar me toe lopen, hij draagt een bruin t-shirt onder een antracietkleurige jumper met een v-hals en een spijkerbroek. Hij heeft een manilla envelop onder zijn linkerarm. 'Hallo,' zegt hij en hij glimlacht warm. Hij gaat zitten.

'Hallo,' zeg ik en ik ben geïrriteerd omdat hij er zo goed uitziet in die kleren. *Mama zou het wel mooi vinden dat hij zo veel gevoel heeft voor kleuren.* Ik ben ook geïrriteerd omdat ik een beetje nerveus ben en ik ben blij dat ik Denises folder in mijn tas moet stoppen.

Jonathan wendt zich tot het gezin dat naast ons zit, om te reageren op het gestaar van hun zoontje van een jaar of drie. Hun ogen vinden elkaar in een gereserveerde, zwijgende overeenstemming, tot de jongen een hoge giechelbui krijgt en opnieuw begint te eten.

Jonathan wendt zich weer tot mij en glimlacht verlegen. Zijn haar is kort en kroezig; hij heeft zich pas geschoren. Hij tikt langzaam met de rand van de manilla envelop die hij bij zich heeft op de palm van zijn linkerhand en ik vraag me af of hij niet op zijn gemak is als hij tegenover mij (of iemand anders) zit zonder een camera. 'Dat is voor jou,' zegt hij.

'Dank je wel.' Ik hoor de spanning in mijn stem en hoeveel die lijkt op de stem van mama en oma.

Uit de envelop haal ik een acht-bij-tienfoto van mij en de wilde vrouwen die hij vorig jaar heeft genomen.

'Wat leuk,' zeg ik, zo nonchalant als ik kan, en ik stop de foto weer in de envelop, 'dank je wel.'

'Het was mij een genoegen,' zegt Jonathan. 'Toen ik daar was bij dat dansen zag ik het laatste nummer van jullie tijdschrift. Ik vond het goed – ik vond het écht goed. Die verhalen waren zo echt, alsof die vrouwen rustig met mij praatten over hun diepste geheimen. Ik probeer die intimiteit in mijn foto's te leggen, maar meestal lukt het me niet om ze zo dicht te benaderen.'

'Ja,' zeg ik en ik knik. 'Ik leer een boel van hoe mijn leerlingen schrijven.' *Dus hij heeft me mee uit eten genomen omdat hij geïnteresseerd is in mijn werk, niet omdat hij geïnteresseerd is in mij.*

'Ik dacht dat je, als je foto's had voor je tijdschrift,' zegt Jonathan, 'ze misschien bij de verhalen kunt plaatsen.'

Ik knik en haal tegelijk mijn schouders op. Dit zou een fantastisch idee kunnen zijn, maar ik aarzel om het te zeggen.

'Misschien zou je foto's kunnen publiceren van de families en de huizen van die vrouwen.'

'Misschien,' zeg ik, terwijl ik me afvraag of ik de foto die hij me net heeft gegeven niet zou kunnen gebruiken in het volgende nummer. *Ik weet niet goed hoe ik met een man moet praten – hoeveel ik moet geven, hoeveel ik moet nemen. Tante Mollie heeft eens gezegd dat zij dat ook nooit heeft geleerd.*

Voor Jonathan het menu bekijkt kijkt hij me even intens aan – heel even.

'Ik weet al wat ik hebben wil,' zeg ik vlug, alsof ik antwoord op een vraag die hij niet heeft gesteld.

'O,' zegt hij, 'goed.'

Misschien kijken fotografen zo naar mensen: met een lange blik. Daar hou ik wel van. En het maakt me nerveus.

Een tengere kelner in een keurig wit hemd neemt onze bestelling op. 'Waar ben je geweest in de weken nadat je ons had gefotografeerd?'

'Het Christ in the Desert-klooster, New Mexico,' zegt hij.

'Een klóóster? Ik dacht dat je joods was.'

Jonathan knikt. 'Joods geboren,' zegt hij. 'Maar ik ben nooit in een synagoge geweest waar het vreedzaam was.'

Ik haal mijn schouders op. Hij ziet er eerlijk uit, maar misschien is hij arrogant. 'In hoeveel synagogen ben je dan geweest?' vraag ik en ik denk aan de sjoel in Zwitserland.

'Niet veel,' zegt Jonathan. Ik weet niet of ik hem verlegen heb gemaakt of niet. 'Maar ik ken geen enkele joodse plaats waar ik alleen kan zijn en niet met mensen hoef te praten als ik ze zie; in Christ in the Desert komen de anderen ook voor de eenzaamheid. En ik hou van de horizon in de woestijn.'

Ik stel me voor dat ik Annie vertel dat hij met vakantie gaat om alleen te zijn – en ik hoor haar antwoord zo duidelijk alsof ze hier aan tafel zit: *ik heb altijd gezegd dat je met iemand zou trouwen die naast je woont, in een ander huis.*

'En wat doe je daar dan?' zeg ik, terwijl ik de gedachte aan een huwelijk opzij schuif. 'Ik maak heel lange wandelingen,' zegt Jonathan. 'Ik fotografeer, als ik er zin in heb. En soms slaap ik gewoon.'

'Drie weken lang?' Ik ben gefixeerd op de kleine kromming van zijn neus, de goed geproportioneerde lengte en breedte van zijn borst, de elegantie van zijn vingers. Er zit iets joods in zijn tics, ook al wil hij niet joods zijn: zoals bijvoorbeeld de kleine knik van zijn hoofd opzij als hij een idee heeft geopperd. Zijn bewegingen zijn me vertróuwd.

'Zo veel tijd heb ik er gewoonlijk voor nodig om ergens te komen,' zegt hij. Ik trek mijn wenkbrauwen op, ik weet niet wat hij bedoelt.

'Ik mediteer veel en lang voor ik begin te fotograferen. Ik krijg elke dag opdrachten van mijn baas bij de *Globe* en ik heb wel even wat tijd nodig om te weten te komen wat ik eigenlijk zelf wil fotograferen. Soms moet ik er lang op broeden.'

O God! Hij meditéért! New Age!

Waarom geef je die man geen kans? zegt een andere stem.

'Mediteer je hier ook?' vraag ik nieuwsgierig.

Jonathan knikt. 'Maar het is hier anders, door mijn baan. Ik moet meestal ergens met spoed naar toe. En jij,' zegt hij, 'mediteer jij?'

'Nee,' zeg ik en ik realiseer me dat mediteren misschien voor hem is wat in mijn dagboek schrijven voor mij is. 'Maar ik heb geen televisie.'

'O,' zegt hij lachend. 'Dat siert je.'

Terwijl de ober warme borden met eten voor ons neerzet, denk ik aan de tijd die ik doorbreng met zitten in een leunstoel, zonder iets te doen, zonder te schrijven of te lezen. En als ik bij oma ben, zitten we grote delen van de dag op haar bank – we praten niet eens, we zitten gewoon.

Jonathan houdt zijn zachte blik op mijn gezicht gericht totdat die afdwaalt naar de pakora balletjes op het schaaltje naast me. 'Neem maar,' zeg ik.

Dinsdag, twee avonden later, belt Jonathan me om me te eten te vragen bij hem thuis op donderdag.

'Sorry,' zeg ik. 'Het volgende nummer van *Wilde Vrouwen Verhalen* moet vrijdag bij de drukker liggen. Ik heb het te druk.'

'O,' zegt Jonathan. 'En vrijdagavond?'

'Mmm,' zeg ik, ik hoor mijn eigen verwarring. *Ik vind die man aardig, maar ik weet niet wat hij van me wil. We hebben nog maar eenmaal samen gegeten, maar als ik wist wat hij wilde, zou dat de dingen dan niet toch gemakkelijker maken?*

'Is dat nee, bedankt?' zegt hij.

'Nee,' zeg ik. 'Dat bedoel ik niet. Mag ik je bellen als ik klaar ben?'

'Goed,' zegt hij. 'Zeker. Ik verheug me erop.'

'Marie,' zeg ik en ik omklem de telefoon, hopend dat die wijsheid zal uitstralen. 'Er is een man, Jonathan en we hebben gegeten.'

'Is dat een probleem?' vraagt ze. Ik weet dat ze nu breed glimlacht. Marie woont al vijf jaar gelukkig samen met een tuinarchitect.

'Het is zo, ik vind hem aardig. Maar ik ben zo dwars als we samen zijn. Net of hij iets verkeerds heeft gedaan al voor hij zijn mond opendoet – en daarom vind ik mezélf niet aardig als ik bij hem ben.'

'Mmm,' zegt ze, 'het is weer tijd om de brug te maken.'

'De brug?'

'Ja,' zegt ze vriendelijk. 'Ik herinner me dat ik dat heb gezegd kort nadat we elkaar ontmoetten, toen je een van je gedichten had voorgelezen. Ik bedoel de brug tussen de vrouw in je die een kreng is en de vrouw in je die gevoelig is en lief.'

'O,' fluister ik. 'Ooo, ik weet het weer.' Ik maak mezelf los van wat Marie 'het drama' noemt en zie dat ik mijn buik heb ingetrokken – hoewel het veel gemakkelijker is om hem te laten ademen. Als ik de laatste tijd tegen Marie zeg dat ik mama mis begint ze te zuchten en zegt dat mijn moeder ongetwijfeld buitengemeen vreemd en fascinerend is, maar dat ik mijn aandacht moet richten op mezelf – hoe mijn relatie is tot mijzelf.

Marie vervolgt: 'Die foto die je me gestuurd hebt met je nieuwe kapsel. Gisteren keek ik ernaar en het is net alsof je onderhelft en je bovenhelft twee verschillende persoonlijkheden hebben. Het is alsof je benen klaar zijn om te marcheren en je hoofd en schouders vastzitten – ze wachten op een volmaaktheid die waarschijnlijk nooit zal komen. Als je die delen overbrugt, Hannah, kan je als één geheel verder. Wel, wel,' zegt ze. 'Je hebt iemand ontmoet. Dat is fantastisch. Geniet er maar van!'

Ik hang op en knik. *Als ik weet hoe ik mijn leerlingen moet helpen om intieme verhalen te schrijven hoe is het dan mogelijk dat ik niet weet hoe ik bevriend moet zijn met een man?*

Opdracht: vertel een verhaal over de oude en de nieuwe zeden van je familie.

OUDE ZEDEN EN NIEUWE ZEDEN
door Sokkeo Sao

Voor 1975 was mijn leven heel rustig. Mijn vader was leraar aan onze school. Iedereen respecteerde hem. Ik had een oudere broer en twee jongere zusters. Wij eerden onze grootmoeder. Ze stierf rustig, in haar slaap.

In 1975 begon het moorden in mijn land. De Rode Khmer vermoordde mijn vader. Toen werd mijn familie naar de rijstvelden gestuurd om daar te werken. Ouders en kinderen werden gescheiden. Na die dag heb ik mijn moeder niet weer gezien.

Mijn broers en zusters en ik werkten van voor de zon licht gaf tot na de sterren kwamen. Wij lieten de rijst groeien, maar we aten die niet. Mijn zusters stierven van honger.

In 1981, toen ik in dit land kwam, ging ik bij mijn broer en diens vrouw wonen. Ze hebben drie kinderen.

Ik wil lerares worden. Maar mijn broer wil dat ik de oude Cambodjaanse zeden in ere houd. Hij vindt dat ik moet trouwen. Hij vindt dat ik niet naar school moet gaan.

Het nieuwe nummer van Wilde Vrouwen Verhalen is klaar – daarna bel ik Jonathan of ik zijn foto mag gebruiken en om hem te vragen of hij zaterdag komt eten.

April 1988,
Nerveus. Beetje misselijk. Blijf me maar afvragen hoe het zou zijn als ik mijn armen om Jonathans borst sloeg en mijn hoofd tegen zijn schouder legde. Voel me erg klein. Alsof hij niet veel zal hebben om vast te houden.

'Wat heb je met die kip gedaan?' vraagt Jonathan. Hij lepelt de jus van de schaal op zijn bord.

'Ik heb hem gemarineerd,' zeg ik.

'Ja,' zegt hij, 'maar wat heb je in die marinade gedaan?'

'Sinaasappelsap, geraspte ui, knoflook en zout.'

'Wauw,' zegt Jonathan. 'Dat moet ik ook proberen.'

'Kook je zelf?' vraag ik.

'Ik heb nog nooit zoiets als dít gemaakt, maar ik heb weleens een kip gebraden. Misschien wil je de volgende keer bij mij komen eten?'

'Misschien,' zeg ik.

Na het eten gaan we naar mijn huiskamer en ik zet *Kind of Blue* op, een Miles Davisbandje dat ik ongeveer een maand geleden van Annie heb geleend. Ik bied Jonathan de leunstoel tegenover het tweezitsbankje aan. Ik weet dat Annie zou zeggen: *Wat kan het voor kwaad als je naast hem gaat zitten?* Je mag me de Koningin van de Aarzeling noemen, maar ik weet nog steeds niet of ik de enige was die tijdens het eten graag over de tafel gereikt zou hebben om de hand van de ander vast te houden.

We zitten daar rustig met een kopje thee. Jonathan bekijkt de titels van de boeken in de kast naast het bankje. Ik zie dat zijn blik blijft hangen op de menora op de hoogste plank en de foto's van Leah, Channa, Ida en Karen en haar moeder. Ik heb ook een foto van mama en mij die Allan heeft genomen – die heeft Jonathan de eerste dag in het centrum gezien. Ik volg zijn blik en denk: *ik heb hier geen enkele foto van een man.*

'Als je zoveel van rust houdt,' zeg ik, nadat we ongeveer een minuut hebben gezwegen, 'waarom woon je dan in Boston en werk je bij de *Globe*?'

Jonathan aarzelt even voor hij antwoordt. 'Dat is de spanning. Ik heb een ambitieus deel dat het fijn vindt om te fotograferen en al die mensen te ontmoeten die ik tegenkom door mijn werk bij de *Globe* – en een ander deel van me wil rust. Op mijn beste dagen reis ik door beide werelden.'

'En op je niet-zo-beste dagen?'

'Ik ben geobsedeerd door de gedachte dat ik iets wil fotograferen dat mezelf verbaast. De foto's die ik voor de krant neem doen dat niet. Die in New Mexico soms; maar ik heb mijn beste werk bijna tien jaar geleden gemaakt toen ik pas was afgestudeerd. Ik zit sindsdien een beetje vast, sinds ik dit werk heb.' Jonathan haalt zijn schouders op, eventjes. Ik zou het gemist kunnen hebben als ik met mijn ogen had geknipperd.

Miles Davis is afgelopen en we horen het gezoem van mijn koelkast. Dan houdt dat op en we horen de wind die rond het gebouw blaast. Het is nog geen acht uur. 'Laten we een wandeling maken,' zeg ik. 'Naar de rivier, misschien.'

'Goed,' zegt Jonathan. 'Dat klinkt goed.' Van de kapstok naast mijn buitendeur haalt hij zijn bruine sjaal en wikkelt die om zijn hals.

'Ga je ooit ergens heen zonder die sjaal?' vraag ik.

'Hij is warm,' zegt hij. 'Op een koele avond is een sjaal lekker, vind je ook niet?'

'Jaaaa,' zeg ik, nog steeds nieuwsgierig naar de herkomst van die sjaal. Ik voel het speelse in mijn stem. 'Maar ik heb het gevoel dat er meer achter zit.'

'Ik heb hem van mijn vader gekregen. We lunchten, iets wat we zelden doen en ik had het een beetje koud en toen gaf hij hem aan mij – hij was van hem.'

'O,' zeg ik, terwijl ik mijn gevoerde vest dichtrits. 'Dat was aardig.'

'Ik denk dat het veel voor me betekende,' zegt Jonathan. 'Mijn vader geeft me niet zoveel.'

Terwijl wij het huis uitgaan komen Reb en Miriam Shuman er net aan. Ze werpen mij dezelfde glimlach en voorzichtige knikjes toe als altijd. 'Een goede sjabbes,' zeggen ze tegen mij.

'Een goede sjabbes,' zeg ik lachend.

17

1941 ⚜ 1943

Ida

A foiln is gut tsu sjikn noch dem malasjamowes. Stuur een luiaard om de Engel des Doods te halen.

Ze zweeft tussen leven en dood. Het is drie weken na het ongeluk. De dokter is net begonnen om haar pupillen hun minuut licht per dag te geven. Ik mis geen van haar bewegingen. Ik zie hoe haar vermoeide ogen elk een andere kant opgaan. Ik zie hoe ze naar mij kijkt, dan naar de kamer, dan naar het gips en het verband waarmee ze haar lichaam stil leggen. Langzaam kijkt ze naar die dingen, om de beurt. Dan vallen haar oogleden dicht, als zware luiken. Zij brengen de zwaarte van de wereld over ogen die zeggen: *dood zijn is vast beter.*

Voor het eerst van zijn leven gaat Moe niet naar de zaak. Hij beent door het ziekenhuis alsof hij het opwindt met zijn voeten. Mijn moeder en Mollie hebben Rita in huis genomen. Iemand brengt mij eten. Toen een zuster gisteravond het blad wegnam besefte ik dat ik niet eens had gekeken wat ik at – mijn ogen zijn voortdurend op Celia gericht.

Mijn liefde voor haar voelt als medicijn. Ik zorg ervoor dat elke cel in mijn lichaam zijn aandacht richt op Celia. Dan dwalen mijn gedachten af. *Als ik bij haar buiten was geweest was dit nooit gebeurd. Ik had haar mee moeten nemen voor de lunch op zaterdag. Ik had haar naar de sjoel moeten brengen! Ik had bij Moe weg kunnen gaan en een poosje weer bij mijn ouders kunnen gaan wonen* – hoewel ik weet dat het salaris van een boekhouder niet voldoende is om een vrouw met twee kinderen te onderhouden. Soms bijt ik me daarin vast en ik kan het niet loslaten. Er is zoveel dat ik niet heb voorkómen in haar jonge leven.

Of ze leeft of sterft, ze moet weten dat ik van haar hou. *Mijn leven hangt af van mijn liefde voor jou, Celia, jij die altijd buiten mijn bereik bent gebleven.*

Ik blijf op mijn stoel bij haar bed. *Als je wilt leven, Celia, zul je leven.*

Mijn moeder legt haar hand op mijn schouder en kijkt naar Celia met haar lieve ogen die van een dozijn kinderen en kleinkinderen houden, ons inbegrepen. Papa is er ook, hoewel zijn gezondheid te wensen overlaat. 'Ik wil alleen maar dat je weet,' zegt hij, meerdere malen, 'dat ik je altijd een goede moeder heb gevonden.'

Telkens als hij dat zegt komen de tranen – ik kan ze niet tegenhouden. Als ik weer kan praten bedank ik hem.

Weet hij dat het vuur dat al die jaren met Moe in mijn binnenste heeft gebrand zijn weg heeft gevonden naar Celia?

'El na refa na la,' hoor ik papa zeggen. *God, maak haar alstublieft beter.* Het is alsof mijn gezicht net gewassen is als ik dit gebed hoor. Ik herinner me dat rabbi Silver erover sprak, het eerste gebed van ons volk ter genezing. Mozes zei het toen zijn zuster melaats werd *en ze werd beter.*

Ik sluit mijn ogen. 'El na refa na la,' zeg ik. 'El na refa na la.'

Als ik hier zit is het net alsof ik een maanbad neem, ik weet niet wat er zal gebeuren, ik wacht. Ik praat met mijn grootmoeders. Zij zijn degenen in de andere wereld die eens moeders waren en die me kennen. Ik vraag of ze ons willen helpen. Mijn grootvaders stierven allebei toen ik nog jong was maar ik bid ook tot hen of ze ons willen helpen. Omdat ik weet dat Celia's leven meer nodig heeft dan aardse handen; er is meer voor nodig dan mijn aardse verlangen naar haar. 'Als gebeden hielpen,' zei Moe altijd, 'zouden ze mensen inhuren om te bidden.' Vóór het ongeluk giechelde ik telkens als hij het zei. Maar ik bid. Nu Celia hier ligt is dat het enige wat ik doen kan.

De vorige week op een ochtend liet de dokter haar ogen bijna een uur onbedekt. Celia bekeek de kamer, alsof dat gewoon was. Maar toen ze haar ogen op mij richtte keek ze woedend – alsof ze het licht van de doden in zich had. Op dat ogenblik doorstak ze me met die brandende ogen en ik wist: misschien ben ik niet zo'n goede moeder, maar Celia zal dit wel overleven. Ze zal leven zolang ze dat wil. Haar gebroken lichaam zal genezen.

Het is net alsof ze een bezoek heeft gebracht aan de andere wereld. Ze heeft iets zuurs en geheimzinnigs mee teruggebracht, iets wat ik niet begrijp. Haar gezicht doet me nu denken aan dat van Rose – een steen die zou glinsteren als hij nat was. Rose-Raisl, mijn schoonzuster die nooit praat. Ze heeft een wereld achter haar lippen en laat die niet draaien.

Maar Celia is nu thuis, ze ademt, ze ziet en loopt zelfs weer. Ze is nog fragiel. En ze heeft een nieuwe, harde korst, misschien zelfs iets van Moes krankzinnige boosaardigheid om haar overeind te houden. Het is maar een zweem – als een takje peterselie dat je naar de rand van je bord schuift. Misschien wordt het nooit gegeten, maar toch verandert het de aanblik van een schotel.

Het is nog altijd elke dag mijn grootste uitdaging om Celia iets te laten eten. Elke keer als zij het doet bedank ik mama's kind, Vitl – alsof zij iets te maken heeft met het feit dat Celia slikt wat ik haar voorzet. Ik denk dat dit alles me een beetje gek heeft gemaakt.

En Moe. Je weet, sommige mensen kunnen een halve kip opeten, twee gepofte aardappels, appeltaart met slagroom en dan willen ze nog een stuk taart, ditmaal met ijs. Moe is nu zo, niet alleen met eten, ook met geld. Meer dan vroeger. We weten allebei dat Celia littekens zal overhouden van het ongeluk en ik denk dat hij zich daar zorgen over maakt.

Ik weet zeker dat hij mij er de schuld van geeft dat ze die dag buiten speelde, vlak bij de auto van meneer Griffin. 's Avonds, als de kinderen naar bed zijn, zitten we samen in de huiskamer. Moe luistert naar zijn radio of leest de krant. Ik brei een sjaal of lees mijn Hadassa tijdschrift. Als hij klaar is om naar bed te gaan staat hij soms op, gaat de kamer uit en draait het licht uit – terwijl ik daar nog in het donker zit, alsof ik niets ben.

Elke keer sluit ik dan mijn ogen, ik beleef mijn eenzaamheid. De woorden op mijn tong slik ik in. Het is alsof hij pijn in mijn schoot legt – elke avond. 's Avonds, als we thuiskomen uit de zaak, roep ik Rita en Celia om me te helpen de tafel te dekken zodat Irene een uurtje voor zichzelf heeft en Moe bekijkt de post of leest de krant. Vaak kijkt hij op en kijkt mij aan, net als die eerste dag op de zaak. *Ga niet bij me weg.* Dat schijnen zijn ogen te zeggen. *Ik heb je nodig.*

Ik zuig op mijn tong, ik voel het harde zegel van mijn lippen. Ik knik heel eventjes. *Daar gaan we weer,* denk ik, *weer een gesprek zonder een woord.*

Ik denk dat het hem bang maakt dat ik niet uitbarst. Maar je hoeft geen genie te zijn om te zien dat hij lijdt. Ja zeker. Omdat zijn geld zijn familie hier en daarginds geen zier helpt. Hier heeft hij een dochter die praktisch onder een rijdende auto liep; en terwijl hij leeft als een koning wordt iedereen die hij in Riga heeft achtergelaten naar de hel gesleept. Ik weet dat hij weet wat er gebeurt met zijn zuster en de rest van zijn familie, maar hij wil het niet geloven, dit nieuws weten we alleen uit de joodse kranten en dan nog maar mondjesmaat. 'Stuur je geld naar het joodse Wereldcongres,' zeg ik tegen hem – zij zijn de dapperen die over de vernietiging berichten. 'Dat is iets nuttigs wat je kunt doen. Dan voel je je beter.' Maar als ik dat zeg wuift hij me weg met een korte beweging van zijn hand, alsof ik een vlieg ben.

Wat een ellende. Roses zoon en Bessies man zijn in het leger – ze zijn uitgerekend in Japan; Celia was bijna dood en leeft nu weer; Moe weet niet hoe hij moet leven met wat hij weet over zijn familie in het oude land. En ik ben omringd door dingen die mooi genoeg zijn voor een museum – die zeegezichten en het stilleven van de bloemen in een gouden vaas, bijvoorbeeld. Die heeft hij in Parijs gekocht. Hij kwam daar op de terugweg van zijn moeder voor de oorlog.

Zeker, zeker, het zijn aardige dingen. Maar wat heb je eraan? Al die geschilderde matrozen werpen een blik op me, een vrouw ongelukkig in haar eigen huis. Tegenwoordig vind ik niets echt mooi. Behalve Celia. Ik krijg soms een vreemd gevoel als ik zie dat al haar gelaatstrekken samenkomen in een perfect, glad ovaal – ondanks het ongeluk. Elke keer als ik kijk verrast haar gezicht me en trekt me naar haar toe.

Ik zie nu het geheimzinnige in haar. Een deel van dat mysterie is de wens om haar te helpen van haar schoonheid te genieten. Ik denk dat ik net zo goed kan wensen dat ik geniet van alle mooie dingen die hier aan de muur hangen. Ik kan net zo goed wensen dat ik geniet van Moe.

Vorige zondag zei hij dat we naar de film gingen en dat mijn zuster Mollie mee kon. Hij zei dat met zijn ogen gericht op de meisjes natuurlijk, want tegen mij praat hij gewoonlijk niet. Rita rolde met haar ogen en trok haar neus op. Je kunt haar gewoon de dagen horen aftellen die ze nog in dit huis moet doorbrengen. Celia blijft doodstil als Moe en ik niet met elkaar praten.

Haar botten zijn zo dun, haar gezicht zo bleek. Ze glanst. En die schele ogen. Ik vraag me af of ze dubbel ziet. Als ik zie hoe ze naar ons kijkt wordt mijn hart meer verscheurd dan door wat Moe doet of zegt. Celia is net een meetlat, ze weet wat voor een slechte moeder ik ben. Dat denk ik als ik zie hoe ze kijkt naar ons zwijgen en onze ruzies.

Enfin, ik had Celia aangekleed voor de film en ik had Mollie gebeld dat we haar over een uur zouden komen ophalen. Moe zette ons af bij de bioscoop en we stonden in de rij voor kaartjes terwijl hij de auto wegzette. Toen ging hij op onze plaats staan en wij gingen naar de hal. De jongen van de popcorn kende Rita blijkbaar, het was fijn om te zien dat hij belangstelling voor ons had, haar familie. We hadden een prettige tijd. Maar toen Moe me vandaag huishoudgeld gaf voor boodschappen en pianolessen en dat soort dingen voor de meisjes, had hij de prijs van Mollies kaartje er vanaf getrokken – alsof ze míjn gast was, niet ónze.

Vorige zaterdag gingen mijn moeder, de meisjes en ik naar Shaker Square om te lunchen. Ik ging even alleen naar het damestoilet. Toen ik daar zat hoorde ik een vrouw die haar handen waste tegen haar vriendin zeggen dat ze een middag had doorgebracht met de duivel. Ik dacht: ik heb met de duivel geleefd, zestien jaar lang. A froi ken fartrogen a gansa welt – een vrouw kan de hele wereld verdragen. Ik dacht aan mijn eerste dag op de zaak. En nu weet ik: *arein gerechent dem soton* – met de duivel erbij.

Ik zie niet hoe ik zonder hem kan leven, verdomme. Hoe moet ik rondkomen? Misschien ben ik te verstandig om bij hem weg te gaan en dat te ontdekken. Misschien moet ik het verstand vergeten. En ik maak me ongerust over de meisjes, hoewel Rita me heeft gevraagd of ze me kan helpen met koken, ze wil het leren. En Celia heeft een speciale bril die haar helpt om goed te zien en ze heeft belangstelling voor school. Wat ik ook doe als moeder, ik denk dat mijn werk er opzit: ze worden groot.

18

1988

Hannah

Jonathan woont in Magazine Street in Cambridgeport, een paar blokken van het Wilde Vrouwen Centrum. Zijn flat is op de tweede verdieping van wat eens een grote, Victoriaanse eengezinswoning was.

Als ik binnenkom zie ik een donkerbruine corduroy bank. Ertegenover staan een schommelstoel en een bijzettafeltje van een ongewone vorm met fotoboeken en tijdschriften erop. Als ik hem ernaar vraag, zegt hij dat het tafelblad het vroegere deegbord van zijn grootmoeder is. Jonathan heeft het gelakt en vastgemaakt aan een metalen voet.

In de ene muur zijn twee grote ramen en er hangen allerlei planten op verschillende hoogte. Een andere staat voor de helft vol met boeken en op ooghoogte zie je op de andere helft drie foto's uit New Mexico van de horizon op verschillende dagen. De kamer is zacht verlicht, er ligt een vierkante kokosmat onder het meubilair. 'Er is helemaal geen rommel,' flap ik eruit.

Jonathan glimlacht schaapachtig. 'Ik wist dat je zou komen.'

Zijn kamers zijn aan elkaar verbonden door een lange gang. De houten vloeren zijn oud en donker. De keuken is klein, hij heeft een raam dat uitkijkt op een baseballveld. De slaapkamer is groot genoeg voor een bureau en een toilettafel.

Hij heeft een stoofpot van vis gemaakt. Terwijl we vlak bij elkaar staan in zijn kleine keuken en de stoofpot in kommen scheppen, vragen we elkaar wat we die dag hebben gedaan. Het is avond, maar Jonathans gezicht ziet eruit alsof het pas is geschoren. Als hij me in zijn armen houdt, komt mijn hoofd vlak onder zijn kin. Hij heeft gedoucht voor ik kwam – zijn haar is nog nat en ruikt naar kruidige shampoo. Hij draagt een groot, grijs T-shirt dat over zijn spijkerbroek hangt. Zijn armen zien er sterk en lief uit. Zijn haar is donker, heel kort, het krult nauwelijks. Hij legt zijn hele hand midden op mijn rug om me naar zijn huiskamer te leiden en houdt die daar zo lang dat ik diep adem kan halen.

In de huiskamer ga ik op de bank zitten, hij zit in zijn schommelstoel. Het feit dat ik moet eten maakt mijn lichaam rustig. 'Dat is lekker,' zeg ik.

'Dank je wel,' zegt Jonathan.

'Waar heb je leren koken?'

Jonathan haalt zijn schouders op, alsof hij niet wil dat een van ons geïmponeerd wordt. 'Ik heb in een soort commune gewoond toen ik studeerde en we moesten allemaal één dag per week voor het eten zorgen.'

Ik krijg het gevoel dat er heel veel dingen zijn die hij goed kan: fotograferen, tafels maken, en toch is hij niet onder de indruk van die vaardigheden.

'Wat doe je nog meer behalve lesgeven?' vraagt Jonathan als onze kommen leeg zijn.

'Ik werk aan een paar gedichten met de stemmen van Demeter en Persephone.'

'Brengt Persephone niet de helft van de tijd in de Hades door?'

'Ja,' zeg ik, blij dat hij weet wie ze is. 'Demeters dochter.'

Jonathan trekt zijn wenkbrauwen op. 'Kun je me het verhaal vertellen?'

'Ja hoor,' zeg ik. 'Demeter was de godin van de vruchtbaarheid en de moeder van Kore – ik weet niet of iemand weet wie Kores vader was. Hades ontvoerde Kore – hij verkrachtte haar – toen ze net meerderjarig was geworden en bracht haar naar de onderwereld als zijn bruid. Demeter werd depressief en zei dat ze geen regen zou laten vallen tot ze haar dochter terugzag. Alles werd droog en winters – tot de goden een compromis sloten: Persephone zou de helft van de tijd in de Hades doorbrengen en de andere helft bij haar moeder op aarde.'

'Dus moeder-dochterrelaties zijn afhankelijk van de seizoenen,' zegt Jonathan.

'Ja,' zeg ik en ik rek het woord uit, ja. *Is mijn relatie met mama aan seizoenen gebonden? Dat kan wel kloppen – we hadden een prachtig voorjaar; nu zijn we in de winter. Zal er weer een warmer klimaat komen?*

Jonathan staat op om de borden af te wassen, hij schijnt er zich niet van bewust te zijn dat zijn inzicht mij heeft geraakt. Ik kijk hoe hij onze lege kommen naar de keuken brengt en sta op om de boeken in zijn kast te bekijken. Ik ken de schrijvers niet – Jim Harrison, Gurney Norman, en een dichter die Gregory Orr heet.

'Dat heeft me geholpen,' zeg ik, 'wat jij zei.'

'O ja?' Jonathan lacht. Hij slaat zijn armen om me heen en knuffelt me vlug, zoals een kind zou doen, maar blijft dan zo staan. *Verandert het seizoen zodra iemand zich prettig voelt? Is dat de betekenis van die mythe? Hoort de Hades er daarom ook bij?*

'Daar ben ik blij om,' zegt hij.

Hij laat me los en we gaan allebei op de bank zitten. *Weet hij dat ik graag wil dat hij me vasthoudt?* 'Weet je,' zegt Jonathan, 'eens, toen ik echt slechte foto's maakte, ging ik terug naar mijn eerste professor op de universiteit van Massachusetts en hij zei: "Je zit in de Hades. Verzet je niet. Het gaat over – op zekere dag zul je ervaren dat deze tijd vruchtbaar is geweest."'

We blijven zo een poosje zitten, we peinzen een beetje na. *Misschien ben ik nu in de Hades.* 'Misschien zou ik ook gedichten kunnen schrijven met Hades' stem,' zeg ik en ik besef dat Jonathan er nog steeds is en naar me luistert. 'Maar alleen de gedachte daaraan geeft me al het idee dat ik de duisternis binnenroep.'

Jonathan glimlacht vriendelijk en trekt zijn wenkbrauwen op. 'Waarom zou je je daardoor laten weerhouden?'

'Dat weet ik niet.' Zijn vraag heeft me opgeschrikt.

Hij pakt mijn hand. 'Het spijt me Hannah – ik heb daar geen verstand van. Maar voor mij gaat het er niet om dat je de duisternis moet vermijden. Je moet de gedichten toch recht doen? En bovendien, je lijkt me niet iemand die iets vermijdt omdat het haar naar de Hades zou kunnen brengen.'

We houden nog steeds elkaars handen vast. Ik voel de ongewone zachtheid van zijn palm en mijn ogen vallen dicht. Dan beginnen onze vingers te bewegen, langzaam, in een sensuele dans. *O God. Dit is tederheid. Dit is wat ik heb vermeden. Dit is een man die belangstelling voor me heeft.*

Jonathan brengt zijn andere hand naar me toe en die komt op mijn dij terecht. Ik leg mijn rechterknie over zijn linkerdij en dan vangen we elkaars ogen. Van dichtbij is zijn gezicht echt rond. Ik weet niet of ik nu een kreng ben of een *gevoelige vrouw, maar ik zou me willen oprollen in zijn schoot.*

Jonathan raakt mijn wang aan, mijn haar. Ik leg mijn benen over hem heen en rust met mijn hoofd op zijn schouder. Zijn schoot is als een sierlijke schaal. Ik sluit mijn ogen, voel de zachte hitte tussen ons. Dan hef ik mijn hoofd naar Jonathan op. Als ongeopende madeliefjes, die op elkaar leunen voor de ochtend, komen onze lippen te zamen en rusten.

Ik bel oma. 'Wel,' zegt ze, 'dat werd tijd. Het lijkt me een aardige jongen. Is hij groot?'

'O, Ida,' zeg ik en ik schud mijn hoofd, 'hij is een meter vijfenzeventig.' Wat ze vraagt is eigenlijk een code. Ze bedoelt: *is hij joods?*

'Mooi,' zegt ze, 'en?'

'En of hij een goeie baan heeft?'

'Ja,' zegt ze.

'Hij is fotograaf bij de *Boston Globe*,' zeg ik. 'En hij is nooit getrouwd geweest.'

'Klinkt goed,' zegt ze. 'Hou me op de hoogte.' Met wat ze nu van Jonathan weet zijn er volgens haar geen problemen.

'Ja,' zeg ik. Ze was er altijd zo op gespitst dat ik een man zou krijgen dat ik verwachtte dat ze een feest zou geven als hij op het toneel verscheen. In plaats daarvan vraagt ze wat voor weer het is in Boston.

Op de ochtend van moederdag liggen Jonathan en ik in bed nadat we gevrijd hebben. 'Ik moet mijn grootmoeder bellen,' zeg ik, 'en tante Mollie.'

'Je moeder niet?' vraagt Jonathan.

Ik kan bijna voelen dat hij zich afvraagt of mijn moeder dood is. 'Mijn moeder en ik praten niet,' zeg ik zacht. 'Dat is allang zo.'

Jonathan rolt opzij zodat hij naar me kan kijken. 'Ik weet dat mijn moeder van me houdt,' zeg ik. Ik ben bang over wat hij van mijn verhaal zal denken, ik trek het laken op tot mijn sleutelbeen om warm te blijven. 'Maar de laatste zeven jaar, sinds ongeveer mijn eenentwintigste, praat ze nauwelijks met me.' *Hij kijkt nog steeds naar me. Hij heeft zich niet omgedraaid.* 'Ze aanbad me op de manier waar joodse moeders beroemd om zijn,' vervolg ik en ik merk de dofheid in mijn stem en ik weet niet hoe ik die moet veranderen. 'Ze gaf me een ontzettend creatieve jeugd en misschien beleefde ze die heftiger mee dan verstandig was. Hoe dan ook, op zekere dag knapte er iets. Ze zegt dat ze niet tegen mijn aanwezigheid kan.' Jonathan kruipt dichter naar me toe en legt zijn arm over mijn borst zodat zijn linkerhand mijn rechterbovenarm kan pakken.

'Ze zegt dat ze er ook niet tegen kan dat ik mijn naam in Fried heb veranderd – Fried was mijn overgrootmoeder Channa's meisjesnaam voor ze trouwde. Ze gaf me de naam Hannah omdat ze vreselijk veel van haar grootmoeder hield.' Nu heb ik alles gezegd, hoewel ik niets heb gevoeld – zoals Marie soms heeft opgemerkt als ik poëzie voorlas.

'Waarom heb je je naam veranderd?' zegt Jonathan.

'Omdat ik geen band heb met mijn vader en mijn stiefvader,' zeg ik. 'En ik het gevoel heb dat mijn overgrootmoeder voortdurend om me heen is.'

'Als je trouwde, zou je dan de naam van je man aannemen?'

'Nee,' ik stoot het eruit. 'Nooit.'

'Jij bent me er een, Hannah Fried.'

'Ja,' zeg ik en ik denk dat hij nu wel weg zal gaan.

Maar dat doet hij niet. 'Het lijkt erop dat je nu tijd doorbrengt in de Hades,' zegt Jonathan, terwijl hij zijn armen en benen om me heen legt.

'Mmm-mm,' zeg ik. Ik knik en begin te huilen en rol me tegen hem op als een bal.

'Laat me je vasthouden,' zegt Jonathan. 'Laten we even stil zijn.'

En een uur lang slapen we met tussenpozen.

'Hannah Fried heeft vast een vriendje,' zegt Lucia Langley een paar dagen later als zij het lokaal uitgaan tegen haar vriendin Masline. 'Ze ziet er zo gezónd uit.' Haar stem is zo hard dat ik het hoor, hij heeft een Jamaicaanse zangerigheid die zowel bewondering als neerbuigendheid of allebei kan uitdrukken.

Eileen O'Toole, een bonkige Ierse vrouw van midden twintig, blijft achter haar stoel staan totdat we de enigen zijn in de klas. Ze doet haast nooit haar mond open, hoewel de intense blik die ze op mij gericht houdt bewijst dat ze wel oplet. Ik weet uit haar verhalen dat ze is opgegroeid in South Boston en op de middelbare school kwam toen zwarte tieners en tieners uit Puerto Rico met bussen naar haar school werden gebracht. Ze ging van school omdat ze zich onveilig voelde – assimilatie maakte de school gewelddadig. Ze trouwde met een man uit Somerville, kreeg twee kinderen voor haar twintigste en werkte zich op tot chef bij Lechmere Sales; maar ze haalde nooit haar einddiploma.

'Je opdrachten leren me geen Engels,' zegt Eileen. Haar woede klinkt als gedrein.

Ik knik, peinzend. Ik denk dat ze wil zeggen: *mijn intieme verhalen gaan jou niet aan*. 'Bedoel je dat ik meer aandacht moet besteden aan de grammatica?'

'Je besteedt helemáál geen aandacht aan de grammatica!'

Ik knik weer. Ik weet dat mensen moeten leren duidelijk en begrijpelijk te schrijven, misschien zoals ze moeten leren een auto te besturen. Maar ik vraag me af of het niet beter is dat iemand begint met te geloven dat hij een verhaal heeft dat het waard is gehoord te worden, dan met remmingen over de juiste schrijfwijze.

'Volgens mij,' zeg ik, 'leer je goed schrijven door veel te schrijven, niet door je druk te maken over waar een komma moet staan en hoe een woord gespeld moet worden.'

Eileen klemt haar lippen op elkaar.

'Als schrijvers zich concentreren op de grammatica kunnen ze zich daarin verliezen. Dan verliezen ze het overzicht over het verhaal.'

Eileen zuigt op de binnenkant van haar wang. Ik weet niet of ze overweegt wat ik gezegd heb of het gewoon verwerpt.

'Hoe gaat het met je keel?' vraag ik.

'Met mijn keel gaat het best,' zegt ze. 'Mijn ógen waren ontstoken. Daarmee gaat het nu ook best.'

Ik knik, bijna beschaamd omdat ik het niet goed heb onthouden.

Op de eerste zondag in juni fietsen Jonathan en ik langs de Charles naar Auburndale Park, op de grens van Newton en Waterton, om te picknicken. Terwijl ik de doek uitspreid die Jonathan heeft meegenomen besef ik dat de spanning die ik voelde sinds we het huis hebben verlaten geen verzinsel is – hij ontwijkt mijn ogen. En hij is zo zakelijk bezig met die picknick. Hij is niet opgehouden om me te knuffelen, niet één keer.

Eindelijk begint hij te praten. 'Herinner je je nog dat ik je verteld heb dat mijn relatie met mijn ouders beter werd toen ik wist over het kind dat voor mij werd geboren?'

'Ja,' zeg ik.

'Wel, het hielp met mijn móeder. Maar mijn vader... mijn vader is een wetenschapper. Hij denkt alleen maar logisch. En ik weet niet hoe ik met hem moet praten.'

Ik giechel.

'Hannah...' zegt hij, zo lief dat ik me met hem als een bal wil oprollen, hier op die oude blauwe doek.

'Is er iets met je vader gebeurd?'

'Ja. Eigenlijk wel. Ik vertelde hem over jou. En alles wat hij wilde weten was of je joods bent en of je ouders nog getrouwd zijn.'

'Dat is prachtig, Jonathan!' zeg ik, en ik begin hartelijk te lachen. 'Geef hem het telefoonnummer van mijn grootmoeder.'

Mijn moeder antwoordt met een lage, gereserveerde stem, meer laag dan melancholiek.

'Mama?' Mijn stem zweeft in de leegte tussen ons.

'Mama?' zeg ik weer.

'Waarom bel je me?' Haar stem is nog steeds laag en kalm.

'Ik wil met je praten.'

'Waarom doe je dit, Hannah, waarom loop je met je hoofd tegen de muur?' Ik weet dat ik de regels heb overtreden door haar te bellen. *Maar het horen van haar stem geeft me een gevoel van realiteit.* 'Je hebt het recht om jezelf te noemen wat je wilt,' zegt ze – dat heeft ze al een paar keer gezegd. 'Maar ik kan niet tegen die naamsverandering. Ik kan er niet tegen om met je te praten.'

Ik zit aan mijn bureau en kijk naar het web van weelderige esdoorns. Het is juni. Ik houd de telefoon tegen mijn gezicht en vraag me af of ik gek ben – want wat ze me zojuist vroeg lijkt me redelijk: *waarom doe je dit, Hannah, waarom loop je met je hoofd tegen de muur?*

Mijn voorhoofd glijdt in de palm van mijn vrije hand. Mama schijnt zich niets aan te trekken van mijn zwijgen. 'Ik wil alleen maar met je praten, soms,' zeg ik.

'Waar zouden we dan over moeten praten?' Ze is echt onzeker.

'Dat weet ik niet, mama,' kreun ik. Ik weet dat ik haar graag zou willen vertellen over Jonathan en haar het nieuwste nummer van *Wilde Vrouwen Verhalen* zou willen sturen. 'Je bent mijn móeder. Ik ben je dóchter.'

'Ja-a,' zegt ze peinzend. 'Ik ben een moeder, jij bent een dochter. Maar we hebben niets om over te praten.'

Ik zwijg weer, ik word overweldigd door dit gat zonder woorden. *Wil ze niet weten hoe het met me gaat?*

'Ik hang nu op,' zegt ze. En dat doet ze, ze laat me alleen met mijn bureau en mijn zware hoofd.

Als ik het haar vraag zegt oma: 'Het zat niet goed met ze, met Celia en Allan.'

'O?'

'Als ze getrouwd waren gebleven, zou er iemand vermoord zijn.'

'Wat bedóel je?'

'Ik bedoel dat ze zich gedroegen als vijanden, niet als man en vrouw.'

'Uuh,' kreun ik.

'Dat had ik je niet moeten vertellen,' zegt ze. Ik weet zeker dat ze weet hoe rauw mijn hart is.

'O, maar het helpt me, oma.'

'Wat bedoel je, het helpt?'

'Het helpt me te begrijpen waarom mama niet bij me kan zijn. Weet je, zoals Mollie je tegen de haren in strijkt en je zegt dat je je beter zou voelen als je het van je af zou kunnen praten door het mij te vertellen?'

'Ja,' zegt ze, nuchter.

Ik begin te huilen. 'Denk je dat mama het ooit heeft uitgepraat?'

'Ik weet het niet,' zegt oma. Haar stem klinkt nu bezorgd. 'Hoe kunnen we haar bereiken?'

'Ik denk dat het enige wat we kunnen doen is van haar houden en wachten tot zij zegt dat ze bereikt wil worden.'

'Hannah,' zegt oma, 'je wordt wijs!'

'Dat weet ik – met andere woorden: waarom ben ik nog niet getrouwd?' Maar zodra de woorden mijn mond uit zijn spijt het me dat ik ze gezegd heb, het spijt me dat ik haar compliment heb gebagatelliseerd.

'Daar dacht ik niet aan,' zegt oma welwillend. 'Eerlijk niet. Ik vroeg me af wanneer je weer eens bij me komt.'

19

1953 ❦ 1959

Ida

Het is juli 1953. Rita en Lester zijn naar New York verhuisd met Neil, hun nieuwe baby. Lester heeft daar een goede baan bij een verzekeringsmaatschappij. Celia is afgestudeerd, maar ze is nog niet naar één school geweest om te solliciteren. Nou ja, vooruit. Ik hoef dat niet te begrijpen. Ik ben blij als ik een ontspannen avond heb en naar de televisie kan kijken.

Wat een rustige avond. Ik heb een kapoen gesneden, de koolsla in de koelkast gelegd om af te koelen en een klein schaaltje gevonden voor de aardappelen. Het is tijd om in mijn leunstoel te gaan zitten. Ik heb een kuil gemaakt in die stoel doordat ik er dag in dag uit op ben neergeploft voor de kostbare vijf minuten, misschien tien, dat ik niets hoef te doen, voor ik iedereen roep voor het eten. Celia zit gewoonlijk om deze tijd op haar kamer, wie weet wat ze daar doet – breien? Lezen misschien? Als ze er is, wachten we op Moe. Hij zit bij zijn radio. Hij wil altijd het nieuws horen. Het feit dat zijn zuster en haar kinderen of zijn halfbroers terecht zijn zou weleens kunnen worden afgekondigd. Net als de staat Israël in 1948. Of er kon weleens iets gebeuren op de beurs.

O, de dingen die ik van die man heb verdragen! Het is nu zesentwintig jaar – elke morgen om vijf uur opstaan, naast hem zitten in de auto, dan naar de zaak in de stad zoeven terwijl de zon opkomt. Hij weet niet hoe hij stil moet zitten, Moe. De hele dag lang houd ik de boeken bij terwijl de loodgieters komen om hun buizen en hun kranen te kopen. Ik weet niet waarom er ook maar één terugkomt; hij doet net zo afschuwelijk tegen hen als tegen mij. Misschien komen ze terug om dezelfde reden die mij doet blijven: er is geen ander om heen te gaan.

Maar goed, daar zit ik voor het eten. De zon is nog op; er is geen ziertje respijt van de zomerhitte. Celia komt bij me in de kleine zithoek naast de eetkamer. Ze is geen meisje meer. Ze is een opvallende jonge vrouw – opvallend, denk ik, omdat ondanks haar gereserveerdheid de manier waarop ze een eenvoudige bloes en rok draagt stijl heeft. Ze ziet eruit als iemand die interessante dingen te vertellen heeft. 'Miriam Gold heeft me uitgenodigd voor een picknick,' zegt ze met voor zover ik kan zien geen spoor emotie op haar gezicht. 'Voor de Vierde Juli.'

'O, dat is fantastisch,' zeg ik. Ik voel me als een moeder wier kind net fietsen heeft geleerd. 'Miriam Gold is dat meisje uit Ohio State?'

Ze knikt eventjes. 'Je schijnt er niet erg blij om te zijn,' zeg ik. 'Waarom niet?'

Ze haalt haar schouders op. Ze zegt dat een ander meisje haar morgen voor het eten komt halen. 'Wat doe je aan?' vraag ik.

'Mijn grijze jumper.'

'O Celia, dat is sjmate.' Ik verberg mijn ergernis niet. Wat mankeert haar toch? Ze heeft zo veel mooie jumpers.

'Dat gaat best, moeder.'

Daarmee is het gesprek afgelopen. Ze gaat weg om de tafel te dekken. Ach, misschien ontmoet ze iemand. Dat zou me wat zijn, dat haar hart wordt geraakt.

Met Rita heb ik het nooit gemakkelijk gehad maar ik weet tenminste dat het uitstekend met haar gaat in New York, met haar nieuwe gezin. Maar Celia leeft in een andere wereld. Ze geeft me een paar woorden per dag. Ze was al zo voor het ongeluk. Je kon niet met haar praten. Net als Moe, denk ik, maar die barst zo nu en dan uit. Ik denk dat Celia hoopt dat ze niet opgemerkt zal worden als ze zwijgt. Haar bloed wordt heet, maar ik heb het nog nooit zien koken. Ik kan de sirenes die rondom haar afgaan praktisch horen, maar zij verblikt of verbloost niet. Er is iets niet goed, iets onnatuurlijks. Ik kan er alleen maar verdriet om hebben.

Er moet iets leuks gebeurd zijn op dat feest, want Celia's ogen dansen nu al drie dagen. Natuurlijk durf ik niets te zeggen.

Vanavond heeft ze aangeboden me te helpen met tafeldekken. 'Ik heb morgenavond een afspraak,' zegt ze, terwijl ze de servetten keurig opvouwt onder onze vorken. Haar stem klinkt natuurlijk even enthousiast als het weerbericht op de radio.

'Goed,' zeg ik, alsof ze mij permissie heeft gevraagd wat ze niet heeft gedaan. 'Ik wil hem graag ontmoeten.'

Ze zegt: 'Mm.' En ik weet het alweer. Ze wil er niet over praten.

De volgende avond gaat de bel, Moe doet open. Ik weet zeker dat Celia het hem niet verteld heeft. Hij praat tegenwoordig niet met me, dat is niets bijzonders. Dus al had ik geprobeerd het hem te vertellen, dan had ik toch tegen dovemansoren gepraat. Wel, daar staat Prince Charming. 'Bent u meneer Zeitlin?' vraagt hij, uitermate beleefd.

Moe is vast net zo geschrokken als ik, want hij wordt een beetje vriendelijk. 'Ja,' zegt hij, enigszins timide.

'Ik ben Leonard Gottlieb,' zegt de man. 'Ik kom voor Celia.' Ik hoor later dat zijn accent Tsjechisch is. Hij heeft zachte vlugge ogen – ze doen me denken dat hij ooit ergens een goede opvoeding heeft gehad. Ik schat hem tegen de dertig. Alleen al om zijn naam mag ik hem graag. Gottlieb was de naam van mijn grootmoeder voor ze trouwde. God-liefhebbend, denk ik dat het betekent. Maar er is veel meer aan hem om graag te mogen. Hij neemt een zak verse perziken voor me mee, hij zegt dat hij die zelf heeft geplukt van een boom in zijn tuin.

De volgende dag hoor ik van mijn buurvrouw, mevrouw Birnbaum, dat hij in een kamp heeft gezeten, hij is de enige in zijn familie die het heeft overleefd. Mevrouw Birnbaum weet dat, omdat haar man in een orkest zit, net als die jongen. Hij speelt viool.

Toen hij in het kamp kwam was hij zeventien. Ze gaven hem een plaats in hun kamermuziekensemble. Het is onvoorstelbaar dat menselijke wezens naar vioolspel willen luisteren na hun werk in de gaskamers. Wel, zo heeft de jongen het overleefd. Voor zover mevrouw Birnbaum weet is zijn hele familie omgekomen. Wij weten eerlijk gezegd niet veel van die nieuwe immigranten, hoewel ik gehoord heb dat de vrouwen goede naaisters zijn. Ik denk niet dat er veel zijn die hun brood verdienen met musiceren, zoals Leonard.

Ik begrijp waarom Celia hem heeft uitgekozen. Hij is een klassieke schoonheid, dat kan iedereen zien. Behalve hijzelf, denk ik. En dat is net als Celia. Zet haar voor een spiegel en ze is verbaasd en kijkt – niet naar schoonheid, denk ik, maar om te zien of er iemand thuis is. En zo ja, wie? Ik heb haar daarop weleens betrapt – dat staren in de spiegel. Ik wed dat die Leonard hetzelfde doet. Bij hem, denk ik, komt het van de krankzinnigheid dat je op een gemakkelijke stoel zit in een vernietigingskamp.

Ze gaan naar de schouwburg, op avonden dat Leonard niet hoeft te spelen. Ik heb niet veel plezier gekend in mijn leven maar dat ik hen samen zie, dat is plezier. Niet alleen omdat ik blij ben dat Celia iemand gevonden heeft – dat ben ik natuurlijk – maar ze zijn net viooltjes die uit wandelen gaan. Ze zijn allebei zo mooi. En vanaf die eerste avond lijken ze zich zo op hun gemak met elkaar te voelen. Als een paar dat dertig jaar getrouwd is en er nog steeds blij om is, op een rustige manier. Er vliegen geen vonken van spanning af. Ze zijn mooi en hun kleren passen ook bij elkaar. Als tweelingen uit hetzelfde zaad.

Op een dag, nadat ze al een keer of vier, vijf met elkaar zijn uitgegaan, vertelt mevrouw Birnbaum me dat die nazi's meer van hem gekregen hebben dan een beetje Mozart. Zijn stoel in hun kamp had schroeven. Ik weet niet wat ik daarvan moet maken. Mijn maag brandt, scherp, alsof er een mes ingestoken wordt. Ik krijg een smerig gevoel in mijn mond, ik zie beelden van Leonard, naakt, nog een jongen, terwijl een grote Duitser aan zijn gerief komt... van achteren. En daarna geeft hij Leonard eten waardoor hij de volgende dag in leven kan blijven. Celia heeft plannen om vanavond met hem uit te gaan. Ik zeg geen woord.

Moe geeft weer antwoord als Leonard komt. Dat maakt me nerveus, ik weet niet waarom. Ik denk dat Leonard hem herinnert aan zijn verdwenen familie – en aan de dagen toen hij hier pas was. Als Leonard hoort dat ik de tros pepers die we eerder gekocht hebben binnen wil brengen en hulp aanbiedt, zegt Moe: 'Je vrouw mag van geluk spreken, ze zal een goede huisvrouw aan je hebben.'

Men ken fun im tsuplots wern! Je darmen zouden kunnen openbarsten als je naar hem luistert!

Wel. Wie weet waarover ze praten, Celia en Leonard. Zij komt stilletjes thuis, zoals gewoonlijk. Maar een paar dagen later is Leonard dood. Hij heeft zich opgehangen in de garage van zijn hospita. Zijn hospita heet mevrouw Levine, ze zegt dat hij zijn kamer keurig netjes heeft achtergelaten. Zijn kleren heeft hij opgevouwen met een briefje erop dat ze voor de vluchtelingen zijn; en op het enige papier dat op zijn bureau lag stond ons telefoonnummer en Celia's naam.

Celia. Celia. Celia. De rest van de zomer blijft ze in haar kamer. Soms ben ik bang dat ik haar ook dood zal vinden. Ze is nu nog rustiger, als dat mogelijk is. Of misschien ben ik het wel. Ik vraag haar niet zoveel. De enige keren dat ik zie dat Celia haar oogleden opslaat is als Rita ons komt opzoeken met haar baby Neil.

Zij is niet een van degenen die de wereld op hun schouders dragen. Ze is meer als een vogel, holle beenderen. Ze kan elk ogenblik verdwijnen en zelfs als ze er is, is ze zo licht. Leonard was net zo.

Hij stierf Erev Sjabbes, Leonard. Daar moet ik even bij stilstaan. Sinds ik met Moe ben getrouwd is sjabbes elke week naast me geweest als een draad die ik net zo goed niet had kunnen zien. Maar ik zag hem wel. Moe gaat met mij naar de zaak op sjabbes – zelfs ik noem het nu zaterdag. Maar ik kijk altijd naar die sjabbesdraad, ik klamp me eraan vast, als iets waar ik mee kan spelen, soepel, in mijn eigen handen. Soms voel ik die genade op het ogenblik dat ik wakker word: ik heb nog geen gedachte in mijn hoofd, ik heb nog geen oog opengedaan om te zien of Moe al is opgestaan.

Leonards dood doet me beseffen dat Celia sjabbes nooit heeft gekend. Rita natuurlijk ook niet. Die heb ik hun nooit gegeven, een dag van niets dan rust. Voor zover ik weet heeft geen van beiden iets wat het leven een beetje kan verzoeten, zoals ik, eeuwen geleden, met mijn maanbaden. Daar zou ik Moe de schuld van kunnen geven, maar ik voel de verantwoordelijkheid.

Ik voel de gevolgen ook. De avond dat we hoorden dat Leonard dood was legde ik mijn hand op Celia's schouder. Ze zei: 'Niet doen. Ik wil niet worden aangeraakt.'

'O...' zei ik. Ik schrok. Mijn lippen hadden zich geopend om dat 'ooo'-geluid te maken. Zij hingen open, er was niets zoets om in te slikken. Ik sloot mijn lippen, verzegelde ze. Mijn hand ging van haar schouder naar mijn borst. Daar bleef hij liggen, alsof hij wachtte op melk die zou gaan vloeien. Melk, of misschien wel bloed.

Als zij het weigert, kaatst de liefde die ik Celia geef op mij terug als een rotsblok. Als ik het vol wil houden, moet ik het kind met rust laten. Als ik dat niet doe, blijft er niets van me over.

Na Leonard is het enige plezier dat ik Celia zie hebben een van die lange, zuigende trekken aan een sigaret. Wel, ik weet niet of ik het plezier moet noemen. Misschien is bevrediging een beter woord. Ze ontspant ook een beetje als mijn moeder er is. Ik denk dat dat haar ook een beetje plezier doet.

Mijn dochter heeft gestudeerd, maar ze wil niets. Het is moeilijk om de moeder te zijn van zo'n meisje. Moe is natuurlijk erg bang dat ze een oude vrijster zal worden. Dat zit mij ook dwars, maar ik wou dat ze íets had om zich mee bezig te houden. Ik zou graag willen dat ze belangstelling had voor werk of voor een ander mens. Ze eet, kleedt zich aan, gaat de stad in om naar de winkels te kijken en komt terug zonder iets om over te praten. Na het eten gaat ze naar haar kamer zonder te laten merken dat ze eenzaam is – ik heb het gevoel dat het haar niet kan schelen of ze leeft of sterft.

Tot mijn moeder sterft. Op een avond ging mama een beetje vroeger dan anders naar bed en stierf in haar slaap. Toen ik die week sjiwa zat in Mollies huiskamer keek ik naar de gezichten van mijn zusters en ook naar die van hun kinderen en ik wist dat iedereen voelde dat de lijm die hen te zamen had gehouden verdwenen was. Er was niemand om mama's plaats in te nemen – iemand die de verhalen uit ons trok die onze harten verzuurden tot we ze verteld hadden; die iedereen in haar nabijheid het gevoel gaf dat hij bijzonder was.

De meesten van ons gingen gewoon door met leven, natuurlijk. Maar Celia niet. Voor het eerst zag ik een gat in haar, een pijn die ze niet kon verbergen.

Maandenlang had ik het gevoel dat ze in tranen uit zou barsten als ik iets tegen haar zei. Er zou iets moeten veranderen, ten goede of ten kwade.

Mama stierf in het voorjaar, vlak voor Pesach. Een paar weken geleden vroeg ik Celia eindelijk of ze niet eens naar een psychiater wilde, een zekere dr. Bartner. Ik had een paar jaar geleden over hem gehoord van een van de dames op de club en ik had zijn naam onthouden. Celia was zo depressief, dat die dokter het enige was wat ik kon bedenken. Ik denk dat ze geen reden had om niet te gaan.

En ze kwam van haar therapie terug als een ander mens. Ze is nog altijd stil natuurlijk, Celia is stil. Maar als ze binnenkomt straalt er een soort glans van haar af, alsof haar bloed is vernieuwd. Het ziet eruit als vreugde, wat het dan ook moge zijn. Ik voel me ook een beetje opgelucht als ik haar zo zie.

Natuurlijk laat ik niets merken. Ik blijf op mijn plaats bij het fornuis staan en zeg alleen maar: 'Én?'

'Ik heb besloten naar New York te gaan,' zegt ze, en ze trekt een beetje met haar lippen, ik vermoed dat je het een glimlach zou kunnen noemen. 'Ik ga daar lesgeven. Ik wil Pearl en Eli vanavond graag bellen om te vragen of ik bij hen kan logeren.'

Pearl is mijn oudste vriendin – van toen ik met mijn ouders in Kinsman woonde. Haar man Eli kreeg kort na hun huwelijk werk in New York, dus verhuisden ze. Maar we hebben contact gehouden; we zijn nog steeds wel zo intiem dat ze weet dat ik het niet gemakkelijk heb met Moe – en met de meisjes. Rita en Lester zijn ook in New York, maar zij wonen in een buitenwijk, op Long Island. En Celia zegt dat ze binnen het kwartier in de Village wil zijn.

Ik hou op met roeren in de gerstesoep en kijk haar aan. Nu heb ik een glimlach die ik niet kan verbergen. 'Celia, je praat als een meisje dat weet wat ze wil. Dat is fantastisch,' zeg ik.

Ze glimlacht terug! Een ogenblik lang lijkt het alsof zij de muur die ze heeft opgebouwd openmaakt om mij binnen te laten. Mijn moeders stem is nog in mijn oor. 'Effsjur wet si eemitsn trefn,' zegt ze. 'Misschien ontmoet ze iemand.'

Misschien, misschien. Maar tegen Celia zeg ik natuurlijk niets.

De avond dat ze Allan Schwartzman ontmoet is Pearl bij haar. Pearl is praatziek. Zodra ze de kans krijgt vertelt ze me er alles over. Celia en Pearl gaan naar de film met een vrouw die mijn dochter kent van de school waar ze nu lesgeeft aan de derde klas. 's Avonds studeert die vrouw psychologie. Ze staan in de rij voor kaartjes als Allan eraan komt. Hij volgt dezelfde colleges als Celia's vriendin. Hij komt naar hen toe om te zeggen dat een boek dat ze hem genoemd heeft hem geholpen heeft bij een dissertatie die hij aan het schrijven is.

Pearl zegt dat het niet te geloven is, de manier waarop Celia met hem begon te praten. 'Haar woorden stroomden eruit, als water uit een kraan,' zegt Pearl. 'Zomaar.' Ze vertelt dat Celia vroeg waar zijn dissertatie over ging.

'Verlangens van de ziel,' zegt hij.

Als ik daar was geweest zou ik met mijn ogen hebben gerold. Maar ik was daar niet. 'Celia vlamt op als een lucifer die je afstrijkt tegen een stenen muur,' zegt Pearl. 'Ze kijkt hem aan alsof zij de enige twee mensen op de wereld zijn. Ze zuigt op haar tong, trekt haar wenkbrauwen op en zegt: "Mmm. Dat klinkt erg interessant."'

Die Allan glimlacht door zijn bril met metalen montuur. En hij zegt zoiets als: 'Ik wil best een kopje koffie drinken met een vrouw die geïnteresseerd is in de ziel.'

Ik weet waarachtig niet hoe Celia in dat onderwerp geïnteresseerd is geraakt. Dit is de eerste maal dat ik het hoor. Maar Pearl zegt dat ik verbaasd gestaan zou hebben als ik had gezien hoe ze haar tas opendeed, er een pen en een stukje papier uithaalde zonder haar ogen van hem af te wenden. 'Ik zal je mijn telefoonnummer geven,' zegt ze.

Pearl vroeg zich af of de jonge vrouwen om hen heen geen zin hadden om te vragen of Celia er hun les in wilde geven.

Rita vertelt me over hun romance. Zij en Celia zijn nu goed met elkaar. 'Ze is helemaal in trance,' zegt Rita, nadat Allan haar ten huwelijk heeft gevraagd. 'Hij zegt tegen haar dat ze mooi is – en het lijkt wel of ze het gelooft. Ze poseert als een model voor een modetijdschrift, ze laat hem foto's van haar nemen. Ze heeft me er zelfs een gestuurd. Ze zegt dat ze grapjes maakt met de kinderen in haar klas. Ze denkt dat ze misschien een bloem is die er erg lang over gedaan heeft om in bloei te raken.'

Als je lang leeft, maak je van alles mee.

De eerste vijf minuten vind ik Allan erg aardig. Dat moet ik toegeven. Hij schijnt echt geïnteresseerd te zijn. In Celia, in Moe, zelfs in mij. Hij stelt vragen, zegt wat hij gedacht heeft over wat ik zeg.

Maar dan plotseling heb ik het gevoel dat ik op drijfzand loop, of iets dergelijks, met al dat psychologische gepraat. En zodra het maar eventjes kan begint hij over zijn moeder die een slechte vrouw is, ze probeerde hem te vergiftigen, hij mag van geluk spreken dat hij nog leeft. Omdat ze eens een scheutje sherry in de kippensaus deed terwijl de dokter hem had gezegd dat hij geen alcohol mocht drinken omdat zijn lever niet helemaal goed functioneerde.

Die vrouw is mesjokke, dat is waar. De eerste keer dat Celia bij haar kwam eten, nadat Allan en zij zich verloofd hadden, kwam het ter sprake dat Celia een kunstgebit heeft. Ze kreeg het kort na Leonards dood – haar eigen tanden waren niet sterk genoeg, zei de tandarts. Ik heb me altijd afgevraagd of dat niet gekomen is omdat ze nauwelijks iets at als kind of dat het iets te maken had met het ongeluk. 'Wat is er nog meer vals aan haar?' vraagt mevrouw Schwartzman.

Kun je het je voorstellen? Ik heb medelijden met haar, ze is op het laatste ogenblik gevlucht voor de nazi's en ze heeft haar familie verloren in het oude land – haar beide ouders en ten minste één zuster, geloof ik. Maar moet ze daarom zo praten tegen haar aanstaande schoondochter?

Volgens mij denkt Allan echt dat hij de meest ongelukkige mens ter wereld is. Ik heb ook medelijden met hem. Maar hij irriteert me ook. Ik zie hem al de boksring in lopen met een brede glimlach op zijn gezicht terwijl hij zegt: 'Ik ben de verliezer.'

Ach, iedereen haalt ergens wel zijn plezier vandaan.

Ik word wakker met een droom. 'Ich nem eich arum,' fluistert een stem. Die stem spreekt mammelosjn, jiddisch. Nu mama er niet meer is spreek ik het nauwelijks meer. Moe en ik praten bijna altijd Engels; mijn zusters en ik ook. Natuurlijk zijn er altijd dingen die je alleen in het jiddisch kunt uitdrukken. En soms gebruik ik het als ik hem wil uitschelden en niet wil dat mijn kinderen het begrijpen.

Hoe dan ook, in deze droom reikt de arm van een vrouw van de ene kant van een rivier naar de andere. Ik schud mijn hoofd. 'Dat kan niet,' zeg ik tegen de arm, 'je doet jezelf pijn.' Maar dan zie ik hoe de arm lang wordt, erg lang. Lang genoeg om de andere kant van de rivier te halen.

Ik word wakker met het gevoel dat ik in een cirkel leef en dan voel ik hoe de cirkel verandert in een spiraal die beweegt, op en neer. Ik heb het sterke gevoel dat ik mama's Vitl op de achtergrond hoor. En mama is ook dichtbij.

Zelfs na het eten, als ik de borden afwas, heb ik nog een warm gevoel van die cirkel. Irene werkt niet meer voor ons. Ik kijk over de gootsteen en zie de maan. Ik heb hem al wie weet hoe lang niet gezien. Hij is niet meer dan een schijfje, nieuw als een nieuwe lepel, klaar om iets op te scheppen. Waarschijnlijk is het jaren geleden dat ik hem heb gezien. Dat is toch vreemd – want ik heb altijd de afwas gedaan en ik heb altijd dat grote raam boven de gootsteen gehad dat uitziet op het oosten.

Door die maan en mijn droom denk ik dat er iets zal gebeuren. Moe heeft het nieuws zoals gewoonlijk hard aanstaan, de tv en de radio tegelijk zodat hij niets zal missen en het kan me vanavond helemaal niets schelen. Zo goed voel ik me.

Net nadat ik het laatste bord heb afgedroogd gaat de telefoon. 'Hallo, moeder,' zegt Celia, met iets in haar stem wat ik nooit eerder heb gehoord. Geluk, zou je het waarschijnlijk moeten noemen.

'Hallo,' zeg ik. 'Waarom bel jij midden in de week?' Moe heeft blijkbaar begrepen dat het Celia is, want hij is naar boven gegaan om mee te luisteren aan de andere telefoon.

'Ik ben zwanger,' zegt ze met een stem die de kracht heeft van de middagzon. Een glimlach begint in me te groeien, bijna als een vuur, eerst heel langzaam.

'O Celia,' zeg ik. Ik voel me als een gevlochten ring van warme appeltaart. 'Dat is –,' prachtig, wil ik zeggen, maar Moe is zich als een gek gaan aanstellen.

'Oi, jai, jai! Ik chai arois fun dei keilim!' schreeuwt hij – 'Ik val van mijn stoel! Ik heb mijn hele leven nog niet zulk goed nieuws gehoord!' Wel, ik begin hard te giechelen van dat malle gedoe, Celia ook. En dan komt Allan aan de telefoon. 'Wat zeg je daarvan, Moe,' zegt hij, 'zullen we daar een sigaar op nemen?'

Ik zwijg en glimlach. Omdat dit nieuws een wonder is. Een echt wonder. Rita had twee kinderen toen Celia trouwde en ik ken het plezier van het grootmoederschap. Maar Celia heeft zo veel jaren niet gegeten dat ik nooit verwachtte dat ze kinderen zou kunnen krijgen. Zelfs toen ze trouwde zag ik haar niet als moeder, met een kind. Ik dacht al lang geleden dat haar organen wellicht niet zouden functioneren.

En voor zover ik het zie betekent moederzijn je hart openstellen, vierentwintig uur per dag voor de rest van je leven; en dat kon ik me bij Celia niet voorstellen.

Als ik in slaap val hoor ik die stem weer. 'Ich nem eich arum,' zegt hij, zoals in mijn ochtenddroom. 'Ik omhels je. Ik omhels jullie allemaal.'

20

1959

UIT DE ANDERE WERELD

Leonard Gottlieb

1925 ✷ 1953

geboren in Praag

Celia, ik heb je altijd willen vertellen wat ik die laatste avond dacht. Als ik je daarvoor probeerde te bereiken kwam ik altijd tot de conclusie, wat heeft het voor zin? Wel, nu het kind in je groeit zul je me misschien kunnen helpen om het verleden te laten rusten.

Herinner je je onze laatste avond? Zeg niet dat je geen herinneringen hebt. Als je tegen een dode liegt, beschadigt dat je hart.

Dus, die laatste avond. Ik zei je ouders goedendag. Je vader zei dat ik een goede huisvrouw zou zijn. Ik dacht dat hij het gehoord had van Karl en mij. Ik schaamde me zo, Celia. Kun je je dat voorstellen?

Weet je eigenlijk wel wat dat is, schaamte?

Ach.

Wel, we liepen samen. Van het huis van je ouders in Shannon door Taylor Road naar Mandels bakkerij. Het was donderdagavond, ze waren wat later open, omdat het de volgende avond sjabbes was. De hele weg naar de bakkerij zwegen we. Je kalmeerde me zo. Zo'n troost. De vuile spinnenwebben in mijn hoofd werden kleiner en kleiner. De mensen knikten tegen ons als we voorbij kwamen – alsof ze gelukkig werden door ons te zien. Ik voelde me goed alleen door dat lopen, onder de hemel, nog steeds warm, nog steeds licht. En jij had ook vrede gevonden, toch?

Je wees op een raam boven een speelgoedwinkel; je zei dat je tante Rose daar woonde, de zuster van je vader, maar dat we niet bij haar op bezoek hoefden te gaan. 'Er valt nooit iets te zeggen tegen Rose,' zei je.

We bleven lopen. Bij de bakkerij kochten we *mohnkuchen*, gebak met maanzaad. De vrouw gaf je de zak en we liepen door naar Cain Park, nog steeds zwijgend. Jij was kalm, zoals altijd en toen pakte je mijn hand. De lucht was zo vochtig, benauwend, zoals altijd zomers in Cleveland. Er vloog een gedachte door mijn hoofd als een vogel: ik wil met Celia trouwen.

Ik vond het heerlijk om bij je te zijn en vrede te vinden. Mijn handen zweetten, maar de jouwe waren zacht. Droog en zacht en warm.

Met Karl, die me in Theresienstadt tot zijn vrouw maakte, zweetten mijn handen ook altijd.

Misschien zag je dat ik zenuwachtig werd. Je draaide je naar me om. Je glimlachte niet, maar je kneep in mijn hand, eventjes. O Celia. Ik wilde je vertellen over Karl en hoe mijn handen zweetten en beefden als ik bij hem was. Ik schaamde me zo dat ze bij jou ook zweetten. Ik had je verhalen verteld over Theresienstadt, maar ik had je nooit iets verteld over de periode na Theresienstadt. Sinds ik uit het kamp was gekomen en in Amerika was beland kon ik niet meer hard worden. Ik wist niet of ik je wel kinderen kon geven. Ik voelde een beetje vrede – voor mij is een beetje vrede veel vrede – omdat ik dacht dat ik het je kon vertellen. Ik dacht dat je misschien gelukkig zou kunnen zijn, zoals ik, als we elkaar alleen maar vasthielden. Of misschien kende je vader wel een goede dokter.

Toen je je hand wegtrok kon ik niets zeggen. Mijn geest leek op vioolsnaren, verward. Sommige strak aangetrokken, te strak. Andere als deegslierten. Niet goed voor muziek.

We kwamen bij het park en we zagen meer mensen. Ik geloof dat er die avond een stuk van Ibsen werd gespeeld. 'Laten we de heuvel opgaan,' zei je, 'daar staat een bank. Dan kunnen we alleen zijn.'

'Goed,' zei ik, 'laten we dat doen.'

Ach, het was zo'n toestand. Ik dacht dat je me wilde kussen. Ik wilde nooit bij Karl zijn, maar dat ik bij hem was heeft misschien mijn leven gered, want hij gaf me eten. *Hij waagde zijn leven door die verhouding met mij. Als je betrapt werd met een jood kon je doodgeschoten worden.* Ik wilde je kussen. Maar er was niets waar ik zo bang voor was. En daar was jij – kalm, kalm. Hoe word je zo kalm? wilde ik je vragen. Ben je vanbinnen ook zo kalm?

Al die dingen waren in mijn gedachten toen ik struikelde over een steen en viel. Je lag onder me toen ik viel – mijn hoofd was in je schoot. Ik keek op en je gezicht vermengde zich in de schemering met de toppen van de bomen. Voor mij leek het op Gods eigen symfoniezaal. Je haar was een beetje in de war. Je voelde zo lief en zacht, Celia. Toen ik je hand nam en die op mijn hart legde zodat je kon voelen hoe wild het tekeerging, *oi*.

Ik wist niet wat ik deed, maar ik wilde dat jij wist wat er gebeurde. Ik denk dat ik mezelf wilde geven. Je gezicht was zo mooi, Celia. Je mond stond een beetje open want je was geschrokken. Daarom legde ik mijn hand op je wang. Je mond werd een rechte lijn, geen glimlach, geen frons. Anders was je mond vertroostend voor mij. Nu niet.

Ik zag je loense ogen. Loense ogen, een rechte mond en kalmte, zo veel kalmte. Handen zo zacht dat ze op borsten leken. Plotseling voelde ik me stijf worden, ik kon het niet geloven. Ik dacht niet meer. Ik wilde alleen maar in je zijn.

Ik legde je hand op mijn broek omdat ik dat kende. Omdat Karl dat fijn vond. Telkens weer liet hij het me doen, zijn hand naar mijn broek brengen. O Celia, Celia, het was zo verschrikkelijk met Karl, zo erg, elke keer weer. Het was verschrikkelijk omdat hij me gaf waarom ik bad. Toen ik in het kamp kwam was alles zo somber dat ik bad: 'God, als ik muziek kan maken, als ik de zoetheid kan horen van een strijkstok over strakke snaren, dan hou ik het wel vol. Dan kan ik de volgende dag overleven.' Toen kwam ik in het kleine orkest-je dat voor Karl speelde. Hij zei dat hij van mijn spel hield en van mij ook. Ik geloofde hem. Ik speelde voor hem. Ik probeerde van de muziek te houden terwijl ik speelde. Toen hij me aanraakte, dacht ik aan de muziek. En nu pakte ik je hand en bracht hem naar mijn broek. Net wat hij met mij had gedaan.

Maar je gezicht was kalm, ook al keken je ogen elk een andere kant op. Kalm als de aarde op de bodem van een graf.

'Je bent bang,' zei je.

Ik kon niet praten. Ik liet een paar tranen ontsnappen. Ik schaamde me zo. Wist je dat? Je wiegde me een beetje, heen en weer – nu denk ik dat het niet was om me te troosten, maar omdat je een nieuwe houding probeerde te vin-den in het stof. 'Ik weet niet of ik je kinderen kan geven, Celia,' zei ik. 'Maar we zouden kunnen adopteren.' Toen ik het gezegd had begon ik te kreunen.

'Oké,' zei je. Je zei het alsof je er genoeg van had. Ik probeerde om het ge-noeg te laten zijn. Ik wist op de een of andere manier dat je niet zou zeggen wat je dacht over een gezin met mij.

'Celia,' zei ik, 'wat is vrede? Waar haal jij die vrede vandaan?'

Je lachte en zei: 'Die heb ik nooit gekend.'

'Maar ik voel het als ik bij je ben.'

'Dan is het jouw vrede,' zei je.

Ik voelde me alsof ik midden in een symfonie was, heel veel noten en ritmes maar geen dirigent, geen andere musici. De manier waarop je sprak deed me denken aan een spel – het spel dat Karl met me had gespeeld. Maar jij was joods, een joodse vrouw en zo mooi. Ik had gedacht dat ik met jou zou kunnen leven. Ik zou kunnen leven met wat er gebeurd was in het kamp en met Karl, zelfs met het verlies van mijn familie en ik zou met jou een gezin kunnen stichten. Met kinderen, natuurlijk. Die zouden we kunnen adopteren. Maar die avond zag ik dat jij zonder mij zou kunnen leven. Als ik zou sterven zou je dat niet veel kunnen schelen.

Ik had beelden van harten in mijn hoofd. Karls hart was zacht voor mij, open. Er zaten de handjes in van een kleine jongen, die naar mijn handen reikten. En jouw hart. Ik zag een kist vol sloten, geen sleutels. Ik zag geen beeld waarin jij me binnenliet.

Alles was gekruist, net als je ogen, en als alles wat je zei, en alles wat ik dacht. Ik hoorde mezelf denken: *Celia is wreed.* Maar dat was echt krankzinnig. *Leonard Gottlieb, die is wreed* – die gedachte had ik ook. En die kon ik niet ontkennen.

Ik had zo'n afkeer van mezelf.

Ik weet nu dat we een kans hebben gemist. Maar ik koester geen wrok tegen je, Celia. Ik zie het vuur waarmee je leeft – voor het meisje dat je in je buik draagt. Ik zie dat je de sloten rond je hart verbrandt. Zodat die ziel de jouwe kan aanraken, denk ik.

Wat kan ik zeggen, Celia? Ik kan zeggen dat het me gelukkig maakt. Ik kan zeggen mazzel tov en *lchaim*. Op het leven.

21

1988 ❦ 1989

Hannah

Sherry Johnson, een zwarte vrouw net zo klein als ik, met een blauwe hoofd-band met strik die de voorkant en de achterkant van haar hoofd verdeelt, blijft na onze vrijdagmiddagklas in juli achter terwijl ik mijn papieren pak en in mijn tas stop. Sherry en haar zoontje van vijf, Anthony, wonen bij de moeder van haar moeder. Ze is drieëntwintig en ze verdient haar brood met een baan-tje bij Dunkin Donuts voor de avonduren, zodat ze overdag bij haar zoon kan zijn. 'Ik vertrouw op mezelf,' zegt ze.

Wat een lief kind.

Kind? Ik ben nog maar achtentwintig!

Terwijl we samen naar mijn kantoor lopen hang ik de lange, zwarte leren banden van mijn tas over mijn schouder. 'Ik ben bij mijn grootmoeder weg,' zegt Sherry. 'Ze zei dat ik geen vriendje mag hebben onder haar dak en ze zei dat een man me dit weekend gebeld heeft. Nu hebben Anthony en ik geen plaats om te wonen.'

Sherry is een van mijn favoriete leerlingen. Ik omhels haar, maar ze hangt slap in mijn armen. Ik voel me zo hulpeloos. Zal ik haar mijn telefoonnummer geven? 'Ik was bij de maatschappelijk werkster vanmorgen, voor ik hier kwam,' zegt ze en dat lucht me een beetje op. 'Het is een aardig mens, geloof ik.'

Ik ben uitgeput. Ik hunker naar zeven uur vanavond, als Jonathan mijn deur binnenkomt en me omhelst en ik de week kan loslaten in zijn armen.

Jonathan komt voor het eten met een frons in zijn voorhoofd die ik nooit eer-der heb gezien. Hij geeft me het bosje basilicum waarom ik hem heb gevraagd en een tak oncydium en stopt dan zijn handen weer in de zakken van zijn spijkerbroek. 'Kunnen we eerst even op de bank gaan zitten?' vraagt hij.

'Laten we naar de slaapkamer gaan,' zeg ik, 'even liggen.' Het eten is vanavond gauw klaar. Het menu bestaat uit kliekjes.

'Goed,' zeg hij en hij buigt zijn hoofd een beetje schuin. Ik besef dat het weleens lang kan duren voor ik hem vertel over Sherry Johnson.

We belanden in een lepeltje-lepeltjehouding, zijn borst tegen mijn rug, zijn rechterhand op mijn hart, mijn hand op zijn hand. Daar liggen we. Te luisteren naar onze ademhaling. Na een minuut of tien vraag ik eindelijk: 'Wat is er?'

Hij zucht. 'In februari, ongeveer een maand voor we elkaar ontmoetten bij het dansen, zag ik iets in *Art Magazine* – een advertentie van een schilder in een klein dorpje in New Mexico die iemand zocht om een jaar lang in zijn huis te wonen en voor zijn honden te zorgen. Het huis heeft geen stromend water en geen elektriciteit en de dichtstbijzijnde buren wonen bijna een kilometer verderop. Ik heb hem geschreven dat ik geïnteresseerd was. Het leek me een goed idee – om er een jaar tussenuit te gaan. Nadat ik een paar maanden niets van hem hoorde vergat ik het.

Maar gisteravond,' vervolgt Jonathan, 'belde hij me. Hij zei dat ik het huis kon krijgen.'

'Gisteravond,' herhaal ik en ik ga rechtop zitten om klaar te zijn voor de dingen die ik onder ogen zal moeten zien, 'zei een man die je nog nooit hebt gezien dat je zijn huis in New Mexico kunt krijgen – een huis dat je nog nooit hebt gezien, maar waarvan je weet dat het geen stromend water heeft en geen elektriciteit.'

'Hij wil dat ik over drie weken kom,' zegt Jonathan. 'En als het klikt tussen ons kan ik een jaar blijven, gratis.'

'Hij wil dat je over drie weken komt. Voor een jaar.'

Jonathan knikt. Hij gaat ook overeind zitten en ik zie de frons weer die zijn voorhoofd verdeelt. Ik grijp het kussen dat achter me ligt, trek het naar me toe en sla hem ermee op zijn hoofd. 'Dat is fantastisch nieuws,' zeg ik en ik ga op mijn knieën zitten om meer kracht te kunnen zetten. 'En ik haat het!'

Jonathan beschermt zijn gezicht met zijn armen. 'Ik wil niet bij je weg!' schreeuwt hij. 'Ik denk dat ik met je wil samenwonen! Maar ik wil ook weten hoe het is om te leven zonder elektriciteit en stromend water!'

'Man!' zeg ik. 'Daar zeg je me zowat. *Je wilt met me samenwonen?*'

'Ja,' zegt hij en hij kijkt me recht aan.

Een glimlach die ik niet kan tegenhouden verspreidt zich over mijn gezicht. Jonathan legt zijn hoofd scheef.

Ik bijt op mijn lip en begin te huilen. 'Ik denk dat ik ook met jou wil samenwonen.'

We gaan weer liggen en leggen onze lippen tegen elkaar, onze monden zijn nauwelijks open. Na een poosje leg ik mijn hoofd op Jonathans schouder. 'Hoe kunnen we samenwonen als jij naar New Mexico gaat?'

'Ik weet het niet,' zegt Jonathan. 'Ik weet het niet.' Hij gaat weer rechtop zitten. Ik voel dat hij graag mijn hand wil vasthouden maar dat hij zich inhoudt. 'Ik krijg nu een kans om mijn eigen vorm van kunst te beoefenen – om uit te vinden wat mijn eigen vorm van kunst ís. Ik bedoel, als ik zelfs geen donkere kamer kan hebben zonder elektriciteit, ga ik misschien schilderen, wie zal het zeggen. En misschien doe ik niets. Ik weet alleen dat ik op een volkomen vreemde plaats zal zijn. Toen ik gisteravond met die man sprak, zei hij dat het land nog niet getemd is. En dat trekt me aan. Als ik het niet doe, zal ik mezelf dat erg kwalijk nemen.'

Ik weet dat ik me niet mag bemoeien met Jonathans keuzes over zijn leven, over wat hij moet doen voor zijn eigen creativiteit. Ik zou ook niet willen dat iemand zich bemoeide met mijn keuzes. En natuurlijk, ik heb altijd gedacht dat ik een man wilde hebben die zichzelf kent. Maar verdomme! Het is net of mama of zelfs Allan me weer in de steek laat, juist op het ogenblik dat de intimiteit tussen ons het sterkst is.

Ik sla zachtjes met het kussen op Jonathans benen. 'Het maakt me woedend!' zeg ik. 'We hadden het er net over dat jij met me mee zou gaan naar Cleveland op Thanksgiving om Ida te ontmoeten. Hoe moet dat nu?'

'Ik geloof dat ik er nog niet klaar voor ben, Hannah, ik ben er gewoon nog niet klaar voor.'

'Hmm,' kreun ik en ik laat me weer achterover vallen. Ik kan geen argument bedenken tegen wat hij zegt. 'Ik haat dit!'

'Waarom ben je er zo zeker van dat je met mij wilt samenwonen?'

'Ik ben niet zeker!' zeg ik. 'Maar het is net alsof de kans erop me wordt ontnomen.'

Jonathan strekt zich uit op het bed naast me. Hij ligt daar, rustig, met gesloten ogen. Langzaam kruip ik tegen hem aan en laat toe dat hij me vasthoudt terwijl ik huil. Als mijn tranen opdrogen draai ik me naar hem toe voor de hartstochtelijkste kus in mijn leven.

Sherry is er vandaag, drie dagen nadat Jonathan naar New Mexico is vertrokken. Ze is helemaal op tilt geslagen. Ze heeft zich twee weken lang niet laten zien en ik was al bang dat ik haar nooit weer zou zien. Het zat me dwars dat ik haar mijn telefoonnummer niet had gegeven. *'Ik verdien iets beters dan dit,'* roept ze, buiten adem, de witte strik in haar haarband wipt op en neer terwijl we in mijn kantoor wachten tot haar maatschappelijk werkster haar telefoontje beantwoordt.

'Ik doe niet aan drugs. Ik verdien iets beters. Mijn vriend komt de dertiende volgende maand uit de gevangenis. Hij is misbruikt toen hij nog heel klein was. Zijn zuster heeft me verteld dat zijn stiefvader met hem geknoeid heeft. Ik heb hem beter gemaakt, ik wil met hem samenwonen. Maar als hij me iets flikt, kan hij oprotten. We hebben elkaar kort voor hij de gevangenis in ging ontmoet, maar hij zegt dat ik alles ben wat hij nodig heeft.'

O God. Ik denk dat ze op instorten staat.

'Ik ben de enige die hem opzoekt. Zijn familie gaat nooit. Kost me veertig dollar om daar te komen. Heb je een sigaret voor me? Ik hoef geen therapie. Ik moet alleen mijn eigen stekkie hebben. Ik ben een noodgeval – je zou toch denken dat ze íets zouden kunnen doen!'

Ik vraag of ze een lijst wil maken van de dingen die ze nodig heeft: ze zegt nee. Ik bied aan om eventjes rustig bij haar te blijven zitten en dat weigert ze ook. Ik wil haar helpen om een opening te vinden om stoom af te blazen, maar we schijnen geen enkel contact te maken. Ik ben bang wat er met Sherry kan gebeuren – wat er al met Sherry gebeurd is – en bang om bij iets betrokken te raken wat ik niet aankan. Nancy is er vandaag niet. Dus ik luister. Ik voel haar krankzinnige gespannenheid en weet dat ik haar mijn telefoonnummer niet zal geven. Ze vertelt haar verhalen niet tegen míj, hoewel zij ze voortdurend herhaalt. Ze vertelt ze alsof ze een muur om zich heen bouwt, *steen steen rot op steen rot op nog een steen steen rot op rot op.*

Maar als ik nu eens alles ben wat ze heeft?

Ik vraag of ze iets kan bedenken wat de spanning wat zal breken, al is het maar een beetje. Ze kijkt me recht aan en spreekt met kalme stem. 'Mijn zoon en ik hebben alleen maar onze eigen plek nodig,' zegt ze.

Ik knik. Ik voel me hulpeloos en gespannen. Die knik lijkt alles wat ik haar te bieden heb.

'Oma,' zeg ik somber in de telefoon terwijl ik ineengekrompen op mijn bank zit, 'drie gedichten van mij zijn door de *Antioch Review* aangenomen.'

'Mazzel tov,' zegt ze. 'Gefeliciteerd.'

'Dank je wel,' zeg ik.

'Wat is de *Antioch Review*?'

'Een literair tijdschrift.'

'Waarom klinkt je stem dan zo somber?'

'Mmm,' zeg ik, bedroefd en opgelucht omdat ze mijn stemming heeft opgemerkt. 'Ik denk dat ik Jonathan mis en ik heb mama gebeld om haar te vragen of ik haar de *Wilde Vrouwen Verhalen* zal sturen. Ze zei liever niet.'

'Ach,' zegt oma. 'Dat is mesjokke.'

We zwijgen allebei een tijdje. 'Gaf ze een reden?' vraagt oma.

'Nee.' Ik begin te snuffen. 'Ze zei zoiets als: "Ik wil mijn tijd niet verdoen met het stempelen van mijn goedkeuring op jouw werk."'

'Er moet iets gebeuren,' zegt oma.

'Wat beveel je me aan? Ik heb alles geprobeerd wat maar mogelijk is.'

'Misschien moet je ermee ophouden,' zegt ze. 'Vergeet het maar. Ga verder.'

Ik ontvouw me uit mijn foetushouding, leg mijn hoofd tegen de zijkant van de bank en vraag me af of dit de toestemming is waarop ik heb gewacht sinds mama acht jaar geleden voor het eerst tegen me zei dat ik haar huis moest verlaten.

'Oma?' zeg ik en ik leun op de rand van de bank als ik naar woorden zoek. 'Wat bedoel je met "hou er maar mee op"?'

Haar tv wordt afgezet. 'Ik bedoel dat je lang genoeg hebt geprobeerd de situatie te veranderen,' zegt ze, 'en die is niet veranderd. Misschien wordt het nu tijd om dat te accepteren.'

'Je bedoelt dat ik niets moet doen?'

'Ja zeker,' zegt ze. 'Het lijkt mij dat er nog iets anders dan je moeder belangrijk voor je moet zijn. O zeker, ze heeft je een tijdlang heel veel aandacht gegeven. Maar ze is God niet, weet je.'

'Ze is God niet...'

'Lek leka, Hannah,' zegt oma, bijna ongeduldig, ze citeert Gods woorden tot Abraham. 'Ga in tot jezelf. Je doet goed werk met die verhalen. Je publiceert gedichten. Gun jezelf een beetje geluk.'

'Oma,' zeg ik waarschuwend.

'Wat?' vraagt ze onschuldig.

'Die gedichten gaan over een Griekse godin en haar dochter; maar ze gaan ook over mama en mij.'

'Nou en?'

'Mama zal waarschijnlijk beledigd zijn als ze ze leest. Ze raakt overstuur als jij me vertelt dat ze een weekend naar Las Vegas is geweest om te bridgen. Ik weet echt niet wat ze zal doen als ze zichzelf gedrukt ziet.'

Oma zwijgt. Ik vraag me af of ze me zal aanraden alles in een la te stoppen tot al mijn familieleden dood zijn.

'Ik vind dat je je hart in iets anders moet leggen,' zegt ze. Ze spreekt met een zachtheid die aanvoelt als een omhelzing.

'Je bedoelt iets anders dan poëzie?'

'Nee,' zegt ze. 'Ik bedoel iets anders dan het streven naar je moeders goedkeuring.'

Annie heeft voorgesteld om een dagje naar Plymouth te gaan, waar de Cape begint. Ze weet dat ik depressief ben. Ik ben nog steeds een beetje van slag door oma's suggestie dat ik niet zo geobsedeerd moet zijn door mama en ik heb niet veel contact met mijn leerlingen. Toen ik met lesgeven begon, dronk ik hun verhalen in – over moederschap, over vriendjes, over het dochterzijn. Maar nu is het net alsof ik het ene treurige verhaal na het andere lees. Ik zie de zin er niet meer van in. En ik heb nu al bijna twee weken niets van Jonathan gehoord. Gewoonlijk schrijft of belt hij me eens per week.

Annie en ik hebben elkaar niet vaak gezien sinds vorige zomer, sinds zij en Neil Shuster, een schilder die zijn geld verdient als ober in de Square, regelmatig met elkaar slapen. In haar blauwe open Fiat rijden we zwijgend langs route 3 naar het zuiden. Als we Quincey voorbij zijn, wordt het verkeer minder druk. Ik geniet van de stilte, de laatste gekleurde bladeren en zelfs van het nadenken over welke verhalen ik zal publiceren in het herfstnummer van *Wilde Vrouwen Verhalen*.

Dan komen we in Penbroke en Annie begint een litanie van klachten over de andere acteurs bij de Rep. 'Die kerels,' zegt ze. 'Iedereen wil alleen maar zijn gezicht op de voorpagina van de *Boston Globe*. Het is nog niet tot ze doorgedrongen dat hun kunst stervende is en dat USA *Today* helemaal niet geïnteresseerd is. Als ik Neil niet had, werd ik nog gek.'

Ik had verwacht dat ze míj zou helpen op deze trip – maar ik ben degene die moet luisteren.

'Annie – kunnen we niet even stil zijn?'

'Ik vertel je wat er met mij aan de hand is.'

'Dat weet ik,' zeg ik. 'En ik weet dat ik lastig ben. Maar ik heb nu rust nodig.'

'Laten we naar het strand gaan,' zegt ze.

'Goed,' zeg ik.

We parkeren bij White Horse Beach, in een straat met een bord waarop staat: PARTICULIER – NIET PARKEREN. Het is half november, de lucht is bijna warm. Tegen de twintig graden, maar de wind is wild en de lucht grijs en somber. Ik pak het windjack aan dat Annie uit de kofferbak haalt, trek het aan over mijn gevoerde vest en ga de oude houten treden af naar het strand. Wij zijn de enigen.

Ik ga alleen naar een pier van stenen zo groot als walvissen. De wind slaat met harde slagen als ik de pier afloop. 'Ik weet dat jullie me horen,' zeg ik. De woorden stromen uit mijn mond. 'Ik weet dat jullie me horen,' zeg ik weer tegen mama en Allan. Mijn stem, luider dan normaal, klinkt nauwelijks harder dan een gefluister door die dreunende golven. Ik schreeuw: '*Ik weet dat jullie me horen!*' Zeeschuim of tranen glinsteren op mijn gezicht – ik weet niet zeker wat het is. 'IK WEET DAT JULLIE ALLEBEI ZAKKEN ZIJN. EN DAAR KAN IK MEE

LEVEN! MAAR IK WIL VAN JULLIE HOUDEN! IK KAN HET NIET HEBBEN DAT JULLIE ME, ALS IK HET PROBEER, GEWOON WEGDUWEN! MAAR IK WEET DAT IK IEMAND BEN OM VAN TE HOUDEN! IK KAN VAN ANDERE MENSEN HOUDEN! IK KAN ERVOOR ZORGEN DAT ANDERE MENSEN VAN MIJ HOUDEN!'

Uitgeput sla ik mijn armen om mezelf heen en laat de oceaan me doordrenken met zijn verfrissende mist.

Als we naar huis rijden zet Annie een bandje op van Ben Websters *Ballads*, gedeeltelijk, vermoed ik, om de stilte tussen ons wat minder gespannen te maken. Eindelijk zeg ik: 'Kunnen we praten over wat er gebeurt?'

'Natuurlijk.' zegt ze. Ze zet het geluid zachter.

'Ik was boos,' zeg ik. 'Ik dacht dat het kwam omdat Jonathan weg is, maar nu denk ik dat het mijn ouders zijn. Misschien is het stom, maar ik wist het niet voor we naar het strand gingen.'

'Wat deed je daar op de pier?' vraagt ze. Ik zie dat ze geen lipstick op heeft. Sinds ze met Neil is gebruikt ze dat glimmende spul niet meer. 'Ik kon niet verstaan wat je zei, maar ik dacht, als ze ooit in gevaar komt kan ze aanvallen met haar stem.'

Ik glimlach vertederd. 'Ik schreeuwde tegen mijn ouders,' zeg ik. 'En tegen mezelf, denk ik.'

'Ben je nog altijd bang dat mensen niet van je kunnen houden?' vraagt ze. Ik biechtte dit op aan Annie na mijn affaire met Kiyo, de Japanse danser. Sinds Jonathan weg is ben ik het mezelf weer af gaan vragen.

Voor ik kan antwoorden roept Annie: 'Dat is het stomste wat ik ooit heb gehoord! Weet je niet dat iedereen zijn bagage heeft? En shit, Hannah, als je je zakkig tegen me gedraagt, dan begin jij erover voordat ik erover begin. Je lúistert! Je hebt járenlang gehouden van al die vrouwen op het Wilde Vrouwen Centrum! En je kookt als een echte grootmoeder! En omdat je toevallig een stel rare ouders hebt en een minnaar die een tijdje aan zelfonderzoek moet doen denk je dat niemand van je kan houden? Hou nou toch op!'

Ze zet het bandje af.

'Dus nu heb je die zaak voor eens en altijd opgelost?' vraag ik.

Annie geeft me haar warmste, kameraadschappelijkste glimlach.

'Als ik dat kon doen, Hannah, zou ik de gelukkigste vrouw van Massachusetts zijn. Maar ik weet dat die dingen tijd nodig hebben. Vooral voor jou.'

'Hallo,' zegt Jonathan. Het is tien uur in de morgen in Cambridge, half januari, een maandag. Ik hoef pas 's middags les te geven.

'Hallo,' zeg ik.

'Lig je nog in bed?' vraagt hij.

'Ik ben vroeg opgestaan om te schrijven,' zeg ik. 'Ik ben er net weer ingekropen om even uit te rusten. En het is hier echt koud, zelfs met twee truien. Waarom bel je?' Gewoonlijk belt hij me niet door de week, dan heb ik weinig tijd om te praten.

'Het is hier zo mooi,' zegt Jonathan. Hij rekt zijn woorden. 'En zo koud. Ik mis je.'

'Mmmm,' zeg ik en ik herinner me hoe ik rilde op zijn plee buiten op de ijskoude decemberochtenden toen ik hem vorige maand bezocht. Ik keek door het kijkgat in de deur naar de naakte bomen die langs de bevroren kreek stonden en besefte hoeveel ik in mijn leven als vanzelfsprekend had aangenomen en hoeveel ik nog niet had gezien. 'Als jij nu in mijn bed lag,' zeg ik lachend, 'zouden we het een stuk warmer hebben.'

'Als jij in míjn bed lag,' zegt Jonathan, 'zouden we het een stuk warmer hebben.'

'Mmm,' zeg ik weer.

'Hannah,' zegt Jonathan, 'ik wil dat je hier bij me komt wonen.'

'In New Mexico?'

'Ja,' zegt Jonathan. 'Ik wil dat je hier bij míj komt wonen.'

'Hee,' zeg ik. Ik voel plotseling een golf van hitte.

'Ik vind het heel goed wat er hier gebeurt met mijn fotografie, met de manier waarop ik de dingen zie. Ik wil niet terug naar Boston. Maar ik mis jóu.'

Ik neem even rust om zijn woorden in te drinken, zijn uitnodiging. 'Ik kan niet meteen ja of nee zeggen,' zeg ik.

'Dat vind ik uitstekend,' zegt hij. 'Ik bedoel – sta je open voor het idee?'

'Ja,' zeg ik, verrast. 'Ik geloof het wel.' Ik voel hoe ver weg hij is, in een adobehuis in de woestijn, terwijl ik midden in de stad Boston woon.

'Ik zal een baantje moeten zoeken,' zeg ik. 'En ik geef waarschijnlijk de voorkeur aan een huis met een wc binnen.'

Jonathan lacht. 'Dat zal ik in overweging nemen.'

'Oké,' zeg ik, lachend. 'Dan hebben we allebei iets om over na te denken.'

'Ik had zin om je te bellen,' zegt oma die avond. 'Om me een beetje op te vrolijken, je weet wel.'

'Goh,' zeg ik, 'dat is fijn om te horen.'

'Ja,' zegt ze. Dan: 'Euh, Hannah? Ik geloof niet in "helderziendheid", maar vanmorgen keek ik de overlijdensadvertenties door en ik zócht naar Rothman.'

'Ja...?' zeg ik en een glimlach plooit zich al rond mijn lippen.

'Irene Rothman is gisteren gestorven. Ze was mijn vriendin toen we in Shannon Road woonden.'

'En je vond haar overlijdensbericht in de krant.'

'Ja. Is dat niet vreemd? Je weet dat mijn moeder heel lang met haar kind heeft gepraat, met Vitl, maar gewoonlijk geloof ik niet in zulk soort dingen – leven na de dood.'

'Mmm,' zeg ik. 'Weet je nog toen mijn buurvrouw mevrouw Slater stierf – die oude vrouw in mijn flatgebouw? Ik deed boodschappen voor haar toen het weer vorige winter zo slecht was. Ik had haar een paar weken niet gezien voor ze stierf en toen droomde ik een paar maal van haar. Het was net of we afscheid hadden genomen.'

'Hm,' zegt oma, een beetje timide. 'Ik vond het zo vreemd, dat ik het wist.'

'Nou ja,' zeg ik. 'Je hebt weleens eerder gezegd dat je een goede intuïtie hebt.'

'Ja, dat is waar.' Uit haar stem klinkt weer wat meer zelfvertrouwen. 'Herinner je je Irene nog?'

'Nee, eigenlijk niet.'

'Ze praatte veel. Ze hield ervan om de dingen helemaal uit te diepen. Eens aten Moe en ik daar en je weet hoe je opa kon zijn, hij noemde haar gewoon een stomme vrouw – en voor zover ik kon nagaan zonder enige reden. Ik vond niet dat ze dom was. Ik luisterde altijd graag naar wat ze te zeggen had. Maar daarna wilde ze niets meer met Moe te maken hebben. Wij bleven vrienden. Ze wist wat ik moest doorstaan. Maar als ze een etentje of iets dergelijks met echtparen had dan werd ik niet uitgenodigd vanwege opa. Irene is de eerste van ons die gaat, weet je. Het brengt die dingen dichterbij.'

'Je bedoelt je eigen dood?'

'Ja.'

We blijven zwijgen aan de telefoon, we moeten die gedachte in ons opnemen. 'Oma,' zeg ik. 'Als jij sterft, blijf ik met je praten.'

'Wel,' zegt ze, 'ik zal proberen je antwoord te geven.'

Lieve Jonathan,

Gisteravond belde mijn grootmoeder me op. Ze had het over doodgaan.
Ik besefte dat ik bij haar wil zijn als het zover is. Als ik nu naar New Mexico verhuis denk ik dat zowel zij als ik zou vinden dat ik te ver van haar weg ben. Het verbaast me dat ik dat denk, maar ik wil nergens heen zolang mijn grootmoeder nog leeft.

Ik hou van je,
Hannah

Ik dans met Jason bij de improvisatie. 'Duw me,' zegt hij. 'Laat me je gewicht voelen.'

Ik geef me helemaal in de dans. Ik til hem een paar maal op, ik verbaas mezelf. Zeker tweemaal weet ik niet eens dat ik hem optil – het voelt zo gemakkelijk. Jason schenkt me een bijzondere, brede glimlach als de dans is afgelopen. 'Je neemt de verantwoordelijkheid voor je gewicht,' zegt hij, 'je contact gaat heel ver, dat is fantastisch. Soms ben je nog een beetje stijf – je bewegingen zouden wat vloeiender kunnen zijn. Maar je doet het fantastisch.' Hij knipoogt en hij glimlacht op een manier waaruit ik opmaak dat hij vindt dat ik een goede danseres ben. 'Je komt er wel.'

22

1989

UIT DE ANDERE WERELD

Raisl

omstreeks 1891 ✷ 1971

geboren in Dvinsk, Letland

Ik ben de rozijn onder in je challe: verbrand. Misschien was ik eens zoet. Maar ben je eenmaal verbrand, dan ben je verbrand.

Waarom gaf ik me aan die kozak?

Omdat er meer gotspe vereist was dan ik bezat om op dat ogenblik nee tegen mijn moeder te zeggen.

Omdat daardoor onze familie een beetje vrijheid zou krijgen.

Omdat het brood dat ik gebakken had bijna gaar was. Ons eten was bijna klaar. Ik moest kleren verstellen, maar dat vond ik lui werk. De gedachte alleen al dat ik geen echt werk had op de avond voor mijn broer ons zou verlaten maakte me zenuwachtig. Echt werk maakte dat ik 's morgens opstond. Het liggen bij die kozak was echt werk.

Dus kreeg ik veel meer werk. Ik kreeg een zoon zonder vader. Ik kreeg een broer die me redde van de nazi's maar me niet in de ogen wilde kijken.

Ik at altijd die verbrande rozijnen, die rozijnen die niemand anders wilde hebben. Ik ging ervan houden. Hoe verbrand ze ook waren – altijd proefde ik de zoetheid van die rozijnen.

De meeste mensen weten daar niets van.

23

1989

Celia

Hannah was een buitengewoon kind. Vanaf het moment dat ze kon praten – en ze praatte eerder dan andere kinderen – gaf ze blijk van een ongewone interesse in mij. Maanden voor ik mezelf wilde toegeven dat ik van Allan wilde scheiden zei ze: 'Jij en papa delen jullie kamer niet leuk.' Ze zei niet dat we dat móesten; ze zei niet dat we dat kónden; ze zei alleen dat we het niet déden.

Moeder logeerde de laatste maand van ons huwelijk in onze logeerkamer en reed toen met mij terug naar Cleveland. Ik ging met haar terug omdat ik verstandig genoeg was om te begrijpen dat ik familieleden nodig had na de scheiding, in 1964; en ik wist niet waar ik anders heen moest. Mijn ouders waren nu niet bepaald mijn favorieten; maar zij waren alles wat ik had. Toen we onze oprit inreden, uitgeput door het tumult van de laatste dagen met Allan en de reis van tien uur, was Hannah nog wakker en praatte ze nog; haar getater had ons zo wakker gehouden dat we veilig konden rijden. Vader kwam naar de auto. Hij was zo blij toen hij haar zag – nog wakker – dat hij een sprongetje maakte. Ik was bang dat hij haar kwaad zou doen, ook al had hij me gesteund bij mijn scheiding. Hij had de woede tegenover Allan die ik niet kon voelen tot uitdrukking gebracht.

Ik voelde me kapot door de scheiding, zelfs al was ik degene die hem had doorgezet. Scheiden is moeilijk. Als ik zeg dat Hannah tijdens die periode een bron van troost en plezier was, dan zeg ik het voorzichtig. Zij was degene die maakte dat ik mijn bed uitkwam.

Vader was ook gek op Hannah en dat gaf me een nieuw soort macht over hem. Hij genoot van haar zoals iemand geniet van zachtgekookte eieren als hij tien jaar lang op water en brood heeft geleefd, hoewel ik hem niet met haar alleen durfde laten.

Op een avond, misschien niet meer dan een of twee weken nadat we in

Cleveland waren gekomen – we woonden nog bij mijn ouders – ging ik met Hannah naar boven om haar te baden. Later stond ze daar, haar perfecte vier jaar oude lichaam spiernaakt. Zachte, vochtige krullen hingen tot het midden van haar schouderbladen. Ik ging op mijn knieën liggen om haar te helpen haar pyjama aan te trekken terwijl zij me een verhaal begon te vertellen over haar imaginaire vriendin Lily. Plotseling zweeg ze. Haar ogen werden scherp en geconcentreerd.

Ik draaide me om: vader stond op de drempel. Wat kon er in 's hemelsnaam zo dringend zijn dat hij niet kon wachten? Er was nog een badkamer beneden! Ik was woedend, maar ik kon niet spreken. Mijn bloed scheen roder te worden, als jullie dat begrijpen. En ik werd ook duizelig, ik kon geen woord uitbrengen. Ik wilde mijn ogen sluiten. Ik wilde slapen.

Hannah vertrok geen spier. 'Jij moet hier niet zijn,' zei ze.

We hingen daar samen als vliegen op een raam tot vader zich omkeerde en verdween. Een golf van vreugde schoot door me heen. Ik voelde me alsof ik hem er zelf had uitgeschopt.

'Ik heb tegen opa gezegd: "Jij moet hier niet zijn,"' zei Hannah.

'Ja,' zei ik, 'ik heb het gehoord.'

'Als hij terugkomt voor ik aangekleed ben zeg ik het weer.'

Ik trok haar naar me toe. 'Goed idee,' zei ik.

Dat ik het haar had zien doen gaf me een gevoel van macht. Ik kon ook tegen vader zeggen wat ik wilde, wat ik werkelijk dacht. Ik kon mijn armen over mijn borst kruisen en hem zeggen dat hij me tienduizend dollar moest geven, dat hij geen grapjes moest uithalen met Hannah. Ik kon tegen hem zeggen dat hij ons mee uit eten moest nemen als ik vond dat we een verzetje nodig hadden.

Als Hannah er was, zweeg zelfs moeder op een rustige manier en vader begon een soort liefde uit te stralen die ik nooit eerder gezien had – zeker niet bij hem.

Ikzelf voelde puur geluk in haar aanwezigheid. Wat kan ik zeggen? Ik heb tweemaal in mijn leven puur geluk gevoeld. De avond dat ik Leonard ontmoette voelde ik het, hoewel het niet blijvend was. Deze tijd na de scheiding, toen ik alleen woonde met Hannah, voelde ik het voor de tweede keer.

Ik vind Hannah mooier dan ik ooit ben geweest. Haar schoonheid is niet alleen lichamelijk. De hare komt van binnen uit, door kennis of aanvaarding die ze heeft over zichzelf, levend en menselijk. Maar ze heeft bijna altijd puistjes op haar gezicht. Toen ze een tiener was zag ik dat ze, als ze in de spiegel keek, zich haar gezicht voorstelde zonder acne. Het was alsof ze wist dat ze mooi was; dat haar kern, haar essentie, sterk was en zuiver. Maar ze had een masker van vlekken dat ze niet kon afzetten.

Ik gaf mezelf daarvan de schuld. Het was mijn lelijkheid die ze had opgezogen omdat ik haar moeder was. Hoewel ik denk dat Hannah haar gevoelige huid ging accepteren, was het voor mij een marteling. Het herinnerde me aan mijn eigen oorlog.

Toen ik jong was zocht ik naar puisten, naar iets wat bewees dat het waar was wat ik voelde. Ik kreeg weleens een beetje uitslag, onbelangrijk, vooral omdat het verscheen op huid die altijd door kleding werd bedekt. Puisten kreeg ik nooit. Maar Hannah wel. Het betekende dat ze toch niet zo erg veel van mij verschilde. Ik leerde ermee leven. Ik stuurde haar naar huidartsen; ze gaven haar pillen die niet hielpen. In haar eerste studiejaar nam ze ze niet meer, voor ik uit Cleveland wegging.

Ik kon haar niet helpen, ik had mezelf niet kunnen helpen. Ik had op haar het vuil overgebracht dat alleen van mij was en ik weet nog steeds niet of ze het alleen wel redt. Maar ik hoop dat haar schoonheid de weg naar buiten vindt.

Toen ze zestien was, die zomer in Zwitserland, vroeg ze me aarzelend of ze een week langer mocht blijven. Ze was bang dat ik me gekwetst zou voelen dat ze niet naar huis stormde nadat ze twee maanden was weggeweest. 'Ik hoef je niet lichamelijk bij me te hebben,' zei ik. 'Ik heb je emotioneel – dat is alles wat ik nodig heb.' En ik had haar, mooi als de dageraad, elke dag, bijna twintig heerlijke jaren lang.

Als ik terugkijk begrijp ik dat Hannah me fascineerde – en ik had haar ook in mijn ban op een manier die waarschijnlijk niet gezond was. Het duurde een poosje voor ik begreep dat zo veel intimiteit met een kind niet verstandig is, zelfs al was ik de ouder en Hannah het kind.

Toen ze ging studeren was ik natuurlijk bang dat ik haar zou verliezen – dat ze me niet meer nodig zou hebben. Ik kon er wel tegen dat ze niet bij me woonde; daar ging het niet om. Maar haar afhankelijkheid van mijn reactie op elk geschreven woord van haar, mijn adoratie van haar, mijn góedkeuring – als ze mijn reactie niet nodig had, wat zou er dan van mij overblijven?

In mijn vijftigste jaar – het jaar dat zij twintig werd – kwam het zover dat ik me een leven zonder haar niet kon voorstellen. Ik begreep ook dat zij voor de schrijverswereld had gekozen, met het verleden als haar bron. O, ik weet zeker dat ze woedend wordt als ze het hoort en ik weet van die vruchtbaarheidsgedichten die ze schrijft. Maar het is een feit dat ze bij haar vorouders woont. Ik kan die wereld niet binnengaan als ik wil overleven.

Ik voel vaak afschuw van mezelf; ik schiep een afhankelijkheid tussen ons die ik niet kon verdedigen; niet kan verdedigen. Hannah is niet voorbeschikt om afhankelijk te zijn. Moeilijke liefde, dat is dit.

De week voor Hannahs bezoek in Cleveland – de week dat deze gekte begon – belde Natalie me op. Afgezien van Henrietta, mijn bridgepartner, is Natalie Harrison waarschijnlijk de enige vriendin om wie ik ooit een moer heb gegeven. We hebben samen gestudeerd. Ik had in vijf jaar niets van haar gehoord, voor ons niets ongewoons. 'Ik ga van Gerard scheiden,' zei ze, 'en ik verhuis naar Californië. De oostkust kan wel zonder mij.' Haar ouders waren allebei dood, haar broers dachten kennelijk dat een vrouw zonder kinderen het niet waard was om uitgenodigd te worden voor een etentje en ze wisten niet eens dat ze bij Gerard weg was.

Natalie had een miskraam gekregen en daarna een doodgeboren kind bij haar eerste man, omstreeks de tijd dat Hannah werd geboren. We hebben er nooit over gepraat. Daarom hebben we elkaar waarschijnlijk niet vaker gesproken – ze had mijn dochter ontmoet, gezien hoe we van elkaar genoten, zij had ook plezier in Hannah. Ik heb altijd geweten hoeveel pijn het haar moet hebben gedaan dat ze zelf geen kind had.

Ik geloof dat we elkaar in ons tweede jaar in Ohio State ontmoetten. In die dagen zei ik alleen het allernoodzakelijkste. Ik had met niemand ooit echt gepraat. Op een ochtend zaten Natalie en ik in de cafetaria aan hetzelfde tafeltje koffie te drinken. Er moeten ook andere meisjes zijn geweest, maar die herinner ik me niet. Mijn blik was op haar toast gevallen. *Je hebt boter onder je roomkaas,'* zei ik – alsof dat me uit een lange, diepe slaap had gewekt.

'Ja,' zei ze. Ze had vlammend rood haar, kortgeknipt, waardoor ze er zowel jongensachtig als vrouwelijk uitzag. Ze droeg toen een eenvoudige blauwe jurk die er op haar lange lichaam eerder formeel dan studentikoos uitzag. 'Mijn hele familie eet zo. Wil je een hapje?'

Voor mij was dat een hele conversatie. God – ik was in die jaren zo verlegen. 'Nu niet,' zei ik.

Later vertelde Natalie me dat ze haar lachen haast niet had kunnen inhouden. Ze vroeg mijn naam en vertelde me de hare. Ze vroeg welke colleges ik volgde, wat mijn hoofdvak was. Toen ik zei pedagogie antwoordde ze: 'Dat is de studierichting van een vrouw die van plan is voor zichzelf te zorgen.'

Ik giechelde, de eerste keer dat ik dat deed, later zou ik het met haar nog vaak doen. 'Ik heb geen plannen,' zei ik.

Het lijkt me nog steeds een wonder dat ik die dag zoveel praatte en dat we bevriend raakten. Natalie was zo extravert als het maar kon. En ik was zo verlegen als het maar kon. En toch waren we vrienden.

Toen ze me belde die week voor Hannahs bezoek, waren er vijf jaar verstreken sinds haar vorige telefoontje. Ze had nog steeds de mysterieuze macht om me aan het lachen te maken – in dit geval over haar tweede mislukte huwelijk, haar abrupte verhuizing naar het westen en haar uitnodiging om bij haar te komen. 'Je bent gek, Nat,' zei ik.

Maar toen ik de volgende morgen wakker werd besefte ik dat ik uit Cleveland weg kon gaan. Hannah was volkomen gelukkig in Ann Arbor en zou, zo dacht ik, nooit in Cleveland terugkomen om daar te gaan wonen. Moeder was over de vijfenzeventig, maar heel goed in staat om voor zichzelf te zorgen. Ze had geld genoeg om alle hulp te betalen die ze nodig had.

En ik kon Norm ook achterlaten. We waren bijna vijftien jaar getrouwd. Hij had me nooit aangespoord of gevraagd om te veranderen, anders te worden dan ik ben, zelfs niet in mijn omgang met Hannah. En geloof me, heel wat mensen deden dat wel, vooral toen ik haar de wereld liet intrekken, alleen, naar Zwitserland bijvoorbeeld. Maar Norm had haar geadopteerd zodat Allan niets meer met ons leven te maken had en hij hielp ook financieel met haar opvoeding. Hij had ons een normaal leven gegeven. En na Allan was dat heel belangrijk. Door Norms inkomen en mijn geld voor de lessen kon ik het geld dat ik van vader had gekregen voor Hannahs studie gebruiken. Norm en ik praatten over adoptie omdat hij zelf geen kinderen kon krijgen, maar die gesprekken liepen op niets uit.

Natalie had mijn gedachten in een stroomversnelling gebracht. Ik moest toegeven dat Norm niet de man van mijn dromen was; en nu Hannah volwassen was kon ik doen wat ik wilde. Ik hoefde niet bij Norm of moeder in Cleveland te blijven.

En bovendien had ik door vaders dood een substantiële erfenis gekregen.

Het was allemaal een beetje verwarrend.

Toen Hannah dit weekend kwam, net toen ik gesproken had met Natalie, voelde ik hoe ik automatisch verviel in het heerlijke ritme van voorpret over haar commentaar op de trui die ik aan het breien was (voor haar, natuurlijk); over haar verhalen van drop-outvriendinnen; over ons gesprek over een artikel van Alvin Ailey dat ik net gelezen had in het zondagsnummer van de *Times*. En over de vraag of ze wel kon rondkomen van haar geld.

Zij had zich eveneens op die gesprekken ingesteld. Maar ik wilde haar ook vertellen – *dat ik misschien een avontuur ging maken van mijn leven!*

Toen zei ze iets tegen Norm en begon te praten over die schrijflerares. Er knapte iets in me. *Ik werd wakker:* het werd tijd dat we allebei zagen dat ík een leven had. Ik had beslissingen genomen, moest ze nemen. Tot dat ogenblik waren we helemaal gericht geweest op háár, op dat geschrijf van haar, verdom-me, op die lerares waar ze zo gek op was. EN IK DAN?

Ik kon het plotseling niet meer verdragen om naar haar te kijken. Nadat ik haar bijna twintig jaar lang had overspoeld met grenzeloze liefde kon ik niet meer. Ik voelde me verzadigd. Helemaal zat van moederschap. Ik begon on-middellijk uit te rekenen hoeveel toeren van die trui ik zou moeten uithalen om hem pasklaar voor mijzelf te maken.

Ik had mijn hele leven aan haar gegeven en zij had het niet eens gemerkt. Ze kon me gewoon vergeten – zonder ook maar te weten dat ik een leven had!

Wat had ik in haar gezien dat ik zo geadoreerd had?

Toen ik mezelf die vraag stelde en dat was meer dan eens in de maanden en jaren die volgden, zag ik alleen maar hoe naïef ze was. Ze denkt dat ze kan leven zoals het haar zint, zonder een man of zelfs een kamergenoot en dat ze poëzie kan schrijven. Ze heeft geen idee van de werkelijkheid, van negen tot vijf, van goed en kwaad, van mannen en vrouwen, *van wat er voor nodig is om een moeder te zijn.*

Daar moet ik de verantwoording voor nemen. Ik heb haar altijd laten leven zoals zij wilde; maar dat weekend besloot ik dat zij het zou moeten doen zon-der mijn hulp.

Ik hielp haar dat jaar bij het invullen van haar aanslagbiljet, maar ik gaf haar geen cent. Hannah moest een lesje leren: geld is er niet altijd. Ha. Voor het geld dat zij dat eerste jaar toen ze niet thuis woonde uitgaf aan artisjokken en amandelboter zou ik een parttime job moeten nemen. Ik deed erg mijn best om er niet ongerust over te zijn.

Totdat ik ontslag nam had ze geen idee hoeveel vertrouwen er nodig is om het leven te leven dat ik haar had gegeven, hoeveel vertrouwen ik haar elke dag van haar leven gaf. Twintig jaar lang was ik geen supermarkt en geen mode-winkel binnengegaan, had ik geen krantenartikel gelezen zonder me af te vra-gen of dit iets was voor Hannah. Ze was die twintig jaar geen moment uit mijn gedachten – en zie! Ze liep de deur uit en gooide onze familienaam, Felber, weg.

Op dat moment wist ik dat ze van plan was de verhalen aan de weet te ko-men waarvoor ik bijna was gestorven om ze te vergeten. Ze zou ze opschrijven, publiceren als dat lukte. Haar bijna magische kracht om verhalen uit het niets te halen flitste voor mijn ogen; ik wist dat ze kon doen wat ze wilde.

En ik wist dat ze mij niet nodig had.

Tijdens Hannahs eerste bezoek aan Seattle reden Norm en ik haar rond door de stad met zijn nichtjes, Lynda en Darlene. Ze begonnen over puistjes, God mag weten waarom. Hánnahs puistjes. 'Kun je er geen pillen tegen nemen?' zei een van de meisjes, duidelijk in de war.

Hannah lachte en zei: 'Je bedoelt dat je denkt dat ik zonder puistjes mooi zou zijn.'

Ik zag dat Mount Rainier er spectaculair uitzag, er hing geen wolkje voor, dat is heel bijzonder en ik wees erop. O zeker. Dat was mijn reactie op het gesprek: ik wilde het veranderen. Later maakte ze daar een halsmisdaad van.

'O Hannah, je kunt geen zwart van wit onderscheiden,' zei ik. 'Natuurlijk had Darlene gelijk. Moet ik het ook zeggen? Je bent LELIJK! Je puisten zijn een aanfluiting!'

Dat is niet iets wat een moeder graag tegen haar dochter zegt. Maar ik kon niet anders. Ze had me ingesloten. Ze had erom gevraagd.

Als ik denk aan Hannahs stem voel ik me vaak genoeg bijna gedwongen om haar te bellen en te vragen: 'Heb je je formulieren voor de inkomstenbelasting al binnen? Heb je *The Year of Living Dangerously* al gezien? Heb je een mooie trui gevonden in Kaffe Fassetts nieuwe boek?'

Die vragen kan ik geen van alle stellen. Ze zijn dodelijk voor me. Ik zou de naam Hannah zelfs niet moeten horen. Want ik heb mijn leven voor dat kind gegeven. En nu moet ik haar, voor haar eigen bestwil, opgeven.

Misschien ben ik gek. Maar ik geloof het niet. Ik zie alles duidelijker dan ooit in mijn leven. Ik denk dat ik een borrel zal nemen om te klinken op dat inzicht. Als Natalie hier was zou ze mijn geluk zien en met me klinken. Zij zou me niets vragen.

En als Hannah of iemand anders denkt dat ik me gedraag als een krankzinnige dan kan me dat geen moer schelen. Ik zal er mijn gedrag niet om veranderen. Ik weet nu dat ik iets van mijn eigen leven moet maken. En anders zal ik ondergaan.

Misschien begon ik lelijk te worden in de tijd dat ik met Norm trouwde. Allan was van het toneel verdwenen – Norm had toen Hannah geadopteerd. Ik dacht dat ik voorgoed in Cleveland zou blijven. Ik had de levensstijl van de buitenwijken aangenomen, stabiliteit. Ik had problemen, natuurlijk; maar ik kon ermee leven.

Toen Hannah ging studeren begon mijn huid dof te worden, een beetje grauw – net als de lucht in Seattle als ik er goed over nadenk. Ik werd wat dikker. Ik had altijd zelf mijn haar geknipt; in die dagen zag je dat ook heel goed.

Die eerste vijf, zes jaar zonder haar ging ik door de hel. Maar nu heb ik een zekere innerlijke rust gevonden, dat kan ik rustig zeggen. Ik zie er niet uit in de ogen van velen, en het kan me geen moer schelen.

Een paar jaar geleden ruimde ik de kasten op; ik gooide de albums weg die Hannah had gemaakt na haar zomeravonturen en alle dagboeken die ze als kind had geschreven en bij mij had laten liggen. Als ze het wist zou ze zeker zeggen dat ik daartoe het recht niet had. Ik ben het daarmee eens, in moreel opzicht. Maar in die tijd was het echt nodig voor mij. Ik wilde haar restanten niet om me heen hebben.

Een paar weken na die dag – ik had er lang voor nodig om al die kasten na te kijken en uit te zoeken wat van haar was – sprak ik met een bridgespeler die werkt als boswachter. We hadden het over de grote branden die dat jaar het westen teisterden. Ik was er ondersteboven van, ik dacht aan de vernietiging van de natuur. 'Die branden hebben ook een positief effect,' legde hij me uit, 'Neem nou de pijnboom – als die oud wordt gaan de nerven openstaan en kruipen er insecten in die de boom doden. Maar als hij wordt vernietigd door brand, gaan door de intense hitte de pijnappels open – en daar zitten de zaden in. Voor veel planten is het de enige manier om te regenereren.'

En ik begon te beseffen dat al die gekte tussen ons daarover ging: regeneratie. Hoe langer ik erover denk, hoe logischer het lijkt.

Ik herinner me hoe ik met haar in mijn bed zat of aan de keukentafel, op de bank als Norm naar bed was. Onze gesprekken bevredigden me op een manier die met niets valt te vergelijken. Ik voelde me thuis in de wereld. Ik voelde me nuttig. We praatten over mensen. Over de gezinnen bij wie Hannah oppaste, over buren, haar vrienden, mensen met wie ik werkte op de boekhouding van Furniture Store, familieleden.

We dachten altijd hetzelfde. Toen de Ku Klux Klan door Skokie wilde marcheren, de joodse buitenwijk van Chicago, stonden we versteld van hun brutaliteit en van die van de American Civil Liberties Union die hen verdedigde. Een paar dagen nadat we er voor het eerst over hadden gepraat moesten we toegeven dat we van gedachten veranderd waren; dat de Klan het recht had om te marcheren. Net zoals ik het recht heb om niet met Hannah te praten, wat mijn zuster Rita ook denkt.

Ik heb gehoord dat in de *ketuba*, het joodse huwelijkscontract, de man toestemt om bij scheiding een bepaalde som te betalen. Dus op de dag dat je de huwelijksbelofte aflegt neem je ook ernstig in overweging dat het huwelijk weleens zou kunnen eindigen. Ik weet helemaal niet meer of Allan en ik een ketuba hebben getekend. Als we het wel gedaan hebben heb ik geen idee wat we ermee deden toen we gingen scheiden. Maar misschien bereidde de traditie me erop voor dat onze relatie weleens niet blijvend zou kunnen zijn.

Met Norm was er geen ketuba, dat weet ik zeker.

Enfin, wat ik wil zeggen is, dat er bij de geboorte van een kind niet zo'n nuchter document is – voor zover ik weet. Misschien zou dat er moeten zijn.

Toen Hannah geboren was verdween de lege plek die me zo'n pijn deed. Misschien kwam die pijn omdat ik een spirituele ervaring wenste, een goddelijke ervaring. Wie zal het zeggen. Wat ik weet, is dat Hannah die leegte vulde – tot het moment dat ze Norm vernederde, hem een huisvrouw noemde net zo terloops als vader Leonard een etiket opplakte.

Ik keek naar haar en zag de donkere wereld van mijn jeugd, Leonards jaren in Theresienstadt en zijn zelfmoord, geconfronteerd met het gezegende leven dat ik had gekend als moeder. Met dat woord, huisvrouw, kwam het leven dat ik verzegeld had plotseling vrij – met levendige dessins en kleuren zo fel en bont dat ik het naar mijn gevoel niet zou overleven. Ik moest ook onder ogen zien dat Hannah geen engel was.

Maar weer voelde ik mijn eigen verlangen – om te overleven. De eerste maal was natuurlijk na dat ongeluk in mijn jeugd. En ik vermoed dat ik het eventjes heb gevoeld toen ik besloot Allan te verlaten. En nu ik de passie van het leven had gevonden, werd al het vuil van mijn leven blootgelegd. Ik voelde me zwak. Ik wist maar al te goed dat een klein beetje duisternis een eindeloos ravijn kon openleggen en dat gebeurde ook. Deze laatste tien jaar heb ik mijn ellende laten wegsijpelen. Ik raakte ervan overtuigd dat Hannah werd behekst door de doden, werd bevleugeld door geesten uit de andere wereld, dat ze dit wénste. Toen ze haar achternaam veranderde in Fried, een naam die drie generaties voor haar in onze familie is uitgestorven, zag ik dat als een bevestiging.

Hannah kreeg haar verhalen, zonder hulp van mij. Ze hoorde hoe comfortabel ik leefde terwijl de wereld van onze voorouders werd vernietigd. En nu weet ze het waarschijnlijk ook van Leonard. God weet wie het haar verteld heeft. Ik vermoed dat ze weet dat ik van haar hou; en dat de enige manier om oud te worden voor mij was om mijn aandacht van haar af te wenden – de enige mens van wie ik ooit genoeg heb gehouden om voor in leven te willen blijven – en me op mijzelf te richten.

Wel. Ik heb die jaren nodig gehad, allemaal, om hier te komen op deze plaats waar goed en kwaad samen kunnen ronddraaien en me niet duizelig maken.

Ik hoorde eens een vrouw zeggen: 'Als je eenmaal moeder bent is zelfmoord geen keuze meer.' Ik vermoed dat die vrouw zou zeggen dat het niet mogelijk is om je kind af te stoten. Maar ik heb nooit het gevoel gehad dat ik Hannah afstootte. Nee, wat ik deed was kiezen voor mijzelf. Ik koos voor het vinden van een manier om van dit leven te houden zonder het moederschap als anker te gebruiken.

Vorige week bracht ik mijn auto naar de garage voor nieuwe remmen en om de olie te verversen. Het was een donderdag, Norms dag om vrijwilligerswerk te doen voor Habitat for Humanity. Angelo, onze mecanicien, bood aan me naar mijn bridgeclub te rijden. In zijn truck hoorde ik over de radio dat de Berlijnse Muur was gevallen. Angelo probeerde waarschijnlijk aansluiting te vinden bij dit nieuws – en bij mij – en vroeg over de holocaust. 'Hebt u ook familie verloren?'

'Ja,' zei ik. Ik dacht aan Masja, vaders zuster en haar dochter Ruchl, die een paar jaar voor mij was geboren. Ze maakte een boek met tekeningen over haar leven in Viski, over de jurk die haar moeder voor haar had gemaakt van het geld van mijn vader. Ik was opgetogen over Ruchls tekeningen. Ik bewaarde het boek bij mijn bed.

Toen de oorlog begon hoorden we natuurlijk niets meer van hen en toen ik thuiskwam na maanden in het ziekenhuis te hebben gelegen na mijn ongeluk was het boek van Ruchl weg. Ik heb nooit gevraagd wat ermee gebeurd is, of met hen.

Maar terug naar mijn mecanicien. 'Man, man,' zei hij, 'wat deden die mensen met God in die kampen? Zo'n God zou ik AFWIJZEN.'

Ik zag het woord als het ware in neonletters. Omdat mijn moeder me daar eens van beschuldigde, dat ik Hannah afwees, terwijl ik probeerde haar aan het verstand te brengen dat dat niet waar was. Er gaat geen dag voorbij dat ik niet aan haar denk.

Eens hoorde ik een rabbi zeggen: *leg je hart het zwijgen op als het dat wil begrijpen.* Misschien was dat wel het enige godsdienstige dat ik opgepakt heb van al die dagen dat ik met mijn grootmoeder op het balkon in haar sjoel zat. Ik heb het onthouden. *Leg je hart het zwijgen op als het dat wil begrijpen.*

Als ik geluk heb weet Hannah dat nu ook.

24

1989 ❦ 1990

Hannah

*L*ieve Hannah,

Je hebt volkomen gelijk en je brief maakt me gek. Ik bedoel, en wij dan?
Je zegt niets over ons – en over New Mexico.

Ik hou van je,
Jonathan

Het is midden februari, een zondag. Ik heb de was gedaan en *Ghost Dance* gelezen, een roman van Carole Maso over een schizofrene dichteres en haar dochter en ik heb Jonathans brief beantwoord. Annie en ik hebben een afspraak om zes uur om te gaan eten bij de s&l in Inman Square.

Lieve Jonathan,

Misschien neem ik wel erg vlug beslissingen en ik denk nog steeds dat ik nu in Boston moet blijven, maar jouw uitnodiging doet me beseffen dat ik weleens uit Boston weg zou kunnen gaan. En dat ik bij jou zou willen wonen – zelfs in New Mexico.
Dat beangstigt me, want alles wat ik kan inbrengen als ik met een ander ga samenwonen – met jou – is mijn kookkunst en tien jaar eenzaamheid.
Ik weet niet of dat me ervan moet weerhouden de stap te wagen, maar het maakt me nerveus. Ik negeerde ons niet in mijn brief. Ik was alleen maar bang.

Liefs,
Hannah

Ik kruip in de hoek van de bank en herinner me de verschrikkelijke krampen die ik kreeg tijdens mijn eerste menstruatie nadat Jonathan en ik geliefden waren geworden. Hij lag de hele dag bij me in bed en bracht me thee of wat ik maar wilde hebben – *en mijn krampen leken minder erg*. Ik herinner me de kick die het me gaf als ik de kromming van zijn neus streelde. Hij zei dat hij het fijn vond dat mijn pijn verminderde als ik boven op hem lag; hij voelde zich nuttig.

Ik kijk op de klok en zie dat het tijd is voor Annie.

Vlak voordat ik mijn flat uit ga en op haar deur klop ga ik even de badkamer in om mezelf te bekijken in de spiegel. De hele dag heb ik over de zwarte broek, die ik gewoonlijk aanheb als ik naar de dansimprovisatie ga, een groot, donkergroen T-shirt gedragen en mijn mooiste oorbellen. Het zijn krullerige zilveren hangers, in Israël gemaakt. Karen heeft ze me gegeven, vlak voordat we gingen studeren.

Ik sta voor de lange spiegel, achter mijn badkamerdeur. *Mijn linker oorbel is weg*. Ik leg mijn handen over mijn oren en voel de paniek in me groeien. Oké, denk ik, ik heb vandaag de was gedaan. Ik ga naar de kelder, naar de wasmachines en drogers, ik zoek de drie trappen af naar het zilveren voorwerp. In de wasruimte zoek ik, op de grond en in de machines.

Niets.

Ik loop langzaam naar boven, ik zoek nog beter, maar ik vind nog steeds niets. Mijn liefste herinnering aan Karen is de dag dat ze me die oorbellen gaf. We hadden een picknick bij het Shaker meer, bij onze school, twee dagen voor ik naar Ann Arbor ging. Haar gezicht straalde bijna moederlijk toen ze me het kleine doosje gaf en zei dat ik onze vriendschap altijd bij me kon hebben, telkens als ik naar die oorbellen keek.

Ik voel dat mijn gezicht versteent – zoals dat van Karen – als de oorbel niet opduikt in de plooien van mijn bank of in de schone kleren die ik heb weggelegd. Als Annie klopt om me te halen waarschuw ik haar: 'Ik heb een slechte bui. Het zijn maar dingen, dat weet ik. Maar ik heb ze van Káren gekregen! En ik vond ze zo móói.'

Annie ziet mijn ogen en knuffelt me. 'Je kunt misschien wel een halsketting maken van die ene oorbel die je nog hebt,' zegt ze.

'Nee!' jammer ik. 'Het zijn óórbellen.'

'Goed,' zegt ze, 'schrijf een briefje dat je er een verloren hebt en leg dat in de kelder met je telefoonnummer. We kunnen het op weg naar het restaurant neerleggen.'

'Maar ik heb overal gekeken.'

'Hannah – hoe noemt je tante Mollie je? Een "hanna pessl"? Een lastpost?'

Ik knik, schaapachtig.

'Ja,' zegt ze, 'ik begrijp waarom ze je zo noemt.'

24 februari, 1989
Fragment uit dagboek

Ik haat Annie Kingston. Alles in haar leven is fantastisch. Alles is goed. Waarom zou ik mijn verdriet met haar delen? Toen ik gisteren zei: 'Ik heb het moeilijk,' zei ze: 'Dat heeft iedereen weleens, van tijd tot tijd.' Daar word ik gek van! Ik vertrouw haar niet meer! Ik wou dat ze eerlijk zei dat ze genoeg heeft van mijn verdriet.

Twee maanden lang word ik nu al wakker met een pijnlijk hoofd, pis die brandt, vagina vuil-jeukerig: ik word boos wakker. Ik wil weer naar bed, ik wil slapen, hoewel ik niet moe ben. Ik weet niet WAT IK MOET DOEN met die remmingen. *Ram op je kussen*, denk ik. Maar dat doe ik niet. Ik ben te geremd om dat te doen.

Ik ga naar de keuken. Een paar dagen geleden heb ik een nieuwe batterij in de klok gedaan. Gisteren ontdekte ik dat die nieuwe batterij zeker extra sterk is, want na vierentwintig uur loopt de klok twintig minuten voor, ik heb het op mijn horloge gecontroleerd. Maar ik blijf erop kijken en verwacht dat hij me de juiste tijd meldt. Het is zo moeilijk om achter de waarheid te komen van een klok met een slechte batterij, geen wonder dat het me bijna tien jaar heeft gekost om het veranderde ritme van mijn moeder te accepteren.

Ik pak een Granny Smith-appel van mijn fruitschaal en eet hem op. Dan neem ik er nog een. Ik voel me opgeblazen, mijn lippen zijn nu stevig gesloten. Ze zeggen genóeg.

Wat wil ik? Ik wil een plaats waar ik thuishoor. Ik wil meer tijd om gedichten te schrijven. Nadat ik jarenlang heb gevoeld dat het Centrum de plaats is waar ik me het meest thuisvoel in de wereld, waar ik me geaccepteerd voel, waar ik het fijn vind om te horen wat de mensen te vertellen hebben – voel ik me daar nu niet op mijn gemak. Eileen O'Toole werpt me nog steeds boze blikken toe; Sherry Johnson is al twee maanden niet komen opdagen. Nancy zegt dat de subsidiekraan weleens dichtgedraaid zou kunnen worden en dan sluit het Centrum binnen een jaar. En oma zegt dat ze 'moe is'. Aan haar stem te horen probeert ze me te vertellen dat ze niet eeuwig zal leven.

Vorige week stuurde Jonathan me een collage die hij had gemaakt van roestige blikken die hij gevonden had in de *arroyo* achter zijn huis. Hij heeft ze in oud hout geslagen en een soort afbeelding gemaakt van een coyote die zwerft aan de voet van een vulkaan, met een volle maan aan de hemel. Hij sloot een citaat in van Georgia O'Keefe dat hij van een buurman had gehoord: 'Ik ben verschrikkelijk bang geweest, elk moment van mijn leven – en het heeft me er nooit van weerhouden iets te doen waar ik zin in had.'

Ik vind die collage mooi. Ik vind het citaat van Georgia O'Keefe mooi. *Betekent dat dat ik met hem wil samenwonen? Betekent dat dat ik in New Mexico wil wonen?*

DROOM

In de bibliotheek lees ik een boek over mijn moeder toen ze jong was. Ze woonde met Marilyn Monroe in mijn grootvaders bed. In het jaar dat ik werd geboren veranderden de dingen. Boeken en bedden werden stukken hout. Alles verbrandde. Marilyn en mijn moeder waren geen vriendinnen meer. Als ik uit de bibliotheek kom zie ik Marilyn. Ze is dronken of gek, misschien wel allebei. Ze ziet me niet. Wanneer ik in mijn straat kom, zie ik dat mijn buurt in brand staat. Andere mensen zijn bij me. Ik vertrouw ze niet erg, maar ik ga met ze naar de brand. Ik weet dat dit de richting is die me in veiligheid zal brengen. Ik kijk langs de vlammen en zie een mooi jong meisje dat een prachtige dans danst. Haar choreograaf moedigt haar aan.

Het is midden maart, het begin van de lente. In Cleveland is de lucht grauw. Van het vliegveld rijd ik met de Rapid Transit naar Ida's flat in een buitenwijk. De andere passagiers gaan langzaam naar hun plaats. Iedereen die binnenkomt maakt oogcontact met mij en zegt vaak 'goededag' tegen de chauffeur. Vorig jaar leek de rit wel een lange tocht langs vuilnishopen; nu zijn de oevers waar we langsrijden schoon, er groeit zelfs gras. Was aan de lijn verbindt de buurten in de binnenstad.

Ik laat mijn arm op mijn tas rusten, mijn dagboek zit erin, een klein doosje kleurpotloden, mijn fototoestel en twee pondszakken *granola* van Bread & Circus. In die voor Ida zitten gedroogde bosbessen, die voor Mollie is vetvrij.

Aan het eindpunt sleep ik mijn tas trappen op en af om de trolleybus te halen. Ik maak die reis nu zeker driemaal per jaar. Als we bij de laatste halte komen, van Aken, zie ik Ida's tien jaar oude blauwe Nova op het parkeerterrein staan, haar kroon van wit haar steekt boven het stuur uit. Als ik de rails oversteek en naar haar toe loop, verwisselt ze van plaats, ze volgt me met haar ogen alsof ze de veiligheid van mijn oversteek wil garanderen.

'Hallo,' zeg ik, blij dat ik haar zie. Ik open het achterportier voor mijn tas, dan het voorportier om achter het stuur te gaan zitten.

'Hallo,' zegt ze zakelijk. Ida Zeitlin is geen sentimentele vrouw.

'Ik moet de stoel naar voren trekken,' zeg ik en ik voeg de daad bij het woord.

'Goed,' zegt ze.

'Een, twee, drie!' We trekken hem zo ver mogelijk naar voren.

'Ik heb geen ruimte voor mijn benen, Hannah!'

'Ja, oma, ik heb kortere benen dan jij. En als ik moet rijden moet ik bij de pedalen kunnen.'

Ze snuift en zucht.

Ik pak het stuur, zet de versnelling in zijn achteruit, zie dat de meter nog steeds twintigduizend kilometer aanwijst. Ze komt haar huis nauwelijks meer uit. Als we telefoneren *hou ik van die vrouw*. Maar als ik naast haar zit wordt mijn stijfkoppigheid erger, verdomme. Ik tel de dagen af; nog vierenhalve dag te gaan.

'We zijn niet erg goed begonnen,' zegt Ida.

'Nee, maar het is niet gezegd dat dat zo moet blijven.'

'Dat zal wel,' zegt ze. Ze vouwt haar handen over haar tas en zegt dat ik de verwarming hoger moet zetten.

Mijn grootmoeders tong zou van diamant gemaakt kunnen zijn. Ze kan me beter ontleden dan een mes. In de namiddag kom ik van de tandarts terug met armen vol verse groente. 'Nú, zo?' zegt ze, voor ik de deur achter me dicht heb getrokken. 'Hoeveel kost dat?'

'Alsjeblieft, Ida, geef me een ogenblikje de tijd.'

Ik trek mijn jas uit, hang hem in de kast en vind een plaatsje voor het ijs in de vriezer terwijl zij weer naar haar kruiswoordpuzzel gaat. Ze wil best wachten als ze weet dat ze mijn aandacht krijgt. Ik loop de huiskamer in en ga in een van de oorfauteuils zitten. 'Ik heb negentien dollar en vierenzestig cent uitgegeven voor de boodschappen en de tandartsrekening was honderdvijf dollar.'

Oma klakt met haar tong tegen haar verhemelte. 'Weet je wel hoeveel het me kost als jij hier op bezoek komt? Met het vliegticket mee minstens vierhonderd dollar! Elke keer!'

'En ik ben elke cent waard, nietwaar oma?'

'Dat weet ik nog zo net niet.' Haar woorden klinken oud en zuur. Ze steken.

'Ik ga een dutje doen,' zeg ik en ik kijk haar indringend aan, hopend dat zij zich ook een beetje gekwetst voelt.

Ik slaap ongeveer twee uur diep. Als ik wakker word, hoor ik het gekraak van oma's bed dat naast het mijne staat. Zij heeft ook geslapen.

Ik haal mijn regenjas van de rand van het bed. 'Hoe gaat het met je mond?' vraagt oma.

'Bijna weer normaal.'

'Mooi,' zegt ze.

'En jij?'

'Ach, ik doe graag een middagdutje.'

'Hoe laat is het?'

'Tegen vijven. Ik ga de tafel dekken. Ik heb gefilte fis.'

'Wauw,' zeg ik. 'Een van mijn lievelingskostjes.'

'Dat weet ik,' zegt ze, 'daarom heb ik het gemaakt.'

Ik sta op en maak mijn gezicht nat in de badkamer in de hal, die die week van mij is. Boven het tweezitsbankje zie ik het portret van Leah Zeitlin met de haviksogen en ik denk hoe vreedzaam ze is in de duisternis die haar omringt.

'Ik begrijp niet waarom je nog steeds zo slecht bij kas bent, Hannah. Je geeft al zes jaar les. Je zou toch in staat moeten zijn om je eigen doktersrekeningen te betalen. Je zou een eigen huis moeten hebben.' Het is laat in de middag, mijn derde dag bij oma en we zitten in haar huiskamer te kijken naar de zon die ondergaat boven het kerkhof aan de overkant van de straat.

Ik zucht. 'Daar hebben we het al eerder over gehad, oma. Leraren worden sowieso niet behoorlijk betaald en omdat ik geen vaste aanstelling heb moet ik mijn eigen ziekteverzekering betalen. En als een dichter meer dan honderd dollar per jaar verdient aan zijn poëzie krijgt de belasting argwaan.'

'Waarom heb je dan geen vaste aanstelling? Sonia Finkel heeft een kleinzoon die lesgeeft in natuurkunde op een middelbare school en hij is zelfs verzekerd voor de tandarts.'

'Nou, mazzel tov voor Sonia Finkels kleinzoon. Hij geeft waarschijnlijk elke dag les aan honderdtwintig kinderen. Als ik zo veel leerlingen had zou ik er geeneen kennen. En dan zou ik veel te uitgeput zijn om de *Wilde Vrouwen Verhalen* of iets dergelijks te publiceren en om mijn eigen gedichten te schrijven.'

'Dat weet ik niet, Hannah. Andere leraren helpen hun leerlingen met jaarboeken en zoal meer.'

'Dat weet ik,' zeg ik. 'En ik begrijp niet hoe ze dat doen. Ik begrijp het echt niet.'

'Allemachtig, je kunt toch wel iets vinden wat behoorlijk betaalt en je niet zo uitput?'

'Zal ik je eens wat vertellen, oma?' zeg ik en ik sta op omdat de geur van haar gebraden kip me vertelt dat het tijd wordt om de bloemkool te stomen.

Ida vouwt haar handen en keert zich naar me toe op de bank. 'Wat dan?'

'Van nu af aan kost het je een dollar elke keer als je iets negatiefs zegt over mijn werk of mijn financiën.'

'Mij best,' zegt ze kortaf. 'Ik kan het betalen.'

Totdat ik in de keuken ben, buiten haar gezichtsveld, houd ik mijn lachen in. Ik verdeel de bloemkool in roosjes, en leg ze in de stoompan. Ik haal de kip uit de oven, breek een stukje bij de poot af om te proeven. Ik schud mijn hoofd. Wat heeft ze met dat beest gedáán? Ik heb gezien wat ze deed. Ze heeft de kip gewassen, in een vuurvaste schaal gelegd, er zout en knoflookpoeder op gedaan. En het is de lekkerste kip die ik ooit heb gegeten.

'Jouw geld inspireert me, Ida Zeitlin,' roep ik tegen haar. 'Ik gebruik al je maïs uit de vriezer en de peterselie. Morgen kopen we wel nieuwe.'

'Allemáál? Heb je een heel pak maïs nodig?'

'Ja,' zeg ik, 'het hele pak.'

Het is ochtend. Ik word wakker en zie Ida's profiel, haar fijngetekende gezicht, haar borsten door haar witte nachthemd. De bril met de dikke glazen ligt op het nachtkastje. Onder de oude, lichtgele lakens en grijsgroene wollen dekens zijn haar lange benen gevouwen als die van een lam. Aan de voet die eronder uitsteekt zitten nagels zo dik als hout.

Ik slaap in opa's bed, een meter verder, de warmte van het beddengoed vormt een beschermende halo. Ik zie de gladde huid van mijn grootmoeder en haar witte haar dat krult in de nek. *Wat heeft haar zo zacht gehouden in het huis dat opa bouwde? Als Moe wakker werd in dit bed, elke dag, zag hij dan haar zachte rondingen en wilde hij die aanraken?*

Als de zon opkomt pakt oma haar bril en haar oude ochtendjas en loopt naar de keuken. Ze begint de ochtend met een pannenspons en de pan die ik gister-avond heb laten aanbranden en vannacht in de week heb gezet.

Ik loop achter haar aan. Uit een hoge kast haal ik een kristallen schaal. Ze draait zich om en kijkt naar me; ze zegt niets tot ik van de stoel ben gestapt en fruit in de schaal leg.

'Wat ben je aan het doen?' vraagt ze.

'Laten we onze tafel dekken alsof we koninginnen zijn.'

Ze tuit haar lippen, schudt haar hoofd alsof ze het weer in evenwicht wil brengen en zet kracht om de laatste brandvlek uit de pan te verwijderen. Als de pan eindelijk weer glanzend, vlekkeloos uit haar schuimbad verrijst zegt ze: 'Als je die schaal voor fruit wilt gebruiken dan moet je ook het goede zilver te voorschijn halen en de schalen van mijn mooie servies.'

Ik glimlach – een kleine, aarzelende glimlach.

'Weet je dat Loehmann hier nu ook een filiaal heeft?' zegt ze. 'In Euclid, geloof ik.'

'O?' Na haar klachten over het geld voor de boodschappen en de tandarts wil ik niet te geïnteresseerd lijken in de uitspattingen die ze voorstelt.

Later laten we de ontbijtborden in de gootsteen staan en gaan naar de tv-kamer. Ik herlees een roman die ik haar twee maanden geleden gestuurd heb, Louise Erdrichs *Love Medicine*; Ida zit gewoon stil, soms met haar ogen dicht. Ze kijkt alleen naar het nieuws 's avonds als ik er ben, verder gaat de tv niet aan.

'Wel,' zegt ze, 'ik dacht dat we vanmiddag weleens uit konden gaan. Misschien zelfs eten bij Sand. Ik heb zin in een sandwich met cornedbeef.'

'Dat lijkt me leuk,' zeg ik en ik probeer niet al te blij te kijken bij het vooruitzicht om kleren te gaan kopen.

'Maar voor we dat doen moet ik even langs bij dokter Stadler, want ik krijg een injectie met b-12. Eens in de maand. Duurt minder dan vijf minuten.'

'Dat is uitstekend,' zeg ik en ik sla mijn boek dicht en leg het op de grond zodat we kunnen praten.

We duiken onder in de rust. We horen het gezoem van de koelkast, het gedempte gedender van het verkeer.

'Moeder heeft een nieuwe baan,' zegt ze en ze bedoelt Celia. Oma weet dat ik niet langer dan een paar minuten in de paar jaar met mama praat; nieuws uit Seattle krijg ik via haar.

'O?' zeg ik.

'Ze past op een baby. Darlene is weer gaan werken en ze heeft Celia gevraagd of zij op haar zoon wil passen.'

'*Ze past op een kind?*'

Oma knikt, een van die heel korte knikjes, waarmee ze laat weten dat zij het ook vreemd vindt. 'Ze zegt dat ze het heerlijk vindt. Vijf dagen per week, de hele dag, terwijl de ouders werken.'

'Ze heeft me eens verteld dat dat is wat ze het liefste doet, voor een baby zorgen. Omdat ze dan kan communiceren zonder te praten.'

'Dat zal wel,' zegt oma, haar wenkbrauwen vol twijfel. 'Weet je, ik mis haar nog altijd,' zegt oma. 'Ik wou dat ze nooit uit Cleveland was weggegaan. Tot de dag van vandaag begrijp ik niet waarom ze moest verhuizen naar de andere kant van het land – naar Seáttle.' Oma kneedt haar kaak met de duim en de wijsvinger van haar rechterhand; met haar linkerhand steunt ze haar rechter elleboog. Door het zitten op die bank met haar zijn mijn gewrichten ook krakerig en stijf geworden. Ik strek mijn benen voor me uit en mijn armen – met de palm omhoog – naar het plafond.

'Ik weet waarom mama is verhuisd,' zeg ik.

'Waarom?' vraagt oma – alsof dat woord een biefstuk is die ze op mijn bord laat vallen.

'Ze moest bij mij weg. Dat schreef ze me, met haar nieuwe adres toen ze verhuisden.'

Oma laat weer even een stilte vallen. 'Celia is niet helemaal goed, hè?'

'O, oma,' zeg ik. 'Het is gemakkelijk om dat te zeggen. Het helpt me ook een beetje als ik tegen mezelf zeg dat ze gestoord is als ik redenen probeer te bedenken waarom ze niet met me wil praten. Maar sommige dingen die ze doet zijn zo normáál. Daar word ik gek van – ik heb altijd het sterke gevoel dat er logica zit achter haar krankzinnigheid.'

'Mmm,' zegt Ida. 'Ik geloof dat ik dat ook zo voelde toen ze opgroeide. In die tijd vond ik het logisch dat ze niet praatte, vanwege opa. Hij regeerde het huis met zijn gekke gedoe, welk verstandig mens zou dan willen praten?' Oma zet haar benen uit elkaar en kruist ze dan weer met een ander been boven. Een stormvlaag slaat tegen het gebouw. De gordijnen ritselen een beetje en als ze weer stil hangen lijkt de kamer zachter.

'Ach,' zegt ze, 'wat heeft het ook voor zin? Ik geloof overigens niet dat ik zo'n goede moeder voor haar ben geweest.'

Een tijdlang wegen we haar laatste woorden. Ten slotte vraag ik: 'Kun je me meer vertellen over de relatie tussen mama en Allan?'

Oma zit daar met gekruiste benen op de bank en kijkt me aan alsof ze inschat of ik bepaalde dingen wel mag horen. 'Een van de laatste keren dat ik jullie bezocht voor de scheiding,' zegt ze en ze wendt haar blik af om ons allebei wat privacy te gunnen, 'hoorde ik die zogenaamde vader van jou en je moeder. Hij dwong haar. Ik hoorde het door de muren heen.'

Ze zet me een vol bord voor om op te eten en te verteren. 'Was ik toen een jaar of drie?' vraag ik. Ik wil precies weten wat de ingrediënten zijn, ik weet dat ik mijn gevoelens uitstel.

'Ja, zoiets.'

'Wat heb je nog meer gehoord?' vraag ik.

'O, ik weet het niet, Hannah,' zegt oma en ze staat op om zich aan te kleden. 'Allemaal ouwe koeien.'

'En nog iets,' roept ze uit de slaapkamer. 'Ik heb je genoeg over Celia verteld. Het wordt tijd dat jij míj iets gaat vertellen. Over Jonathan bijvoorbeeld.'

'Ik zou niet weten wat ik vertellen moet,' zeg ik en ik volg haar naar de douche. 'Hij is in New Mexico. Hij loopt door droge rivierbeddingen en maakt collages. We schrijven en telefoneren elkaar.'

'Dan moet hij wel verschríkkelijk veel van je houden.'

Ik trek mijn wenkbrauwen op en bijt op mijn lip. 'Ja,' zeg ik. 'Ik geloof het wel, ja.'

Ik leg een schoon washandje op het hoge plastic krukje in oma's douchecel, leg een schone handdoek op de wasbak en help haar om de juiste temperatuur van het water te regelen. Na haar douche roept ze: 'Hannah, ik ben klaar!' Ik droog haar rug en nek, haar armen en voeten en help haar dan in haar witte frotté badjas.

'Zal ik je masseren?' vraag ik, als ze op het punt staat zich aan te kleden.

'Ik ben nog nooit gemasseerd,' zegt oma.

'Dat hindert niet,' zeg ik, 'ik praat je er wel doorheen.'

Ze gaat op haar bed liggen als een kat die geaaid wil worden. 'Mis je opa?' vraag ik, terwijl ik haar armen langs haar zijden leg.

'Nee,' zegt ze uitdagend. 'Ik denk haast nooit aan hem.'

'Je bent wel veranderd sinds hij dood is.' Ik leg mijn handen voorzichtig midden op haar rug.

'O? Hoe dan?'

'Wel, je geniet meer van dingen – zoals van bijvoorbeeld cornedbeef. En je klaagt er wel over dat je zo veel geld uitgeeft maar ik heb toch het gevoel dat je het wel leuk vindt.'

'Misschien,' zegt ze.

'Opa is deze zomer negen jaar dood,' zeg ik.

'Ja,' zegt ze, op een toon van *nou én?*

'Oké,' zeg ik en ik wrijf zachtjes handlotion in haar rug. 'Verzacht je tong. Verzacht je hoofd.'

Ik ben verbaasd hoe zacht haar huid is – misschien verwachtte ik dat hij eeltig zou zijn, korstig zoals haar woorden soms zijn. Maar alleen de zolen van haar voeten zijn droog en ruw.

'Mmm,' zegt oma. Haar ademhaling is diep en zwaar.

'Voel het verband tussen het boveneind van je ruggengraat en het onder-eind,' zeg ik.

Als ik dat zeg kijkt oma me aan of ik gek ben. Als onze blikken elkaar ont-moeten krijgt ze de slappe lach. 'Wei is mir!' roept ze. 'Dat zou Moe moeten zien! En Mollie.'

Ik krijg ook de slappe lach en beland op haar bed, achter haar, met mijn armen om haar heerlijke zachtheid heen. Ons gelach rijst uit ons op als de zeepbellen van een kind dat bellen blaast.

We staan bij de kassa bij Loehmann en de caissière telt de prijs op van twee truien, twee broeken en een sjaal. 'Tweeënnegentig dollar en drieënveertig cent,' zegt de vrouw.

Ida heeft haar chequeboek uit haar tas gehaald en ze begint te schrijven.

Maar dan houdt ze op. 'Dat klopt niet,' zegt ze en ze kijkt de vrouw recht aan.

De caissière, een vrouw van tegen de vijftig, ziet er betrouwbaar uit. 'Ik zal het nog eens natellen,' zegt ze beleefd.

Oma zegt: 'Het kan niet meer dan negentig dollar zijn.'

Ik blijf bij de kassa hangen, zenuwachtig en gegeneerd, ik hou mijn blik gericht op de kleren die netjes zijn verpakt in doorzichtig papier.

Dan kijkt de caissière op van haar kasregister met een verschrikte glimlach. 'U hebt gelijk,' zegt ze. 'Zevenentachtig eenenzeventig.'

'Ja,' zegt oma. Ze schrijft zakelijk de cheque uit en zegt dan dat ze naar het toilet gaat, ik moet maar op het pakje wachten.

'Ze is achtentachtig!' zeg ik tegen de caissière. Als we naar de auto lopen druk ik een kus op oma's wang.

'Waarom is dat?' vraagt ze.

'Omdat je zo fantastisch bent!'

'Wel,' zegt ze, 'ik hoop dat je gauw kleren voor jezelf kunt kopen.'

Ik leg mijn hoofd scheef alsof ik haar ervan beschuldig dat ze dit ogenblik bederft.

'Is dat een commentaar?' vraagt ze.

'Ja,' zeg ik, terwijl ik het contactsleuteltje omdraai. 'Ik geloof van wel.'

Als ik op een dag vroeg in januari uit het Wilde Vrouwen Centrum kom, vraagt Josie me of ik de verhalen ga overtypen die iedereen die dag heeft geschreven. Ik heb ze gevraagd om iemand te beschrijven die zich thuis voelt in deze wereld – of niet. Ik wil vanavond liever aan mijn gedichten werken dan die verhalen overtikken. 'Mm,' zeg ik tegen Josie en ik voel me schuldig en eerlijk, 'ik heb vergeten om te vragen of ze dat wel goed vinden.'

'Te goed om weg te gooien,' zegt ze en dat is de eerste maal dat ze van enige betrokkenheid blijk geeft sinds ze vorige herfst in mijn klas kwam. Eileen O'Toole komt net naar buiten terwijl Josie me probeert over te halen om de verhalen over te typen; haar hoofd is gebogen alsof ze iets verbergt en vlug weg wil.

Zodra ik thuis ben leg ik de verhalen van mijn leerlingen op de tafel.

MIJN DOCHTER
door Eileen O'Toole

Mijn dochter voelt zich niet thuis in de wereld. Ze voelt zich niet thuis met mij. Vroeger puzzelden we samen en lachten we soms. Maar als ik nu in haar slaapkamer kom gaat ze naar de huiskamer om tv te kijken. Als ik in de huiskamer ben gaat ze naar haar slaapka-

mer. Ik weet niet of ze vriendinnen heeft, ze neemt ze nooit mee naar huis.

Ze heet Kathleen en ze is tien jaar. Ik denk dat ze steelt uit de drogisterij naast ons, want ik zie haar soms chocoladerepen eten die ik niet heb gekocht.

Mijn man zegt dat ik me niet ongerust moet maken maar dat doe ik wel.

Ik maak me er vooral ongerust over dat ze mij niet vertrouwt. Ongeveer een jaar geleden had ik het moeilijk en toen heb ik haar naar mijn moeder gestuurd. Ik denk dat mijn moeder alcoholiste is. Soms kan ze niet ophouden met drinken. Zou daar iets zijn gebeurd? Ik weet alleen dat toen Kathy thuiskwam ze zich niet thuis voelde bij mij.

Ik had mijn dochter niet naar mijn moeder moeten sturen. Want ik weet dat mijn moeder drinkt en ik weet dat ze geen jong kind om zich heen moet hebben als ze dronken is.

Ik had Kathy naar een vriendin moeten sturen.

Ik verander de namen in de verhalen en typ ze over, ik ben dankbaar dat ik Eileen en ook de andere vrouwen ken. *Op het Wilde Vrouwen Centrum voel ik me thuis in de wereld.* De volgende morgen maak ik een fotokopie van de verhalen die ik heb overgetypt; en als de les begint geef ik alle vrouwen hun verhaal terug met commentaar. Aan Eileen heb ik geschreven:

Lieve Eileen,

Je verhaal heeft me ontroerd, omdat ik me al lang niet meer thuis heb gevoeld met mijn moeder.

Het lijkt mij dat Kathleen echt lijdt onder iets. Ik denk dat dat een van de moeilijkste dingen is voor een moeder – zien dat je kind lijdt. Vooral als je niet weet wat je eraan moet doen.

Mij helpt het om me thuis te voelen in de wereld als iemand genoeg om me geeft om op me te passen en me te bewaren in zijn of haar hart. En ik heb het gevoel dat je dat doet met Kathleen.

Ik weet dat er een zomercursus is voor kinderen van de leeftijd van je dochter en als je wilt kun je het nummer van me krijgen. Ik kan je ook een lijst geven van adviseurs die werken met gezinnen waarvan de moeder les krijgt op het Centrum.

Ik vind je een dappere schrijfster en een dappere moeder,

Hannah

Op het ogenblik dat ik de verhalen hardop wil gaan lezen legt Lucia Langley een briefje op mijn schoot. Gewoonlijk zit ze een paar stoelen verderop in onze cirkel, naast haar vriendin Masline. Vaak steken ze de hoofden bij elkaar en knikken als ze weer rechtop zitten, ze zijn het kennelijk met elkaar eens. Telkens denk ik dat ze weer iets aan te merken hebben op mijn lessen – hoewel de een of de ander soms commentaar geeft op een verhaal als ze samen beraadslaagd hebben. Vandaag zit Lucia naast me. 'Ga je dood aan diabitis?' staat er op het briefje. 'Gisteren heb mijn man gehoort dat hij het had.'

Lieve help, denk ik, *ze vertrouwt me.*

'Mensen met diabetes krijgen een bijzonder dieet,' schrijf ik. 'En soms krijgen ze injecties om hun bloed op peil te houden. Dan kunnen ze gewoonlijk heel normaal leven.'

Masline leest hardop een verhaal over een vrouw wier zuster zich niet thuis voelt in deze wereld. Hun moeder stierf toen de schrijfster vijftien was en haar zuster zes. Het is het verhaal van Josie. 'Ik heb mijn best voor haar gedaan,' schrijft Josie. 'Ik hield haar bij me tot ze achttien was, drie jaar geleden. Ik heb leuke kleren voor haar gemaakt. Ik vroeg haar elke dag hoe het op school was geweest en hoe het met haar vriendinnen ging. Maar toch voelt ze zich niet thuis in deze wereld. Ze ligt de hele tijd in bed en ik zweer dat ze het eten dat ze eet moet stelen, want voor zover ik kan zien verdient ze geen cent. Ik kan aan de pijn in mijn hart voelen dat ik OP DEZE WERELD BEN.'

Als ik opkijk, kijken Josie's donkere ogen me vol verwachting aan. Ze haalt een papieren zakdoekje uit haar tas en knikt me toe, langzaam, alsof ze aangeeft dat ze in *deze klas* zit en dat ze daar blij om is.

25

1991

UIT DE ANDERE WERELD

Channa

1880 ❧ 1956

Toen ik in de overgang kwam, was ik zo sterk als een paard. De opvliegers gingen door me heen als bliksemflitsen van God. Ze begonnen omstreeks de tijd dat Celia werd geboren – Evelyn, mijn jongste, was oud genoeg om te koken zonder mijn hulp. Dat was maar goed ook. Want toen wilde ik op veel dagen alleen maar zitten en uitrusten. Ik werkte bij de oven of de gootsteen en plotseling voelde ik de spanning in me opstijgen. Ik hield dan even op en begon te wankelen. Heen en weer ging ik, onvast als in een droom of als op de boot die me uit het oude land naar hier bracht. Mijn borsten en mijn buik werden zwaar, dan weer licht.

Moe, mijn rijke schoonzoon, kocht een wasmachine voor me. Dus hoefde ik niet langer te schrobben in de kelder en dat hielp. Maar ik verloor ook de plaats waar ik altijd zong. Toen ging ik me afvragen of die spanning niet alleen van de overgang kwam, of ik duizelig en geschokt was vanwege de mensen die nog in het oude land woonden. Ik wist dat er voor hen ook iets veranderde. Ik wist dat zij onder spanning stonden. Het was het begin van de ellende, natuurlijk.

Mijn kinderen waren toen zo ongeveer het huis uit. Zij hadden hun eigen gezinnen. Daardoor en door de wasmachine die ik van Moe had gekregen had ik niet veel te doen. En toen werd Celia geboren. Zij bracht een nieuw soort werk met zich mee.

Het werk dat mijn kinderen meebrachten hield in dat ik mijn buik uitzette en ze eruit perste; daarna hield ik ze in mijn armen als ze ziek waren, waste hun kleren, kookte. Het was het werk van de spieren. Met Celia hoefde ik mijn spieren niet te gebruiken, ik moest ze inhouden. Ik probeerde niet te gespannen te zijn. Want ik snakte ernaar om Celia vast te houden, maar net als Vitl wilde ze niet in mijn armen komen. Hoewel ze naast me stond.

Dat deed me verdriet. Mijn armen deden pijn, soms meer dan na een dag kleren schrobben. Hoe ouder Celia werd, hoe meer pijn ze me deed. Ik leefde ermee.

Toen Meyer stierf was dat natuurlijk een grote verandering. Het was vreemd om alleen te slapen – net als koken zonder te denken aan wat hij lekker vond; en te leven met alleen de zachte aanraking van kinderen, niet met de omarming van een man. Toen hij stierf dacht ik dat we misschien zouden praten, zoals ik met Vitl deed. Maar na een tijdje wist ik niet meer of de stem waarmee ik praatte van hem was of van Vitl.

Hannah, mijn naamgenoot, *mei taskele*, ik weet dat jij weet dat ik een oogje op je heb gehouden – terwijl je groeide in de buik van je moeder, terwijl je opgroeide in haar huis. Ik zag dat je de wereld wilde kennen en liefhebben buiten dat wat Celia wist. Ik zag hoe je moeder je zoveel ze kon daarvoor de ruimte gaf; ik zag dat jij meer wilde. Meer dan waar zij ruimte voor kon maken. Ik zag dat je je hart wilde gebruiken. Wat natuurlijk betekent dat het vaak opengebroken moet worden.

Soms leer je je hart kennen door het niet te gebruiken. Jij, jij werd geboren met het verlangen om het te gebruiken – en je kwam van een vrouw die haar leven lang had geprobeerd dat niet te doen. Denk goed over je moeder; ze was bang dat jij, net als zij, het gevoel van een gebroken hart zou leren kennen. Ze hield van je, Hannah, maar ze kon niet verdragen te voelen wat zij allemaal voelde, ze kon niet verdragen jou pijn te zien lijden, jouw grote ogen op haar gericht te zien als ze zich gebroken voelde.

En wat krijg je ervan als je houdt van mensen die proberen door sommige gevoelens heen te slapen – zoals ze heen willen slapen door de geschiedenis? *Dat je weet, zoals God tegen Mozes zei bij het brandende braambos, dat de plaats waarop je staat heilige grond is.*

Toen je eenmaal in Celia's buik zat veranderde ze. Voor jij kwam wilde ze niets in haar armen nemen als ze niet wist dat ze het weg kon doen. En ze liet natuurlijk ook niet toe dat iemand haar aanraakte. Ze leefde in zichzelf. In een klein, donker hoekje van haar ruggengraat, dacht ik weleens. Moe, je grootvader, gaf haar altijd mooie kleren, hij liet haar studeren, ze kreeg een auto. Moe zorgde voor die dingen. En Celia zorgde ervoor dat ze vrij bleef van het verlangen of de begeerte naar iets.

Dat was voor ze gek werd op Allan, je vader – op die jongen, die Leonard, ook, heb ik altijd gedacht. Het was een chemische reactie als ze bij die jongens was. Het was goed tussen haar en Allan; ik dacht altijd dat ze elkaar troost gaven. Hij was zo'n bange jongen. Voor hij ging studeren zag hij de foto's in de kranten van de naakte lichamen uit de kampen, hoog opgetast als vuilnis. Zijn ouders waren net op tijd uit het oude land gekomen. Zijn moeder was zwanger van hem op de boot naar Amerika. Allan wist dat zijn ouders op die foto's hadden kunnen staan. *Dat hij op die foto's had kunnen staan.* Maar nee, het waren zijn tantes en ooms en nichten en neven.

Ach. Wat zag hij en wat zag hij niet. Wat hij niet zag was de honger in die nazi-jongens – ver achter hun ogen, ogen die leeg waren geworden. Ze wilden een geordend leven. Maar ze raakten in de war. Ze kenden de waarheid over zichzelf niet meer.

Wel, zoals veel mannen die ik ken begon je vader het gevoel te krijgen dat er geen God voor de joden was. Hij was ook een romanticus, hij snakte ernaar om van de wereld een plaats van liefde te maken waar het altijd ruikt naar taart die net uit de oven komt. In jouw wereld is natuurlijk al veel liefde; al ruikt het niet altijd naar taart.

Hij was bang voor meisjes, Allan. En hij was ook gevoelig. Als hij een meisje zag wilde hij haar troosten. Hij zag in haar ogen zo'n groot verlangen om omhelsd te worden. Hij had dezelfde ogen in zijn spiegel, natuurlijk, maar hij zag alleen de grijze haren die begonnen te komen en de schaamte dat hij nog nooit echt van een meisje had gehouden. Hij wist niet hoe hij vrienden moest maken.

Wel, hij maakte van zichzelf een sociaal werker – niet om te leren hoe hij vrienden moest maken maar om de mensen de troost te geven die hijzelf niet kon vinden.

En toen ontmoette hij Celia. Celia, ons meisje, zo hongerig naar liefde dat ze zichzelf had wijsgemaakt dat ze die niet nodig had. Totdat ze Allan ontmoette was Celia nog nooit met een man geweest, maar het kostte haar niet veel tijd om op zijn schoot te belanden. 'Ben je nog maagd?' vroeg ze Allan, toen ze een paar keer uit waren geweest.

Allan hield haar in zijn armen, op bed. Zijn hoofd lag op haar schouder. Ze wreef met haar zachte vingers over de harde spieren van zijn arm. Vanuit de andere wereld zag ik ze in die oceaan van verkwikking, diep. Je denkt dat je nooit meer uit die oceaan komt. Maar natuurlijk kom je algauw in woelig water terecht en dan kun je je de liefde niet meer herinneren.

'Nee,' zei hij. 'Maar het is waarschijnlijk niet wat je denkt. Wil je het weten?'

'Ja,' zei ze, heel duidelijk. Ze nam zijn gezicht in haar handen en keek hem in de ogen.

Dus vertelde hij haar over een dag in The Village. 'Ik had net een broodje salami gekocht,' zei hij. 'Er lag weer een eenzame avond voor me, met mijn boeken. Er kwam een meisje naar me toe, ze kan niet ouder dan zestien zijn geweest. Ze leek zo eenzaam en lief. "Wilt u een prettige avond hebben, meneer?" vroeg het meisje. "Ik kan u een prettige avond bezorgen."'

'O ja?' zei Allan en hij vroeg het meisje hoe ze heette. Het overkwam hem gewoon, dat hij met haar praatte. Misschien was het in het begin een spelletje. Ze heette Alice. Ze nam je vader mee naar een kamer ongeveer een blok van Washington Square. Goed, dacht hij, dit meisje is tien jaar jonger dan ik en ze weet meer over de bloemetjes en de bijtjes dan ik. Hij voelde zich daardoor gegeneerd. Maar hij keek haar aan en zag de droefenis in haar ogen.

Toen ze in de huurkamer kwamen, vroeg hij haar of ze een massage wilde. Ze keek hem aan of hij gek was, maar toen haalde ze haar schouders op en zei: 'Oké.' Ik denk dat ze de massage prettig vond. Later vroeg Allan haar of ze toekomstdromen had, afgezien van het werken op straat. Wel, ze stortte haar hart bij hem uit. Vertelde Allan haar hele levensgeschiedenis. En toen kleedde ze hem uit en nam hem in zich op. Hij had het gevoel dat hij haar echt iets had gegeven, niet alleen met geld, maar door naar haar te luisteren. Hij voelde dat hij van haar hield.

Celia drukte Allan dicht tegen zich aan toen hij klaar was met zijn verhaal. Hij kon het nauwelijks geloven. 'Wil je toch bij me blijven?' vroeg hij.

'Ja,' zei ze, net zo duidelijk als toen ze had gezegd dat ze zijn verhaal wilde horen.

'Waarom zou je houden van een man die zijn maagdelijkheid heeft verloren aan een prostituee?' vroeg hij.

'Het is zo mooi,' zei ze, 'jouw honger. Je hebt een prachtige, monsterlijke honger – om de hele wereld te troosten.'

Ach. Wij hierboven worden nerveus van zulke liefdeswoordjes. Want ja, ze maken een soort Grand Canyon in het lichaam, ze graven een diep gat – en je weet nooit hoe dat gevuld wordt.

Hij maakte ontbijt voor haar – pannenkoeken met bosbessen of roereieren met gerookte zalm op roggebrood. Ik zag eens hoe hij een foto van haar maakte met krulspelden in haar haar. Hij zei: 'Zelfs zo zie je er verrukkelijk uit.'

Dus toen zagen we dat Celia kon giechelen. En ze raakte hem aan. Ze sloeg echt haar armen om hem heen, kwam achter hem staan en legde haar handen op zijn borst.

Het was lief, ja. Maar het was allemaal fondant, weet je, niet iets wat een huwelijk in stand houdt. Celia wilde nu een kind van Allan. Dus ze had hem nodig. Maar hij wilde eerst zijn studie afmaken – ik denk omdat hij een gezin wilde stichten met zijn geld, niet met dat van Moe. Dus hadden ze verschillende verlangens. Hun seks werd vreemd. Ze wilde alleen maar met hem halverwege haar cyclus. Allan klaagde daar zo over, dat ze een tijdlang helemaal niet meer wilde dat hij haar aanraakte, zelfs niet voor een kind. Ik keek naar ze en hoopte dat ze een manier zouden vinden om over die dingen te praten. Op zijn college psychologie vertelden ze hem dat het abnormaal was om zulke problemen te hebben. Nu ja, noem het abnormaal; maar elk huwelijk kent zijn moeilijke tijden in bed.

Wel, op een nacht was Celia bedroefd, ze wist niet waarom. Ze liet toe dat Allan haar vasthield. En van die nacht van troost kreeg ze haar zwangere buik.

Dat was een kick voor haar, dat ze een kind kreeg. Ze werd nog mooier. Ieders oog viel op haar – als je 's avonds naar de hemel kijkt valt je oog het eerst op bepaalde sterren. Zij fónkelde. Misschien zegt Celia dat jij fonkelde en dat ze het van jou overnam, die glans. Soms als ze voor haar toilettafel zat met de grote spiegel kon zelfs zij zien dat ze eruitzag als een prinses. Dus had ze Allan niet meer nodig om haar te vertellen dat ze mooi was – ze zag het zelf.

Maar sommige dagen voelde ze zich treife, lelijk. Ze kreeg een ontsteking aan haar geslachtsdelen, het jeukte verschrikkelijk, dus overdag was ze moe en 's nachts kon ze niet slapen. Nu had ze nog een reden om Allan ver van haar bed te houden. Het kon Celia niet schelen. Het maakte haar gelukkig om te dromen over jouw toekomst. Ze wist dat je een meisje was en in haar fantasie maakte ze een prinses van je, die zou weten hoe ze moest zeggen wat ze wilde. Voor Allan was het hard om niet bij zijn vrouw te zijn in bed. Hij is een van die mannen die zich pas echt goed voelen als ze in een vrouw zijn.

Toen kreeg Celia die nachtmerries over kinderen die probeerden te zwemmen en die zij niet kon helpen, want ze kon zelf niet zwemmen. Sjeine meidl, ze had geen compassie met een moeder die haar kind niet kon helpen. Vooral als zij die moeder was.

In de laatste maand werd jij erg actief. En ook groot. Celia kon zich nauwelijks bewegen. Ze was zo ongerust. Ze begon te beseffen wat ze voor jou zou moeten doen. Voor je zorgen. En ze dacht dat ze dat niet kon. Omdat haar hele leven Ida en Moe voor haar gezorgd hadden; en zij had zich in zichzelf opgesloten. Ze hield van je voor je werd geboren, maar ze was er niet zeker van of ze zich wel voor iemand wilde openstellen.

Celia had niet iemand om mee te praten die echt luisterde, zoals mijn Vitl altijd luisterde. Celia praatte niet veel toen ik nog leefde; nu ik dood ben praat ze bijna helemaal niet. Tegen kinderen die ze verzorgt praat ze soms over haar eigen hart – voordat ze Engels verstaan.

Op een dag in haar laatste maand met jou was Celia erg ongerust en ze had zo'n pijn in haar botten, in haar nek, dat ze zich nauwelijks kon bewegen. Ze klom naar zolder met het idee dat trappen klimmen een goede oefening was, dat het haar misschien zou helpen. Maar toen ze bij het kleine raampje kwam en daar vlakbij ging zitten begon ze te denken over springen.

We observeerden haar, weet je, we bleven dichtbij – Vitl en ik; Moes moeder, Leah. Leonard kwam ook. Het is een goeie jongen, Leonard. Hij hield echt van haar. En we pasten natuurlijk op jou.

Je bewoog langzaam in haar, je had het ritme van water op het strand als het zacht beweegt. Je wiegde jezelf. Ze probeerde je af te sluiten, de hele wereld af te sluiten zodat ze kon springen, maar jij bleef wiegen.

Ze was van plan om natuurlijk te bevallen; ze deed van die ademoefeningen, Allan ook. Ik vond het mesjokke – leren om te ademen en een ziekenhuis om een kind te krijgen waar ze zenuwachtig worden als je gaat schreeuwen, waar ze machines hebben en injecties die een vrouw helemaal niet helpen, zij heeft alleen behoefte aan een vriendelijk oor dicht in de buurt en iemand die haar vertelt dat alles goed is en dat ze het allemaal goed doet – nu zachtjes en nu persen.

Toen ze naar het ziekenhuis ging had ze al een paar uur weeën. De maan was bijna vol. Ze keek naar Allan, om hulp. 'Die dokter boft maar, hij krijgt jou te zien zoals ik je het mooist vindt,' zei hij.

Die man was zo in de war en zo bang. Hij dacht echt dat hij de kracht niet had om de bevalling van zijn vrouw mee te maken zonder dat hij iets anders kon doen dan haar in de ogen kijken. Celia werd panisch. Ik denk omdat een deel van haar was gaan geloven dat ze altijd samen zouden zijn, dat ze nooit meer alleen zou zijn. En toen haar water brak, zag ze hoe iedere ziel alleen leeft met zijn eigen gevoel. Zeker, je observeert elkaar vaak; maar iedereen kijkt en denkt op zijn eigen manier.

Allan werd ook panisch. Hij hoefde alleen maar naast Celia te zitten, haar lief aan te kijken. Maar dat leek hem zinloos. Celia werd echt bang. Als ze een opening voor je had gemaakt om doorheen te komen, dan sloot ze hem nu weer. Leah heeft een boel gotspe, ze plótste zichzelf rechtstreeks tot Celia. 'Je moet weten wat je wilt, Celia,' zei Leah. 'Wil je sterven, wil je bij ons zijn? Of wil je op aarde leven?'

Het klinkt soms hard wat Leah zegt. Ze houdt van snelle beslissingen. Soms vind ik dat goed. Maar nu dacht ik: Celia heeft een vriendelijke stem nodig.

'Wat je ook kiest,' zei ik, 'het kind zal met je meegaan.'

We keken naar haar. We misten geen enkele beweging. Ze sloot zich af in zichzelf, het leek alsof ze een zekere vrede had gevonden. 'Het kind wil leven,' fluisterde ze.

Leah zuchtte. De gordijnen in de kamer bewogen. De dokter werd er zenuwachtig van, van dat gordijn dat zomaar bewoog. Hij keek niet eens of Celia weer openging. Hij gaf haar de injectie om haar gevoel weg te nemen en haar in slaap te brengen. Allan begon zich te gedragen als een kip zonder kop. Natuurlijk nam de verpleegster hem mee naar een kamer waar de andere vaders waren. En toen Celia wakker werd uit haar weeën en hem zag, drong er een heldere gedachte door in haar wazige brein: zodra ze het zou kunnen redden zonder Allan zou ze bij hem weggaan.

Voor jou moest ze een keuze maken: je buitensluiten, je buiten haarzelf houden; of haar hart openen, je binnenlaten. Je weet het, Hannah, ze liet je binnen. Ze liet je binnen en er waren geen muren.

Maar toen ging ze die natuurlijk optrekken. Ach. Dat te moeten aanzien. Het was niet gemakkelijk, van hieruit. Onze troost kwam voort uit de wetenschap dat je, als je die muren die je moeder optrok overleefde en als je alles op je bord kon nemen en het kon overzien en als je andere mensen kon liefhebben – dan, dan zou, ondanks de velen die onze familie de laatste honderd jaar verloren had en ondanks alle tranen die we hebben ingehouden, wel, dan zou er misschien iets van ons verder leven.

Ze deed haar best, Hannah, dat weet je.

Ik weet dat je me hoort, Hannah. Ik weet dat je weet dat we allemaal een oogje op je houden.

En nog iets. Ik mag die Jonathan Lev wel.

26

Hannah

Als ik thuiskom van dansen knipoogt mijn antwoordapparaat als een vriend die hallo zegt. 'Met oma,' zegt Ida's stem. 'Bel me, ook al is het laat.'

'Hallo,' zeg ik, als ik heb gebeld nog voor ik mijn jas heb uitgetrokken. 'Wat is er?'

Het is mei, twee maanden na mijn laatste bezoek aan Cleveland. We praten nu bijna elke avond, na het eten. Ze vraagt me vaak naar Jonathan. Ik denk dat ze zich ongerust maakt over hem. Ik heb haar vanavond niet gebeld omdat ik laat was voor het dansen.

'Wel,' zegt ze, met een rustige, beheerste stem, 'mijn maagpijn blijkt kanker te zijn.'

'O oma,' zeg ik en ik ga langzaam zitten in mijn oude fauteuil. 'Ik wou dat ik bij je was.' We zwijgen.

Dan vertelt ze langzaam dat haar dokter wil dat ze naar het ziekenhuis gaat voor onderzoek, misschien een operatie. 'Om je de waarheid te zeggen weet ik niet of ik wel een operatie wil.'

'Dat begrijp ik,' zeg ik, heen en weer geslingerd tussen de wens om haar te steunen en haar niet te verliezen. 'Wat wil de dokter onderzoeken?'

'Ach,' zegt ze, vol walging. 'Die dokters willen me onderzoeken tot ik een ons weeg.'

'Los kochen bis of sjabbes,' zeg ik, haar moeders woorden, nu een van mijn lievelingsspreuken, hoewel ik niet veel aan sjabbes doe: 'Laat het koken tot sjabbes.'

'Ik heb het laten koken!' zegt ze. 'Ik heb het de hele dag laten koken. Ik weet wat er aan de hand is en ik heb geen onderzoeken nodig om dat te bevestigen!'

Tranen stromen langs een glimlach die ik niet kan onderdrukken. 'O oma,' huil ik, 'ik hou van je.'

Ze is er als de kippen bij. 'Wanneer kom je?'

'Het weekend van Memorial Day, dacht ik zo,' zeg ik. 'Over een week of drie. Wat denk je daarvan?'

'Nou ja.'

'Wil je dat ik eerder kom?'

'Ik wil iemand bij me hebben,' zegt ze. 'En niet iemand die ik betaal. Celia heeft gezegd dat ze een week zou komen en daarna komt Rita een week.'

'Dan kom ik na Rita,' zeg ik. Ik weet dat het Wilde Vrouwen Centrum best een week zonder me kan.

'Mooi,' zegt oma. 'Ik hoopte dat je dat zou zeggen.'

'Ik wil dat je me kust, oma,' zeg ik. 'Ik zal de dagen tellen tot ik er ben.'

'Ik hoop dat ik het haal,' zegt ze. Haar stem klinkt timide.

Ik wil zeggen: *waar heb je het over?* Maar in plaats daarvan zeg ik: 'Laten we dit doen zoals we alles altijd doen – dag na dag.'

'Oké,' zegt ze. 'En vergeet niet me morgenavond te bellen.'

Ik hang de telefoon op, kruip in mijn bed met mijn jas nog aan en snik.

Als ik twee weken later in Cleveland aankom ligt oma al vijf dagen in het ziekenhuis. Toen ze de diagnose hoorde hield ze op met eten en werd ze te zwak om alleen te zijn. Rita is nog in de stad en mijn moeder zal later op de dag terugkomen. Ze logeren in oma's flat; ik ben bij Mollie.

Van het vliegveld neem ik The Rapid Transit naar Shaker Square, dan een taxi naar het ziekenhuis. Het is vlak na de lunch. Een verpleegster brengt me naar haar kamer. 'Ik geloof dat ze slaapt,' zegt ze. 'Haar dochter is net weggegaan.' *Tante Rita*, denk ik. Ik zet mijn tas naast een leunstoel van groen vinyl, en loop langzaam naar het bed. Ik ben blij dat we met zijn tweeën zijn.

'Pak wat lotion,' zegt oma met gesloten ogen. 'Ik wil een massage.'

'Hoe weet je dat ik het ben?' zeg ik lachend. Als ze geen antwoord geeft ga ik naar de afdeling van de verpleegsters.

Als ik terug ben in haar kamer doe ik de deur dicht, ga op de rand van haar bed zitten en doe wat lotion op mijn vingertoppen. Voorzichtig wrijf ik die in haar wangen. Haar huid is droog, kleine schilfers vallen op mijn vingers als van de korst van een pastei. Gemengd met de lotion vormen ze een soort pasta. Na haar wangen streel ik haar oren. Dan pak ik mijn grootmoeders rechterhand en wrijf langs de binnenkant van de vingers.

'Harder,' zegt Ida. 'Laat het bloed stromen.'

Haar lichaam voelt broos en licht, als een vogel.

'Rol me op mijn zij,' zegt ze. 'Doe mijn rug.' Haar stem klinkt een beetje wazig, maar haar gedachten zijn helder en duidelijk.

Ik til het dekbed op, duw een drain opzij en rol haar zo om tot ze met haar gezicht naar het raam ligt. Ik maak de strik aan de hals van haar nachthemd los. Ida's rug is krom, het begint bij haar schouders. *Hoeveel heeft deze rug gedragen? Hoe lang is hij al krom? Wat heb ik nog meer niet opgemerkt?*

Ik pak de lotion van het nachtkastje. 'Dat voelt wel even koud aan,' zeg ik.

Oma mompelt: 'Mmm.'

Ik streel haar ruggengraat, dwarrel rond naar het eind van haar rug tot mijn handen en haar rug niet koud meer zijn. Ik voel de fragiele warmte die haar lichaam uitstraalt en ik ga bij haar liggen. Ik leg mijn linkerarm tussen mijn borsten en Ida's rug; ik leg mijn rechterarm over de hare. Mijn ogen worden vochtig. Ik laat ze dichtvallen. Ik leg mijn hand op haar hoofd, ik voel haar oude, witte haar.

Zo liggen we misschien een halfuur. Dan glijd ik uit oma's bed, rol haar weer op haar rug, trek een gele stoel bij het bed en druk mijn knieën tegen het metalen frame. Ik pak mijn dagboek, leg het in mijn schoot en zie hoe mijn grootmoeder ademt.

Een man in een donkerblauw pak komt de kamer binnen met een doos met knoppen. Het is een grote man. Ida moet hem hebben horen binnenkomen – ze doet haar ogen open. 'Nee,' zegt ze, nog voor hij zijn mond heeft opengedaan. 'Geen tv.'

De man kijkt verbaasd. 'Ik heb kabel,' zegt hij.

Ik draai mijn hoofd om en kijk de man aan. 'Zij is de baas in deze kamer,' zeg ik. 'Geen tv.'

De man kijkt even alsof hij niet weet wat hij moet doen, maar dan richt hij zijn doos op de televisie. Die maakt een geluidje, en de man gaat weg. Ida's lichaam komt een eindje omhoog onder het beddengoed, valt sierlijk neer en komt weer omhoog.

Om halfzeven ben ik bij tante Mollie. Ze is nog steeds een elegante, sierlijke vrouw; maar nu, op haar vijfentachtigste, zijn haar bewegingen langzaam. Een jaar geleden is ze gevallen en heeft ze haar heup gebroken. Ze loopt met een kruk en gaat nog maar zelden de deur uit, het is haar te veel moeite om haar haar te verven. De dag dat Ida werd opgenomen heeft een buurman haar naar het ziekenhuis gebracht. 'We hebben elkaar gekust,' zei oma. 'En dat betekent nogal wat voor ons.' Mollie en oma zijn de enigen van onze clan die nog altijd in Cleveland wonen. Bessie en hun neven, Abie en Sol, zijn jaren geleden gestorven; Evelyn en Jeremy zijn naar andere steden verhuisd om dicht bij hun kinderen te wonen.

Als ik Mollie vraag of ik haar moet helpen met het eten zegt ze: 'Zet je boeltje maar in mama's kamer,' – de logeerkamer die ze nog steeds met haar moeder associeert. 'En zorg dat je hem netjes houdt.' Dan knipoogt ze. 'Als je je goed gedraagt, mag je afwassen.'

We gaan zitten en eten koude kip met appelmoes, gestoomde broccoli en challe van Lax en Mandel – dezelfde maaltijd die Mollie voor me klaarmaakte als ik vijfentwintig jaar geleden bij haar kwam logeren. 'Ik maak alleen de appelmoes niet meer zelf,' zegt ze, voor het geval ik het verschil niet proef tussen die van Mott en haar eigengemaakte variëteit. 'Ik heb het geduld niet meer om de appels te schillen.'

We eten zwijgend. Mollie doopt elk stukje kip zonder vel in de appelmoes. 'Ik zal het je maar vertellen,' zegt ze, 'omdat je grootmoeder dat kennelijk niet heeft gedaan. De dag dat ik bij haar op bezoek kwam in het ziekenhuis hadden we het over jou. Ze zei: "We mogen van geluk spreken dat we Hannah hebben."'

'Écht?' zeg ik.

Ze kijkt me lachend aan. 'Echt,' zegt ze en ze veegt haar lippen af met haar servet zodat ik haar glimlach kan zien.

Nadat we hebben afgewassen bel ik naar oma's flat. Tante Rita neemt op. 'Hallo,' zeg ik. 'Met Hannah.'

'Wat kan ik voor je doen?' zegt ze kortaf.

'Moeilijke dag?'

'Ja,' zegt Rita.

'Hoe gaat het met je?' vraag ik.

'Goed. Weet je dat oma weigert om behandeld te worden en ook bijna al haar eten laat staan nadat ze de diagnose heeft gehoord?'

Ik sluit mijn ogen, verwerk het nieuws dat oma voor het eerst twee weken geleden suggereerde. 'Ja,' zeg ik. 'Is Celia er al?'

'Ja,' zegt ze. 'Celia! Telefoon!'

'Hallo,' zegt een indolente stem.

'Hallo mama. Met Hannah.'

'Wat wil je?'

'Ik ben van plan om morgen om een uur of elf naar oma te gaan. Ben jij daar dan ook? Ik bedoel, kun je daar zijn?'

'Dat hoef ik niet te horen,' zegt ze.

'Maar mama, we hoeven niet te praten en zo. We kunnen gewoon samen zijn.'

'Ik doe dit niet op jouw manier, Hannah!'

'Nou dag dan,' zeg ik vlug en ik hang op voor zij het kan doen.

'Ik haat haar!' Ik spuw de woorden eruit. Ik ijsbeer door Mollies huiskamer, grommend en andere rare geluiden makend.

'Wat is er gebeurd?' vraagt Mollie.

'Mama zegt dat ze niet hoeft te weten dat ik morgen in oma's kamer ben.'

'O,' zegt Mollie. 'Dat doet zeker pijn.'

'Ja,' zeg ik. 'Ik ben zo kwaad dat ik de rest van de avond wel kan blijven ijsberen.'

'Je maakt me gek als je dat doet,' zegt ze. 'Waarom ga je je badkuip niet liever schoon schrobben.'

'Goed,' zeg ik en ik onderdruk een opkomend gegrom want ik wil niet dat het overgaat in gegiechel. 'Dat is een fantastisch idee.'

's Morgens word ik wakker op Mollies bedbank, ik voel me stijf en suf. Mijn oogleden hebben droge, rode strepen. Ik zoek in de Gouden Gids naar een chiropodist.

'Een chiropodist?' zegt Mollie. 'Welk meisje gaat er nu naar een chiropodist?'

'Mollie,' zeg ik, 'zo zorg ik voor mezelf. We kunnen er maar beter niet over praten.'

'Dat zal wel,' zegt ze. 'En je drinkt 's morgens ook geen koffie, hè?'

Ik schud van nee. 'Ik ga zo naar de keuken. Ik maak mijn eigen ontbijt.'

De chiropodist neemt mijn hoofd voorzichtig in zijn handen, masseert mijn nek, draait dan mijn hoofd vlug om. In mijn nek hoor ik ploffende geluiden. Hij vormt mijn torso tot een spiraal, kraakt mijn rug. Als ik opsta van zijn tafel voel ik me duizelig.

'Ga even zitten,' zegt hij.

'Ja,' zeg ik. Ik voel me alsof ik een emmer met water bij mijn hart draag.

'Gaat het?' vraagt hij.

'Het is mijn hart maar,' zeg ik en ik wou dat ik er een grapje over kon maken. Maar ik begin zo hard te huilen dat ik weer als een hoopje ellende op zijn tafel beland, terwijl de tranen me over de wangen stromen.

'Ik moet je de groeten doen van Mollie,' zeg ik terwijl ik Ida een kus geef op haar voorhoofd.

Oma knikt zwakjes.

'Ze wilde komen maar ze durft niet naar buiten – het is vandaag glad door de regen.'

'Zeg maar tegen haar dat het goed is,' zegt oma vriendelijk. 'Ze is een goede zuster.'

Ik trek mijn jas uit en trek een stoel bij. 'Wil je vandaag gemasseerd worden?'

'Nee,' zegt oma, 'kom maar hier zitten, op de rand van mijn bed.' Ik ga zo gemakkelijk mogelijk zitten. 'Je moeder en Rita zijn hier geweest.'

'O?'

'Ze zijn niet lang gebleven. Ik hoopte eigenlijk dat jullie hier samen zouden zijn.'

Ik knik. 'Ik heb gisteravond met mama gepraat,' zeg ik, terwijl de tranen langs mijn wangen biggelen. 'Ze wil me niet zien, oma.'

Oma knikt, sluit haar ogen.

'Het doet pijn,' fluister ik.

'Los legn,' zegt Ida. Haar ogen zijn dicht.

'Los legn?'

'Laat het liggen. Leg je hart het zwijgen op als het probeert het te begrijpen. En ga verder.' Ik verstrengel de vingers van mijn rechterhand met de hare. 'Je kunt toch een goed leven hebben,' zegt oma. De woorden komen eruit op het langzame, gestage ritme van haar ademhaling.

Die woorden blijven de hele middag om ons heen hangen, alsof ze deel van de lucht zijn geworden. Ik zit op de rand van haar bed, mijn hand op de hare, ik kijk naar haar zachte gezicht. Ik zie hoe haar ademhaling langzamer en langzamer wordt. Als een zuster de kamer binnenkomt met een blad met eten wuif ik haar weg. De middagzon schijnt in strepen de kamer binnen.

'Ga,' zegt oma.

'Moet ik gaan?' vraag ik, ik wil dat ze weet dat ik minstens tot na het eten blijf.

Ze zegt niets.

'O,' zeg ik en de tranen bevochtigen nu niet alleen mijn ogen maar ook mijn wangen en mijn lippen. 'Jij gaat.'

Rita en mama zitten samen in de rouwkamer te mompelen. 'Hij was onmogelijk,' zegt Rita.

'Ze had bij hem weg moeten gaan,' zegt mama.

Ik vraag me af of ze weten dat iedereen hen hoort. Ik zie alleen de achterkant van mama's hoofd, haar haar is korter en grijzer dan toen ik haar voor het laatst zag, op oma's verjaardag. Het is nog steeds onhandelbaar. Soms, als ze zich omdraait naar tante Rita, zie ik haar profiel. Haar gezicht heeft een paar zwarte moedervlekken, het lijkt me een teken aan de wand: zou ik me niet ongerust moeten maken over haar gezondheid? Ze is nu ook mollig. Niet zo mollig als tante Rita, maar ze heeft haar slankheid verloren, in de vouwen van een grijze tentjurk. Maar het is de norse trek op haar gezicht die me afschrikt: ze laat niemand binnen.

Oom Lester en Norm zitten naast tante Rita en mama; tante Mollie rechts van oom Lester. Ik zit achter hen met Jay en Neil en hun vrouwen. Drie vriendinnen van oma zijn gekomen, twee met een stok, een met een looprekje.

'Ze was een toegewijde echtgenote en moeder,' zegt de rabbi. Het is een jonge rabbi die mijn grootouders nooit heeft gekend. Ik ben verontwaardigd dat oma er zo bekaaid afkomt in zijn grafrede. Ik zou graag naar voren willen komen en vertellen wat ze voor míj betekende. Ze was niet bang om de waarheid te zeggen of die te horen. Haar hoofd en haar hart waren één. Ze had een prachtige huid. Ze kookte magisch. Ze wist wat wisselwerking was. Ze leerde autorijden toen ze in de zeventig was. Ze hield van Celia en ze hield ook van mij.

'O, Ida was trots op je,' zegt Sophie Greenberg als we de rouwkamer verlaten en naar het parkeerterrein gaan. 'We hebben alles gehoord over je werk met die vrouwen, hoe je ze hielp om hun verhalen te schrijven.'

'Dank je wel,' zeg ik, 'ik hield van haar.' Oma's vriendinnen komen met glanzende ogen op me af, ze geven me respijt van de spanning die ik voel tussen mama en mij als we naar het parkeerterrein lopen. Mama stapt in de auto die haar naar het kerkhof zal brengen en sluit het portier. Achter het raam keert ze haar gezicht naar me toe en zegt hallo zonder geluid.

'Ze zegt hallo,' zeg ik tegen Mollie, bijna barstend van vreugde over mama's kleine gebaar. 'Is dat niet fantastisch?'

'Als je thuis bent,' zegt Mollie, wanneer we in de limousine zitten die de wagen van mama en Rita volgt naar het kerkhof, 'moet je me een lijst sturen met de dingen die je wilt hebben van Ida. En wees niet te bescheiden. Zet er alles op wat je hebben wilt. Ik zal die lijst aan Rita geven.'

27

1991

Hannah

Een paar dagen nadat ik in Cambridge ben teruggekomen kom ik op weg naar Bread & Circus in Harvard Street Reb en Miriam Shuman tegen. 'Ga je naar de winkel?' vraagt Reb.

Ik knik. Ik vraag me af of ze zien hoe bedroefd ik ben.

'Wij gaan naar de sjoel,' zegt Miriam. 'Als je die wilt zien zou dit misschien het goede ogenblik zijn.'

'Oké,' zeg ik. 'Goed.'

Zodra ik er binnenkom doen de eenvoud en warmte me denken aan de synagoge die ik vijftien jaar geleden in Zwitserland bezocht. De muren zijn gebroken wit, de banken van mahoniehout, voor de ark met de thora hangt een bruin fluwelen gordijn met de tien geboden in gouddraad erin geborduurd. Mijn droefenis heeft hier een plaats. We staan daar even, we kijken naar het zachte licht dat door de glas-in-loodramen valt. Ik wed dat Jonathan dit mooi zal vinden. Miriam vertelt dat in hun sjoel mannen en vrouwen apart kunnen zitten, volgens de orthodoxe traditie, maar ook samen, op de moderne manier. Ze wijst me een stoel midden in de zaal, tussen haar en haar man.

'Gaat het niet goed met je?' vraagt Reb Shuman.

Ik knik, ik bijt op mijn lip. 'Maar hier is het mooi.'

'Erg vredig,' zegt Miriam.

'Mijn grootmoeder is gestorven,' fluister ik, 'en mijn moeder –'

Ik kan de zin niet afmaken. Ik weet niet hoe ik haar beschrijven moet – of mijzelf, of de wijze waarop wij tegenover elkaar staan, of wat het betekent dat oma dood is.

'El na refa na la,' zegt Reb Shuman, alsof hij alles begrijpt van mijn onafgemaakte zin. Ik weet dat het Hebreeuws is wat hij zegt en zelfs al begrijp ik de woorden niet, ze troosten me toch.

Miriam knikt. 'Weet je wat dat betekent?' zegt ze.

Ik schud mijn hoofd.

'*God alstublieft maak haar gezond alstublieft,*' zegt Reb Shuman. 'Mozes vroeg het voor zijn zuster Miriam toen ze melaats was.'

'Kunt u het nog eens zeggen?' vraag ik.

'El na refa na la,' zeggen ze eenstemmig.

Dan geeft Miriam me een klopje op mijn knie. '*Ana el na refa na la-nu. Geest, maak ons gezond, geest, alstublieft,*' zegt ze.

Ik begin te snikken. 'Ja,' zegt Reb Shuman, 'dat is het gebed dat je moet zeggen.'

Ik herinner me de zomers, de tijd die ik meestal niet thuis was, het gazon dat mijn moeder elke dag wiedde. Ze plantte bloemen in de borders toen we er gingen wonen – witte madeliefjes en vlijtige liesjes. In september drukte ze de verdroogde zaadbollen kapot tussen haar duim en wijsvinger, daardoor kwam het zaad vrij en werd de oogst van de volgende zomer verzekerd. Na een paar jaar vielen onze bloemen in de borders op tussen de keurige gazons van Shaker Heights; in juli was onze tuin een bloemenzee. Zo denk ik aan Celia; wild, maar binnen de grenzen.

Het is nu weer bijna zomer, 1991. Op mijn keukentafel leg ik een roodgebloemd kleed dat oma me vorig jaar heeft gegeven. Ik werk aan een nieuw nummer van *Wilde Vrouwen Verhalen* – mijn laatste, heb ik tegen Nancy gezegd. Die verhalen hebben me door de jaren heen moed gegeven en lesgeven heeft me geleerd dat de aandacht die ik mijn leerlingen geef de aandacht is die ik eens van mama kreeg. Ik voel me nu klaar voor ander werk – ik zou willen schrijven voor een krant of weekblad; en ik zou graag een tuin willen hebben.

Ik zie oma's eerlijke ogen op een foto die ik bijna vijf jaar geleden heb genomen. Ze heeft haar blauwe ochtendjas aan; haar witte haar glanst.

O, Ida. Je bent nu zes weken dood. Ik mis je.

Op sommige avonden ging mama, tot ik elf jaar was, misschien twaalf, op de rand van mijn bed zitten en wiegde me in haar schoot. Dan zongen we samen, zo vals als een kraai. Als ik mensen vertel over mijn moeder, dat ik van haar hou en nu al bijna tien jaar nauwelijks met haar heb gesproken, vertrekt hun gezicht – soms hun bovenlijf ook – alsof zij iets horen wat zij onmogelijk achtten. 'Waarom?' vragen ze.

God weet dat ik een deel van die tien jaar werd achtervolgd door die vraag. Mijn reacties erop zijn wisselend, vaak. In dit tijdsgewricht vloeien ze in elkaar over en vormen een mysterieus klimaat dat mijn habitat is geworden: mijn moeder is geboren tijdens een climax van de joodse geschiedenis – bij het begin van de vernietiging van de oude wereld en in Amerika het begin van een ongekende opbloei van de materiële welvaart van veel joden. Ik geloof niet dat Celia ooit de behoefte heeft gevoeld de afkomst van onze familie te onderzoeken; ik had die behoefte wel. Ze vond het heerlijk om mijn moeder te zijn. Dat is geen geheim, ook al raakte ze erin verdwaald en moest ze ver van mij weg gaan om haar eigen leven te vinden. En ik moest inzien dat moederschap noch liefde zijn wortels had in de vrouw die mij ter wereld bracht. Net als bij Persephone, die als koningin van de onderwereld werd beschouwd voor Hades haar wegnam van Demeter, heeft mijn scheiding van Celia misschien zijn goede kanten. Misschien mijn jaren van eenzaamheid ook.

Demeter en Persephone hebben me getoond dat iedere moeder en dochter in elke beschaving door een soort scheiding heen moeten. Net als in het weer zit er geen logica in de liefde, we veranderen. We krijgen te maken met aardbevingen, soms met heftige tornado's – evoluties die komen zonder waarschuwing en zonder zin. Na al die jaren drijft het gemis van mijn moeder me nog dagelijks naar andere redenen om te blijven leven. Ik begin van die zoektocht te houden, zelfs meer dan ik van mijn moeder houd of van de andere schatten die ik vind.

Celia. *Le ciel*, de hemel, het plafond, mijn Celia, verzegeld.

Een vrouw kan zo veel verschillende dingen zijn. Volgens de *American Heritage Dictionary* is een moeder 'een vrouw die een kind ontvangt, baart of een kind opvoedt en onderhoudt'. Dat begrijp ik. 'Een creatieve bron; een oorsprong.' Dat begrijp ik ook. En er is ook *Vulgair Slang* – iets wat als buitengewoon wordt beschouwd qua onaangenaamheid, omvang of intensiteit'.

Mijn moeder schonk me het leven, mijn vader ook. Ik ben ze eeuwig dankbaar.

'Hallo,' zegt een vrouw met een sterk Duits accent op mijn antwoordapparaat, als ik thuiskom van mijn werk, 'met Ilse Schaubach. Misschien heb ik je oorbel.' Ze woont in het gebouw naast het mijne, het deelt de kelder waar de wasmachine staat. *Wat moet een Dúitse vrouw met de Israëlische oorbel die Karen me heeft gegeven – Karen wier moeder de holocaust heeft overleefd; en Karen die niet overleefde?*

'Ja, kom binnen.' Ilse lacht hartelijk, bijna uitbundig als ik aan haar deur kom. Toen ik haar belde vertelde ze me dat ze kunsthistorica is, ze is een jaar in Cambridge en geeft les aan Radcliffe. Ze is minstens zestig en ik besef meteen dat ze tijdens de oorlog geboren moet zijn. Ze is bijna tien centimeter groter dan ik en zwaarder; ze heeft kort, steil, grijs haar en blauwe ogen. De felheid van die blauwe ogen verschrikt me; de droefenis erin is onmiskenbaar.

'Hij zat vast in mijn T-shirt,' zegt Ilse en ze geeft me mijn oorbel. 'Ik heb dit hemd een paar maanden niet gedragen. Vandaag trok ik het aan en toen dacht ik aan dat briefje dat je hebt neergelegd. Ik wist je naam nog en ik heb je nummer opgezocht in het telefoonboek.'

'Dank je,' zeg ik en ik neem de teruggevonden oorbel in mijn hand, bij de andere, voor ik ze in mijn oren doe. 'Heel erg bedankt. Ik heb die oorbellen gekregen van iemand van wie ik heel veel hield.'

'Ik ben blij dat je ze terug hebt,' zegt Ilse. 'Ze staan je goed.'

Ik kijk naar haar vriendelijke, gulle gezicht en ook naar de gezellige flat achter haar – een groen fluwelen bank met een bijpassende leunstoel, heel veel planten en boeken. Er hangen voor zover ik kan zien minstens zes tekeningen aan de muur. In een ervan herken ik een Kathe Kollwitz.

Als Ilse me ziet kijken zegt ze zachtjes: 'Ben je joods?' Onze blikken ontmoeten elkaar. Ik knik langzaam en vraag me af hoe ze het weet.

Ilse legt haar hoofd een beetje scheef. 'Je oorbellen zien eruit alsof ze uit Israël komen,' zegt ze. 'En je naam.'

We staan zwijgend op haar drempel en kijken elkaar aan, Duitse en jodin, we praten niet en we raken elkaar niet aan. *Ze is oud genoeg om mijn moeder te zijn.* Een traan barst uit mijn oog, als een kogel. Ilses ogen zijn ook nat – en dan breken onze gezichten open in een aarzelende glimlach. 'Wil je een kopje thee blijven drinken?' vraagt ze. 'Dat zou ik fijn vinden.'

'Ja,' zeg ik, 'ik ook.'

Het is zondag en er waait een zacht windje. Ik haal mijn fiets uit de kelderbox en rijd Western Avenue af tot ik op het pad langs de Charles kom. Ik rijd helemaal naar Watertown Square, loop dan met mijn fiets langs oude bakstenen gebouwen die eens textielfabrieken waren. Erachter zijn bossen.

Ik zet mijn fiets tegen een weelderige ahorn en leg mijn wang tegen de gladde bast van een liggende stam. Ik nestel mijn knie en de binnenkant van mijn dij tegen een stevige tak. Mijn armen hangen langs de brede stam. Mijn oor ligt op een knoest in het hout. Ik rust en wacht op geuren even delicaat en mysterieus als die van mijn moeder. En ik luister – naar briesjes die Ida's stem aandragen of die van Channa of Leah, misschien die van tante Rose of Vitl. Naar de aarde onder de boom. Naar de aarde onder de aarde.

Ik fiets naar huis en sleep mijn computer naar de hal. Ziezo. Nu heb ik meer ruimte in de kamer. Ik trek de vuile lakens van mijn bed en breng ze naar beneden, naar de wasmachine. Ik geef de margrieten die ik drie dagen geleden voor mijzelf heb gekocht vers water en zet ze weer op mijn bureau. Ik veeg het aanrecht schoon, hak een ui voor soep en kijk naar de laatste collage die ik van

Jonathan heb gekregen. Het is een verroest hart, met de woorden RETOUR GEBRUIKT er vlak onder. 'Deze collage is gemaakt zonder dat ik hem heb gepland of bedacht,' schreef hij. 'Het lijkt me een boodschap van wie het dan ook mag zijn die ons een hart geeft als we geboren worden: *zend het goed gebruikt retour*. Zoals je grootmoeder deed, voor zover ik van jou heb gehoord.'

Ik heb dat briefje waarschijnlijk tweemaal daags gelezen, sinds ik het bijna drie weken geleden kreeg.

Ik spuit wat rozenwater op mijn gezicht, zie hoe lang mijn krullen zijn en denk dat ik het zo mooi vind, ook al hangt er een over mijn voorhoofd bijna in mijn rechteroog. Ik hoor de telefoon. Ik droog vlug mijn handen af aan de doek, vraag me af of het Jonathan is aan de andere kant. In New Mexico is het nu vroeg in de middag.

'Hallo, met Celia,' zegt ze en dan schraapt ze haar keel. 'Ik bedoel met mama. Hoe gaat het met je?'

'Euh,' zeg ik, verschrikt, en ik zoek naar een antwoord op haar simpele vraag: 'Verbaasd.'

'Mmm,' zegt ze. Ze is volkomen beheerst.

'Waarom bel je me?' vraag ik en ik voel me plotseling duizelig. Ik trek een stoel onder de keukentafel vandaan en ga voorzichtig zitten.

'Ik ben aan het gokken,' zegt ze. 'Ik ben in Lake Tahoe.'

'Hè,' zeg ik. 'Wat is Lake Tahoe?' Ik sta weer op, pak het blauwe doekje dat over mijn kraan hangt, zie de vlekken op mijn oven. *Als ik blijf wriemelen aan dat doekje terwijl ik met haar praat heb ik iets om me aan vast te houden.*

'Ik ben in een casino dat de hele nacht open is. Ik kon thuis niet slapen, daarom ben ik hierheen gegaan. Ik slaap al tien jaar niet goed, weet je. Hier is altijd een plaats waar je naar toe kunt gaan, waar de lichten aan zijn, andere mensen. Ik hoef zelfs niet naar buiten. Ik kan gewoon van mijn kamer naar het casino lopen.'

Is dit mijn mama? Is dit mijn eerste vertrouwelinge, de vrouw die me naar Europa stuurde nog voor ik auto kon rijden? Mijn eerste lerares, mijn moeder die madeliefjes kweekte en liever het gazon wiedde dan naar de tv keek? Dit is mijn mysterie, mijn majesteit, mijn moeder?

'Mama,' zeg ik, 'waarom bel je me?'

'Vannacht heb ik eventjes geslapen. Ik werd wakker van een droom.'

'O,' zeg ik. Ik ben perplex, zelfs bang voor wat ze misschien gaat zeggen; en toch bereid om het te horen.

Ze is weer opgehouden met praten. Ik hoor muzak op de achtergrond, fruitautomaten, het gekrijs van winnaars en verliezers.

'Mama?'

'Ja, ik ben er,' zegt ze met de stem van de stabiele moeder die ik als kind heb gekend.

'Wat heb je gedroomd?'

'Ja.'

Ik hoor hoe ze een sigaret opsteekt, haar eerste rookwolk uitblaast. Ik ga weer zitten aan mijn keukentafel, verbaasd dat ik blij ben met het geluid van haar sigaret, met de pauze die het ons geeft tussen de woorden.

'Channa kwam bij me, mijn grootmoeder. Je weet dat ik haar altijd Channa heb genoemd. Ze nam me mee achter in mijn huis – het huis van oma en opa – naar de veranda. Channa en ik gingen op de rand zitten, met bungelende benen.' Mama's stem klinkt belerend. Ze gebruikt al haar krachten om mij dit verhaal te vertellen. Natuurlijk herinner ik me die veranda ook. Aan het eind van de zomer, voor oma en opa van Cleveland Heights naar Shaker verhuisden, zaten mama en ik daar en we roken de druiven die wild woekerden langs de schutting tussen het huis van mijn grootouders en hun buren.

'Ik voelde me geloof ik meer thuis op die veranda dan op welke andere plaats ook – totdat jij werd geboren. Toen was ik een móeder; jouw moeder. En zelfs als je op school was of weg met vakantie had ik eindelijk iets – íemand – die mijn aandacht nodig had.' Ze zegt dit alsof ze nooit opgehouden is mij haar aandacht te geven. Ik heb een arm om mezelf heengeslagen, ik wacht op wat er komen gaat.

'In mijn droom zat ik op de rand van de veranda en Channa kwam terug van de druiven. Ik rende naar haar toe en vroeg hoe het met haar ging, ik zei hoe goed ze eruitzag – veel jonger dan ik me herinnerde. Ik was echt gelukkig, bedoel ik. Ik zag Channa, mijn bubbe Channa.'

'Je búbbe?' zeg ik.

'Ja,' zegt ze, alsof ze altijd jiddisch praat, 'dat is jiddisch voor grootmoeder.'

Ik zeg niet: 'Dat weet ik.'

'Maar Channa wilde geen antwoord geven op mijn vragen,' zegt mama met een stem die voor het eerst teder is, bijna nederig. 'Ze wilde niet met me praten.'

Ze neemt weer een trek van haar sigaret en ik vraag me af of ze haar tranen inhoudt. Ik heb haar nooit horen snikken – die morgen dat ik Norm een huisvrouw noemde, huilde ze in haar handen maar zonder geluid. De tranen die ze nu verdringt zouden weleens veel lawaai kunnen maken – zelfs in haar casino. We zwijgen, tot ze weer kan praten. 'Het maakte me een beetje gek,' vervolgt mama, 'dat Channa niet wilde praten en ze wist dat het me gek maakte. Maar toch wilde ze niet praten. Ik begon te huilen en huilend werd ik wakker. En toen *begon ze te praten* – toen ik *wakker werd*. Het was idioot. Ze zei dat ik jou moest bellen. Ze zei dat het tijd werd dat we samen gingen eten.'

Mijn ogen hebben een troostende waterval over mijn gezicht laten stromen, langs mijn jukbeenderen, rond mijn neus, over mijn lippen.

Ik zit in de stilte die tussen ons hangt en voel mijn langzaam-zoete kabbelende tranen. *Onze stilte is altijd zo gezegend geweest.*

Ik hoor nu niets meer, behalve de geluiden van het casino. 'Mama?'

'Ja,' zegt ze, timide. 'Ik denk na...'

'Kun je zeggen waarover?'

'Ik mis mijn grootmoeder.'

'O,' zeg ik. 'Mmm.' Ik rek mijn gehum terwijl de fruitmachines als vuurwerk ons gesprek onderstrepen.

'Ik heb Rita gevraagd om je die beschimmelde koffer uit Rusland te sturen. Je hebt tegen tante Mollie gezegd dat je die van oma wilde hebben. Hij kan nu elke dag komen, al begrijp ik niet wat je daar nu mee wilt. We hebben al het andere wat je wilde tweemaal in plastic verpakt, anders beschimmelde dat ook nog.'

'Echt?' zeg ik. 'Alles?'

'Ja,' zegt mama, '*The Settlement Cookbook* – dat valt uit elkaar, weet je. Die groene schaal waarvan Rita zegt dat hij groot genoeg is voor een pastasalade voor vijftien personen –'

'Die was van Channa,' zeg ik.

'Dat zal wel. We hebben je zelfs de zilveren kandelaars van mijn grootmoeder Leah gestuurd.'

'O mama!' zeg ik, niet meer in staat me te beheersen.

'Ja,' zegt ze, blij, naar het schijnt, dat ze me kan vertellen over al die cadeaus. 'Je krijgt dat stilleven dat je wilde hebben dat opa mee heeft genomen uit Europa voor ik geboren was en we hebben Ida's parels er ook maar bijgedaan. Alles is verpakt in die oude sprei die Ida minstens tien jaar geleden heeft gehaakt.'

'O mama,' zeg ik. 'Wauw! Bedánkt.'

'Ja,' zegt ze, weer nuchter. 'En het is ons niet ontgaan dat er niet veel foto's meer over zijn gebleven.'

Ik begin zenuwachtig te giechelen.

'Wel,' zegt mama, 'ik ga nu naar mijn kamer. Ik wil even rusten. Misschien val ik wel in slaap.'

Ze breekt het gesprek zo plotseling af, dat ik ervan schrik. 'Mama,' zeg ik, 'kunnen we morgen of overmorgen weer met elkaar praten?'

'Dat weet ik niet, Hannah. Ik weet niet of ik zo goed blijf slapen en zo wakker word als nu, begrijp je?'

'Een beetje,' zeg ik. Ik merk dat ik niet zo blijf aandringen als ik een paar jaar geleden zou hebben gedaan. 'Maar als je me op de hoogte hield, zou dat heel wat gemakkelijker voor me zijn.'

'Je bent nog steeds een koppige dochter,' zegt mama. Maar ik weet dat ze glimlacht terwijl ze dat zegt.

'Dat zal ik maar als een compliment beschouwen,' zeg ik.

'Misschien,' zegt mama.

Ik heb een enorme grijns op mijn gezicht. Ik hang de telefoon op, neem een kom preisoep en ga aan mijn tafel zitten waarop oma's gebloemde kleed ligt. De vensterbank naast de tafel staat vol foto's – van Ida en Mollie, Channa, van Celia en mij toen ik een kleuter was. Er zijn zelfportretten van de Wilde Vrouwen en Jonathans hartcollage. Terwijl ik mijn soep slurp herinner ik me dat een meubelmaker me eens heeft verteld dat hij de koffer van zijn oudoom had gevoerd met planken van cederhout – daardoor verdween de schimmellucht. Ik zou hem kunnen vragen om dat met Channa's koffer te doen. Ik zou er mijn servies in kunnen vervoeren – en Leahs zilveren kandelaars – als ik naar New Mexico ga. Jonathan en ik zouden hem als bijzettafeltje kunnen gebruiken. Ik ga naar het fornuis om meer soep te halen en voel het begin van een gedicht over deze oude koffer die een tafeltje wordt terwijl ik droom over mijn reis naar het westen.

Ich hob beroches auf mein kop. Er rust zegen op mijn hoofd.

Woord van dank

Acht jaar geleden besloot ik dat ik een roman wilde schrijven. 'Je hebt geen geld,' zei een stem in mijn hoofd.

'Wel,' zei een andere stem, 'daar zou je iets aan kunnen doen. Of je zou kunnen beginnen met het schrijven van dat boek.'

Ik besloot me op de roman te concentreren en bleek te worden voortgedreven in een avontuur waar ik niet van had durven dromen.

De eerste drie jaar verdiende ik mijn brood hoofdzakelijk met op huizen passen. Ik dank Tom Adler, Ruth Alpert, Nora Bailey, Shelly Batt, Julianne Blake, Steve Cohen en Pauline Kenny, Mary Charlotte Johnson, Judy Moore en Bob Kraichnan, Susan en Phil LeCuyer, Catherine Macken, Melanie Mitchel, Joan O'Donnell, Laurie Richadone en Saz Richardson voor het ter beschikking stellen van hun huis toen zij op reis waren. En ik dank nogmaals Ruth Alpert, die het feit dat ik zo lang op huizen bleef passen een triomf noemde, terwijl ik mij ervoor schaamde.

Veel mensen hebben me geld gegeven: Ester Barfi, Sallie Bingham, Julianne Blake, Lisa Bloom en Richard Frankel, Leona Bronstein, Savitri Clarke, Marty Cohen, Steve Cohn en Pauline Kenny, Deborah Dineen, Donna en Bill Fishbein, Cynthia Frude, wijlen Georg Geiger, Evy en Larry Gordon, Nancy Hurlbut, Anita Jamieson, wijlen Mary Krasovitz, Bill Krupman, Bob Levin, wijlen Fred Preuss, Arden Reed, Saz Richardson en anoniem (twee). BEDANKT. En dank aan Larry Ogan, directeur van de Santa Fe Council of the Arts, die de administratie van de schenkingen bijhield.

Ook de Ludwig Vogelstein Foundation en de Western States Arts Federation ben ik dankbaar voor hun grote steun.

Ik ben dank verschuldigd aan Brooke Pyeatt omdat hij me herinnerde aan het feit dat er niets beters op deze aarde bestaat dan rust en het luisteren naar verhalen – en ik wacht met ongeduld op zijn roman. De laatste twintig jaar hebben gesprekken met Lisa Bloom mijn brokstukken van het dagelijks leven aan elkaar gebreid. Ik heb zin in meer! En voor hun gulle vriendschap dank ik Shelly Batt, Sallie Bingham, Kathy McGuire Bouwman, Bridgit Brown, Marty Cohen, Deborah Dineen, Dietl Giloi, Rebecca Green, Pauline Kenny, rabbi Nahum, Ward Lev, Michael Nunnally, Louisa Putnam, Arden Reed, Saz Richardson, Ruth Rosen, Joe en Sandra Samora, Daniel Terris, Michael Tierney en rabbi Gershon Winkler.

Voor de vriendelijke en efficiënte reacties op diverse vragen dank ik het Reference Department van de Santa Fe Public Library. Dank aan Dave Ewars, wiens computerknowhow de roman eens heeft gered en aan Steve Terrell van *The Santa Fe New Mexican*, voor zijn inlichtingen over Neil Young. Marjorie Edelson en rabbi Ben Morrow hebben de antwoorden gevonden op mijn vragen over joodse geschiedenis en gebeden. Kathleen Lewis Loeks heeft me in contact gebracht met Bob Levin, wiens verlangen om dit boek geboren te zien worden jarenlang een stimulans zijn geweest.

Yehudis Fishman, rabbi Zush Margolin, Gitl Viswanath en Moe Zimmerberg gaven mij onmisbare hulp bij het jiddisch.

Mijn eerste redacteuren, Hunter Beaumont, Marty Cohen, Gary Weston deWalt, Rebecca Friedman, Ellen Kleiner, Ann Mason, Dennis Jarrett en Brooke Pyeatt analyseerden dit boek in het prilste stadium. Hun grote steun en gouden pen gaven het boek helderheid en samenhang. Ik kan hen niet genoeg danken.

Stephany Evans van de Imprint Agency heeft me in contact gebracht met Donna Downing van Pam Bernstein and Associates. Dánk, Donna, omdat je van dit boek houdt en omdat je het meer dan een kans hebt gegeven.

Voor hun inzicht, integriteit en ijver dank ik mijn redacteuren Celina Spiegel en Erin Bush, haar assistente – en het hele team van Riverhead Books.

Mijn dank, uit heel mijn hart.

Inhoud

Almudena Grandes

Atlas van de menselijke geografie

'Grandes schetst op meeslepende wijze de levens van vier vrouwen' *AD*

'van adembenemende schoonheid'

Carp

ƒ **25,00** / 488 blz.

'Een mooie, licht en luchtig getoonzette roman (...) een
wonderlijk levenslustig boek over dood, rouw en verdriet.'

Opzij

ƒ 15,75 / 248 blz.